BAROJA, UN ESTILO

BIRUTE CIPLIJAUSKAITE

BAROJA, UN ESTILO

INSULA - MADRID 1972

© *Copyright by*
LIBRERIA INSULA
Madrid, 1972

I. S. B. N.: 84-7185-107-5 Depósito legal: M. 584.—1973

Printed in Spain

ARTES GRÁFICAS BENZAL - Virtudes, 7 - MADRID

A mi madre.

A Conchita Larumbe, en su jardín.

Y cuando se habla del estilo a propósito de Baroja, yo pregunto: ¿Es que creéis que dentro de un siglo, de dos, de los que sean, no será leído Baroja con más gusto, con más seguridad, que los seguidores de una tradición que no es tradición?

¿Cómo no ha de ser leída una prosa que es vital y no ficticia; que es producto de una fisiología y no de una fórmula?

AZORÍN

ADVERTENCIA PRELIMINAR

La novela española entra en una fase nueva con la obra de Pío Baroja: ésta es la opinión casi unánime de la crítica desde que aparecen sus primeros libros. Después de este estilo tan poco literario, terso, sucinto, resulta imposible volver a la antigua retórica [1]. Parece casi simbólico que su primer libro, *Vidas sombrías,* se haya publicado en el mismo año en que Zeppelin lanza al aire su primer dirigible, abriendo horizontes nuevos. Ya la fecha misma, 1900, comienzo de un siglo nuevo, preanuncia un cambio esencial. Baquero Goyanes no vacila en afirmar que la aparición de este libro marca, en cuanto a la evolución del cuento en España, el paso decisivo del siglo XIX al XX [2]. A su vez, el concepto barojiano de la novela no sólo como una obra de ficción, sino también como testigo de la existencia humana y como un medio de estudiarse a sí mismo —un continuo cambiar y devenir—, pide un acercamiento crítico que tenga en cuenta todas estas facetas. Hablar sólo de asunto o de estructu-

---

[1] «Después de Baroja, *ya no es posible escribir en España como antes de Baroja.* ... Baroja forjó un instrumento para novelar del que ya no puede prescindirse.» (José Corrales Egea, «De 'La sensualidad pervertida' a 'La estrella del Capitán Chimista'», en *Baroja y su mundo,* dir. de F. Baeza I, Madrid, 1961, p. 205).

[2] Mariano Baquero Goyanes, *Antología de cuentos contemporáneos,* Barcelona, 1964. Lo cree también Rafael Vázquez Zamora: «Me parece revolucionario literariamente para su época.» («Cuentos y novelas cortas», *Baroja y su mundo, I,* p. 83).

ra, de la lección implícita o explícita se vuelve insuficiente. Un examen principalmente formal de la obra no llega al meollo de ella: tratándose de Baroja, resulta imposible separar al autor y al ambiente del producto artístico.

Es curioso que hasta hace pocos años la crítica se haya ocupado principalmente sólo de algunos aspectos de este mundo tan vasto: la biografía, el pensamiento. Después de los libros de Pérez Ferrero, de Sánchez Granjel, de Arbó, agregándolos a los extensos volúmenes de las *Memorias* del propio Baroja, uno llega a compenetrarse bastante íntimamente con él [3]. Por otra parte, la exposición de su cosmovisión por Demuth, seguida por el libro de Iglesias y completada por Sobejano, ofrece una guía certera a través de los meandros de su pensamiento [4].

Menos numerosos eran los que se habían acercado a la obra barojiana para estudiarla en tanto que creación artística: hecho probablemente debido a las repetidas declaraciones del autor de que no hay tal, que él no escribe *literatura*. Uno de los primeros, Ortega y Gasset, la analizó para criticarla [5]. La polémica entre él y Baroja es probablemente de lo más conocido que exista sobre el concepto de la novela en aquellos años. Menos citadas, aunque no menos valiosas, son las observaciones de *Azorín*, en su incansable esfuerzo por entender y aclarar el «secreto de Baroja» [6]. Su admiración por la irrupción de la «vida nueva» en el campo de la novela es incondicional y permanente.

---

[3] Miguel Pérez Ferrero, *Pío Baroja en su rincón*, Santiago de Chile, 1940, y *Vida de Pío Baroja*, Barcelona, 1960; Luis Sánchez Granjel, *Retrato de Pío Baroja*, Barcelona, 1953; Sebastián Juan Arbó, *Pío Baroja y su tiempo*, Barcelona, 1967.

[4] Helmut Demuth, *Pío Baroja: Das Weltbild in seinen Werken*, Hagen, 1937; Carmen Iglesias, *El pensamiento de Pío Baroja*, México, 1963; Gonzalo Sobejano, *Nietzsche en España*, Madrid, 1967.

[5] «Ideas sobre Pío Baroja» y «Una primera vista sobre Baroja», *El Espectador* I, Madrid, 1950 (originalmente de 1916).

[6] La mayoría de sus artículos han sido recogidos en *Ante Baroja*, Zaragoza, 1946.

Ultimamente, la situación ha cambiado: se puede casi hablar de una profusión de estudios que se concentran sobre el arte de la novela barojiana. Por fin Baroja va siendo reconocido como autor consciente. Entre los trabajos que más contribuyen a presentarle como a un escritor no sólo dotado, sino también responsable por su arte, se deben mencionar *La técnica novelesca de Pío Baroja,* de Eugenio Matus, y los breves ensayos de José Alberich. El libro de Nallim, *El problema de la novela en Pío Baroja,* concebido con un enfoque muy prometedor, luego deja al lector un tanto defraudado: no profundiza ni sintetiza suficientemente, aunque se propone demostrar la originalidad del autor. El estudio reciente de Leo Barrow revela con más competencia las actitudes fundamentales del autor, que contribuyen a formar su estilo [7]. Hay que mencionar, por fin, varias tesis doctorales que seguirán añadiendo al conocimiento de más de un aspecto de esta obra. Una de ellas, *Baroja y el arte de novelar,* por Javier Martínez Palacios, está para salir de las prensas.

Dadas las circunstancias, ¿es necesario un trabajo más? Ya en 1943 decía Pérez Ferrero: «Naturalmente no todos han acertado a penetrar en su espíritu, y en consecuencia cada cual lo ha visto a través de su propio cristal, lo que ha hecho que bastantes de las interpretaciones no sean exactas, y que abunden las que se contradicen» [8]. Más escéptica aun es la opinión que tiene el propio Baroja de los críticos: «¿Qué puede obtener ese profesional de la crítica más

---

[7] Matus, La Habana, 1961; Alberich, en *Los ingleses y otros temas de Pío Baroja,* Madrid-Barcelona, 1966; Carlos Orlando Nallim, México, 1964; Leo L. Barrow, *Negation in Baroja. A Key to his novelistic crativity,* The University of Arizona Press, 1971. Ya en prensa este libro, salieron un excelente estudio panorámico de Beatrice P. Patt, *Pío Baroja,* New York, 1971, y Emilio González López, *El arte narrativo de Pío Baroja. Las trilogías,* New York, 1971.

[8] Pío Baroja, *La decadencia de la cortesía y otros ensayos.* Prólogo de M. Pérez Ferrero, Barcelona, 1956, p. 9.

que un resultado aproximado? Sacará el valor de una obra con relación al punto en que se coloca él, a no ser que quiera dar la impresión media de las opiniones de otros, con lo cual llegará a un porcentaje literario que no tiene valor para nada» [9]. Las dos opiniones implican que una obra tan vasta permite múltiples modos de acercarse a ella. Cada estudio nuevo sólo añade un punto de vista más; no puede pretender ser una visión definitiva. Pero en vez de hablar del «porcentaje literario», tal vez haya que recordar aquí la teoría orteguiana del punto de vista y esperar que cada nuevo intento contribuya una perspectiva distinta que ensanche la visión del conjunto.

El presente estudio no pretende más. Se propone, a diferencia de varias tesis y trabajos monográficos que se concentran sobre unas cuantas novelas representativas, acercarse al conjunto de la obra novelesca de Baroja, buscando denominadores comunes y rasgos estilísticos más salientes que perduran. La circunstancia de que los estudios estilísticos publicados—o en marcha—hasta ahora hayan escogido las mejores y más conocidas novelas de Baroja como objeto de indagaciones más profundizadas ha influido en la elección de las obras comentadas en éste: representativas de las varias calas en la evolución del autor más bien que sus obras maestras. Aun así, será inevitable incurrir en algunas repeticiones: la situación de la obra en relación con el fondo general; un breve resumen de las ideas teóricas del autor. El vasto panorama de la obra barojiana ha sugerido ciertas limitaciones: la exclusión de su obra poética, del teatro y de las *Memorias* así como de otros libros de ensayo; referencias muy someras a sus cuentos (se prepara una tesis doctoral sobre ellos) y a sus primeros artículos; sólo alguna alusión a *Memorias de un hombre de acción*, que, aunque novelas, merecen un estudio aparte, enfocándolas más

---

[9] *La caverna del humorismo, Obras completas* V, Madrid, 1948, página 441.

precisamente desde el punto de vista de la novela histórica. Si a lo largo de estas páginas se consigue examinar y presentar a discusiones ulteriores lo que para Baroja representan los conceptos «novela» y «estilo» no sólo en teoría, sino también en práctica, el propósito se dará por cumplido.

Las investigaciones de los manuscritos de Baroja han podido llevarse a cabo gracias a una beca de la Universidad de Wisconsin en el verano de 1971. No hubieran sido fructíferas sin la generosidad de don Julio Caro Baroja en abrir las puertas y el archivo de Itzea y ofrecer toda la información que se le pedía. A él agradezco la autorización de citar de los manuscritos. También quisiera expresar mi agradecimiento al profesor Luis Urrutia Salaverri, quien altruísticamente me dio acceso a los resultados de años de investigación laboriosa tocante a los primeros artículos de Baroja. La invitación a pasar el primer semestre de 1971-1972 en el Institute for Research in the Humanities (Madison), permitió dedicar todo este tiempo a la redacción del material recogido.

CAPITULO I

BAROJA Y LA NOVELA

> Sein ganzes Werk ist Auseinandersetzung mit dem Ich, immer erneuter Versuch, zur Klarheit über sich selbst zu gelangen [1].

La obra de un artista (sea él novelista, pintor, compositor o poeta) siempre se destaca más claramente, si se la estudia partiendo desde el fondo sobre el que ha nacido. Más que en otros, en el caso de Pío Baroja la crítica puramente estructuralista quedaría manca, puesto que la forma, el «cómo», siempre le ha preocupado menos que el fondo. C. O. Nallim ha intentado situar su obra dentro del panorama novelístico de fin de siglo, dando resúmenes de lo que habían hecho antes de Baroja los autores más conocidos en España, y definiendo los movimientos literarios en los que más se apoya: el realismo y el naturalismo. Quizá no resulte redundante insistir una vez más en ello, ya que sólo teniendo presente la evolución general es posible darse cuenta clara de las aportaciones de un autor particular.

La situación de la novela en España se resume muy sucinta y eficazmente por *Azorín* ya en 1917:

> ¿Qué relación existe entre el estilo de Baroja y el de los novelistas españoles, sus antecesores? Quien lea

[1] H. Demuth, *Op. cit.*, p. 1.

una novela de Pereda, de Alarcón, de *Fernán Caballero,* y luego otra de Baroja, experimentará, sin duda, una impresión extraña. La impresión será mucho más violenta si, en vez de los novelistas citados, ... se pasa la vista por alguno de los escritores de los que, al comenzar su carrera Pío Baroja, eran los representantes de la prosa artística y literaria. ... Al lado del estilo amplificador, espléndido, sonoro, gallardo, debido a la influencia del orador republicano, y dominante en España hace veinte años, el estilo seco, *prosaico,* escueto, negligente, de Pío Baroja, había de impresionar desagradablemente al lector [2].

Para apreciar el gusto del público baste recordar que en 1904, año en que se publica *La lucha por la vida,* se concede el premio Nobel a Echegaray. El público estaba demasiado acostumbrado aún a una novela entendida como ficción (es el mundo hermético de la ficción también el que Ortega postula todavía en 1925) [3], aunque ya desde mediados del siglo precedente esta ficción se basaba en la verdad y en datos y sociedad observados.

Las raíces de la obra barojiana se encuentran sin duda alguna en el realismo. Conviene recordar, sin embargo, que este realismo es polifacético: Baroja se apoya tanto en los realistas franceses como en los ingleses o los rusos, y cada uno entre ellos sigue tangentes distintas. Es más: entre los ingleses y los franceses, algunos de los autores admirados por Baroja *preceden* el realismo. Tal es el caso de Defoe, Walter Scott, Dumas e incluso Stendhal. Al tratar de establecer qué significa la novela para Baroja no bastará, pues, examinar las principales normas realistas, resumidas por Bernard Weinberg como sigue: *a)* una representación verídica

---

[2] *Op. cit.,* pp. 116-7.

[3] José Ortega y Gasset, *La deshumanización del arte e ideas sobre la novela,* Madrid, 1925.

del mundo real; *b)* el estudio de la vida y las costumbres contemporáneas; *c)* el acercamiento por vía de observación; *d)* el método analítico en la presentación del personaje; *e)* la impersonalidad por parte del autor [4]. Estas exigencias son generales y bien conocidas en todas partes. Más interesantes, y más aplicables al caso de Baroja, parecen los esfuerzos de algunos novelistas ingleses, quienes intentan reconciliar las técnicas y los ideales de la novela de aventura: tensión dramática, misterio, con las exigencias de una sociedad cada vez más industrializada, que pide un estudio del hombre y de sus problemas dentro de un ambiente social. Germaine Brée, a su vez, señala que aunque en los últimos años del siglo XIX, bajo la influencia de Tolstoi, el énfasis en el aspecto social es muy notable en la novela francesa, también se puede observar cierta rebelión contra lo colectivo y un deseo cada vez más pronunciado de ir hacia el fenómeno individual, donde predominan los valores éticos [5]. Incluso el realismo ruso, si tal denominación puede abarcar una obra de facetas tan variadas, pone de relieve aspectos diferentes: mientras Gogol satiriza la sociedad y sus males, Tolstoi observa el desarrollo de los personajes en medio de una sociedad histórica, y Dostoyevski busca las raíces de la angustia personal de cada individuo. En este respecto se puede recordar que Baroja ha sido un lector asiduo también de Ibsen y conocía la filosofía de Kierkegaard [6].

Por otra parte, no se debe olvidar que Baroja ha insistido más de una vez en que no concibe ni admite trabajo creador basado en literatura escrita previamente, que quiere ser *actual* y no perder nunca el contacto directo con la vida.

---

[4] *French Realism: The Critical Reaction 1830-1870*, London, 1937.

[5] Germaine Brée & Margaret Guiton, *An Age of Fiction*, Rutgers University Press, 1955; Germaine Brée, *The World of Marcel Proust*, Boston, 1966.

[6] En una carpeta con apuntes sueltos guardada en el archivo de Itzea se encuentra la nota siguiente: «Busco esta verdad íntima de que ha hablado el teólogo danés Kierkegaard, aunque sea dolorosa y dura».

Se compaginan siempre en sus obras por lo menos tres estratos: el residuo de las lecturas (que dejan ciertas huellas tanto en la forma como en el fondo); la observación inmediata del ambiente en que vive, con enfoque social; el incesante proceso de inquisición en su propia existencia. No en vano hay críticos que descubren rasgos existencialistas en su novela. Para comprobarlo sería interesante comparar algunos aspectos de la obra de Unamuno, universalmente reconocido como precursor del existencialismo en España, y la de Baroja, para lo cual podría servir como base un análisis de *San Manuel Bueno, Mártir* y *El cura de Monleón*, que tratan de un caso muy parecido y fueron escritas con pocos años de distancia.

En su acercamiento personal a la novela, Baroja se muestra ya decididamente moderno: si en el siglo XIX el novelista aún creía que, a la vez que exponer problemas, podía también sugerir soluciones generales, para el hombre del siglo XX todo se vuelve búsqueda y pregunta, un incesante caminar en adelante sin tener siempre la certeza del arribo. De aquí surge indudablemente una de las características salientes de la novela de Baroja: su vivacidad, su capacidad de cambio casi instantáneo, sus contradicciones. Desde los primeros filósofos griegos se suele considerar la vida como un continuo pasar. La insistencia es muy clara en Montaigne: «Je ne peints pas l'estre. Je peints le passage» [7]; toda la filosofía de Bergson se basa en el concepto de la existencia como un esfuerzo siempre renovado de cambio y de crearse a sí mismo. Entre sus contemporáneos, Baroja es probablemente el que más resignadamente se somete a esta ley del destino humano. Azorín y Valle-Inclán estilizan para inmovilizar el momento; Unamuno lucha contra el tiempo; Baroja acepta la mortalidad. El lento caminar hacia la muerte es siempre evidente en sus novelas.

---

[7] *Essais*, livre III, chapitre II *(Oeuvres complètes*, Ed. Gallimard, 1962, p. 782).

Jean Pouillon, al examinar la evolución de la novela en relación con el tratamiento del tiempo, ha hecho una observación aguda, indicando el nuevo rumbo que la novela toma en el siglo XX: ya antes se solía presentar a un personaje que cambiaba—la novela psicológica de la segunda mitad del siglo XIX se especializó en ello—, pero frecuentemente este cambio se destacaba contra un ambiente más bien fijo. Para el autor moderno, la interrelación hombre-mundo se ha vuelto tan compleja que es imposible dividirla en componentes fijos y alterables: todo en el siglo XX se somete continuamente a un movimiento indivisible [8]. Partiendo de esta observación, no resulta difícil ver por qué una novela de Stendhal, donde nada está completamente fijo, parece hoy más «moderna» que las de Balzac, y por qué la lectura de Galdós trae frecuentemente un sabor de «siglo pasado», mientras que Baroja «no envejece» [9].

De un siglo a otro cambian también las perspectivas: en la novela de los siglos precedentes, la presencia de un protagonista bien definido era imprescindible. Aún se podía hablar de héroe. Mario Praz ha demostrado cómo este concepto ha decaído poco a poco, cómo el aburguesamiento gradual de la sociedad ha eliminado la necesidad de un ser diferente, superior. Señala que ya Thackeray insiste en presentar al público una «novela sin héroes», y que incluso en Walter Scott—en esto concuerda con G. Lukács—el en-

---

[8] *Temps et roman,* Paris, 1946.

[9] «Y la ventaja mayor del procedimiento de Baroja es que no envejece. Dentro de cien años, de doscientos, se podrá leer una novela de Baroja del mismo modo, con el mismo gusto que ahora». *(Azorín, op. cit,.* p. 204); «Among the novelists of the generation of 1898, Pío Baroja is the one most likely to be honored in future histories of literature». (Sherman Eoff, *The Modern Spanish Novel,* New York University Press, 1961, p. 165); «Le sue opere hanno oggi la stessa freschezza e la medesima vitalità di quando furono scritte.» (G. Bellini, *Narratori spagnoli del Novecento,* Bologna, 1960, p. XVII).

foque se distribuye entre el héroe y el medio social [10]. Tratándose de la novela histórica, las diferencias se presentan muy obvias si se compara una novela del mismo Scott con cualquier novela con base histórica escrita en el siglo XX. Las *Memorias de un hombre de acción* ofrecen un ejemplo excelente: lo que hace Baroja en esta serie es precisamente «desheroizar», desmitificar. En varias ocasiones ha declarado que son la sociedad y la circunstancia las que condicionan la obra que se escribe, y que en su tiempo una novela con personajes extraordinarios resulta impensable: «La vida actual no tiene misterio, no da la aventura ni el aventurero, no da la posibilidad del héroe, y por eso la novela no puede reflejarlo. El intentarlo a la moda antigua, más que creación, sería hoy un caso de arqueología literaria» [11].

La manera de escribir de Baroja fue determinada, pues, no sólo por las ideas que él podía tener sobre la novela y el arte de escribir, sino ante todo por el tiempo en que vivió y por el fondo que trataba de trasladar a su obra. *Azorín,* quien fue uno de los primeros en señalar que la técnica en las novelas barojianas es tan importante como el pensamiento, ve en ella también un reflejo fiel de la filosofía del autor. Hablando de *Aurora roja,* dice:

> Esta es, en síntesis, la filosofía que se desprende de la novela. Y más que de las palabras, surge de la misma técnica del autor; de esa trabazón disforme, incongruente, de vida; de este ir y venir ciego de personajes; de este caer de hombres buenos, inteligentes, anonadados por el destino; de este acabarse las cosas fríamente, desencantadamente; de este cruzarse y recruzarse loco de vidas absurdas, sin finalidad alguna; de esta corriente poderosa, misteriosa, que circula por las pá-

---

[10] Mario Praz, *La crisi dell'eroe nel romanzo vittoriano,* Firenze, 1952; Georg Lukács, *The Historical Novel,* London, 1962 (versión original de 1937).

[11] *Vitrina pintoresca, OC* V, p. 781.

ginas del libro y que hace salir a los hombres de no sabemos qué nebulosa para llevarlos a no sé qué abismo; de estas escenas inmotivadas en que aparecen personajes que ya no volveremos a ver [12].

Cada tema impone siempre un tratamiento apropiado. Así, el enfoque sobre la realidad observada y el interés cada vez más general por todas las capas de la sociedad, a menudo con énfasis especial en los bajos fondos, traen la preocupación por encontrar un lenguaje más adecuado. Los ingleses se adelantan en este aspecto: ya en tiempo de Defoe, la Royal Society propugna el desarrollo de una prosa más «factual» [13]. Esta va penetrando rápidamente en las revistas literarias y culturales, que acogen, a mediados del siglo XIX, cada vez más artículos y ensayos de índole científica, donde los hechos se exponen en lenguaje claro y conciso. Incluso el número y el tipo de lector cambian considerablemente. M. Praz hace notar que en los primeros decenios del siglo XIX las novelas aún eran muy caras y por consiguiente sólo accesibles a gente adinerada, pero que el advenimiento de la moda de publicación por entregas, hacia 1820, revolucionó totalmente el concepto de la novela e incluso su estructura. Aunque Baroja, lector asiduo de folletines, escribe muchos años más tarde, sus primeras novelas también salen en folletín, y es probable que esta circunstancia haya influido algo en su composición. También él escribe para un público general y mira decididamente hacia el futuro: «Yo no escribo casi nunca pensando en los lectores; pero a veces, sí; pienso en el lector joven de dentro de cincuenta años. El lector real me interesa poco» [14].

---

[12] *Op. cit.*, p. 50.

[13] Véase Ian Watt, *The Rise of the Novel*, London, 1957, p. 101.

[14] *Galería de tipos de la época*, *OC* VII, Madrid, 1949, p. 813. La misma idea se encuentra en *Juventud, egolatría:* «Yo tengo una esperanza, quizá una esperanza cómica y quimérica: la de que el lector espa-

La difícil compatibilidad entre los dos siglos y su mutua influencia en un autor que pertenecía a ambos fue bien vista por E. Matus. Es muy acertada la evaluación sintética del estilo de Baroja que ofrece al terminar su estudio:

> Este encabalgamiento en dos siglos, en dos épocas literarias tan diferentes, que afecta a la obra de Baroja, determina y explica también algunos aspectos de su técnica novelesca. Al siglo XIX debe Baroja el interés por lo anecdótico, la variedad de elementos, el carácter pintoresco, claroscuro, sentimental... también la concepción del mundo de la aventura, la afición por lo rememorativo y ensoñador, el gusto por lo antiguo. ... Al siglo XX debe Baroja la angustia vital existencialista [15].

La obra de un autor refleja en general no sólo el fondo literario o social sobre el que éste se ha formado, sino que da testimonio también del pensamiento prevaleciente en la época en que se escribe. Conviene, pues, resumir en primer lugar las ideas «que están en el aire» antes de adentrarse en las posibles influencias particulares. En su voluminoso estudio del ambiente intelectual de Inglaterra en la segunda mitad del siglo XIX, Madeleine Cazamian menciona algunos títulos que bien merece la pena repetir, puesto que dejaron huellas en todos los hombres de este tiempo y también fueron muy manejados por Baroja: 1859, *El origen de las especies,* de Darwin; 1865, *Introducción al estudio de la medicina experimental,* de Claude Bernard; 1874, *Psicología experimental,* de Wundt. Son teorías totalmente nuevas que

ñol de dentro de treinta o cuarenta años... me apreciará más y me desdeñará más.» *(OC* V, p. 164).

[15] *Op. cit.,* p. 121.

se comentan en todos los países europeos y que causan, en palabras de Cazamian, una «liberación de las tradiciones» [16]. Casi al mismo tiempo los escritos de Nietzsche «liberan» también de la moral tradicional. El interés se centra en lo fisiológico, en lo psicológico. En todas las manifestaciones creadoras del hombre se pide documentación y se recomienda la duda. Los valores tradicionales se ven amenazados, se extiende el escepticismo, va desapareciendo el optimismo. La lista de las obras publicadas entre 1875 y 1900 sobre el pesimismo es impresionante. El voluntarismo propugnado por William James sólo parcialmente mantiene el equilibrio. Tal vez como una reacción a la lucidez científica, se hace patente a la vez cierto renacimiento del interés por el misticismo, por el mundo de los sueños. Freud se acerca a ellos para analizarlos metódicamente; Stevenson, Kipling y otros conservan una nota de misterio y de lo sobrenatural.

Más interesante aun para el caso es el advenimiento de un cambio general en los valores filosóficos: la vuelta al realismo. Ian Watt insiste con razón en la importancia de este factor: en vez del idealismo, que anteponía los universales y los conceptos absolutos, se abre camino la creencia en el descubrimiento de la verdad individual a través de la experiencia de cada uno. Con ello se da paso libre a la relatividad de los valores, y se invita a una actitud crítica. Incluso la filosofía postula oposición a lo tradicional, necesidad de innovación por propio esfuerzo y experimentación individual, sugiriendo que también el uso del lenguaje debe ser adaptado a la realidad que se estudia. Ferrater Mora destaca dos actitudes entre los realistas: 1) realismo «ingenuo» o «natural», según el cual el conocimiento es una reproducción exacta («copia fotográfica») de la realidad; 2) realismo «científico, empírico o crítico», que va más lejos: afirma que no puede simplemente aceptar lo percibido

[16] Madeleine L. Cazamian, *Le roman et les idées en Angleterre*, Paris, 1923-1953.

como lo verdaderamente conocido; es menester someter los datos a examen y ver lo que hay en el conocer que no es mera reproducción[17]. Si el primero puede haber servido como base a ciertas novelas realistas o naturalistas del siglo XIX, en el segundo se reconoce la actitud de autores más modernos, entre ellos Baroja.

Esta necesidad de llegar a conclusiones individuales, aunque nunca subjetivas, sino basadas en una experimentación científica, encuentra la exposición más clara en una obra que Baroja reconoce como una de las «guías espirituales» de su juventud: *Introducción al estudio de la medicina experimental*, de Claude Bernard. Un brevísimo resumen de las recomendaciones de Bernard ayudará tal vez a entender incluso el procedimiento de Baroja como novelista. Insiste el autor en que la observación sola no es suficiente: es sólo el primer paso, y se puede considerar casi como una fase pasiva. Sobre los hechos observados hay que añadir razonamiento, puesto que «l'observation montre et l'expérience instruit»[18]. Aunque subraya la necesidad de una «autoridad impersonal», basada sólo en los hechos y en los fenómenos observados, señala también que es imprescindible juzgar, y que un juicio nunca puede ser totalmente objetivo. En este punto es donde se puede notar una evolución entre los realistas que se reconocen como tales y los autores más modernos. En un artículo de 1856, Champfleury afirmaba: «Le romancier ne juge pas... il expose des faits»[19]. Este procedimiento ya no es válido para Baroja: la mayoría de sus novelas muestran que él no pretende ser un «observador impasible» y sencillamente apuntar lo visto. El precepto de Bernard, «porter jugement sur les faits», ha hecho mella en su ánimo. Puesto que la materia de todos sus escritos son obser-

[17] José Ferrater Mora, *Diccionario de filosofía*, 4.ª ed., Buenos Aires, 1958, p. 1140.

[18] *Introduction à l'étude de la médecine expérimentale*, Paris, 1865.

[19] Citado por B. Weinberg, *op cit.*, p. 123.

vaciones no sólo de la realidad circundante, sino ante todo de él mismo, no puede contentarse con dar sólo el primer paso: examina, comenta lo expuesto, incluye sus opiniones, trata de entenderlo. La «autoridad impersonal» recomendada por Bernard está ahí: siempre crea distancia para poder mirar con ojo más objetivo lo expuesto, pero la impresión final nunca es la de impasibilidad. A un momento determinado lanza también su emoción.

Bernard recomienda el método inductivo en todo experimento, y se podría decir que Baroja le sigue: en general, va de lo individual hacia lo universal. Si sus novelas interesan y sobreviven, es precisamente por eso: no sólo porque en todas ellas vibra y vive Pío Baroja, sino porque la experimentación sobre su propia carne viva se hace pensando en el hombre en general. Aquí hay que volver a una observación ya hecha: es individualista rabioso, no consentiría nunca hacer parte de un grupo homogéneo, pero nunca se siente *extraordinario,* fuera de serie, uno de los héroes antiguos. Acogiendo todas las ideas, todos los modos que encuentra, los examina, los enjuicia, y se queda con la modalidad que más fielmente refleja su íntimo ser. Busca un estilo, una manera de expresarse original, una identidad auténticamente suya, pero en el fondo se reconoce miembro de la humanidad entera, y los valores que más pone de relieve son siempre los humanos.

El inconformismo le impide tal vez aceptar el determinismo predicado por Bernard. Acepta su consejo de «creer en la ciencia», hace suya la recomendación de la duda en todo y ante todo, pero no se inclina ante la negación del libre albedrío. Su pesimismo, su visión negativa del mundo y de la existencia están muy cerca de la negación del valor del esfuerzo humano individual, pero en general es posible encontrar una débil, casi vergonzosa esperanza en alguna de las páginas, y sobre todo la resolución de defender su libertad. El hecho mismo de que no haya dejado de escribir lo prueba.

Sobre este fondo construyen Baroja y sus contemporáneos la novela nueva. Sobra repetir que cada uno de ellos se acerca a ella de un modo totalmente personal, y que el mismo punto de partida y una ideología semejante llevan a resultados muy dispares. El concepto de la novela se va volviendo cada vez más subjetivo, y son la cosmovisión y la personalidad del autor los que determinan su estructura. La exposición impasible, basada en la documentación, no les basta, así como dentro de otros cincuenta años ya ni siquiera el narrar será considerado suficiente: para Robbe-Grillet «raconter est devenu proprement impossible» [20]. La interpretación subjetiva de lo que es una novela salta a la vista si se compara lo que cada uno de ellos hace con la novela histórica. Tres entre ellos han escrito sobre la guerra carlista, y los tres la enfocan desde un punto de vista muy diferente. Es curioso que por su visión influyen incluso a un autor tan veterano como Galdós, quien trata de «modernizar» su procedimiento en las últimas series de *Episodios nacionales* [21]. Entre los contemporáneos, el esfuerzo de Baroja por crear una novela histórica se puede considerar el más logrado, incluso menos subjetivo en el tratamiento que el de Unamuno o de Valle-Inclán. El protagonista principal de *Paz en la guerra* sólo parcialmente es España. El autoanálisis y las preocupaciones filosóficas de Pachico y de Ignacio enfocan la atención sobre ellos ante todo. Así, incluso la novela más «tradicional» de Unamuno resulta ya muy personal. En *La guerra carlista,* por otra parte, la visión es

---

[20] Alain Robbe-Grillet, *Pour un nouveau roman,* París, 1963, p. 31. Jean Ricardou, a su vez, niega que la novela deba interesarse por los problemas existenciales del hombre o del mundo. Para él y para los otros «vanguardistas nuevos» este género—y toda la literatura—representan ante todo arte y juego. (Conferencia pronunciada en la Universidad de Wisconsin en noviembre de 1971).

[21] La diferencia entre las novelas históricas de Galdós y las de Baroja ha sido estudiada detallada y perspicazmente por F. Flores Arroyuelo en su tesis doctoral, presentada en la Universidad de Murcia en 1967: *Pío Baroja y la historia,* publicada en 1971 (Madrid, Ed. Helios).

tan estilizada que es imposible olvidar que se trata de literatura. También aquí la fuerte personalidad del autor está siempre en el primer plano. Entre éstas, *Memorias de un hombre de acción* surge como una obra de visión más amplia y más concreta a la vez: una relación épica [22] no desprovista de defectos, pero viva, con la realidad española siempre presente, más agudamente perceptible por la ausencia de toda idealización o literaturización.

Baroja no hace — y lo han observado varios críticos — verdadera distinción entre la novela en general y la novela histórica: «Novela o historia, a la larga yo creo que todo es novela» [23]. El acercamiento es el mismo; lo único que cambia es la época historiada. Cuando se trata de distinguir entre historia como ciencia y novela, sugiere que deben ser juzgadas con criterios diferentes:

> A la literatura mediocre, el tiempo la hunde indefectiblemente; en cambio, la Historia mediana puede resistir por sus datos. El que se atiene a la literatura se inspira en obras geniales, lo que no pasa al que maneja libros de Historia. Unas cuantas obras literarias dan más la sensación de un país que unas cuantas obras de Historia [24].

Son incompatibles los fines de la novela histórica tal como se la entendía en el siglo pasado y la suya. Su gran preocupación es siempre dar una impresión de inmediatez, de vida, convertir lo «arqueológico» en algo actual. Por esto no vacila en incorporar acontecimientos de su tiempo en lo que cuenta del siglo pasado, como en *Las mascaradas sangrientas*. Pero aquí también se debe tener presente ante todo su cosmovisión: el hombre, por más adelantos que haga en

[22] En *El escuadrón del «Brigante»* sugiere que está escribiendo una épica nueva.

[23] *La leyenda de Jaun de Alzate, OC* VI (Madrid, 1948), p. 1154.

[24] *La intuición y el estilo, OC* VII, p. 992.

el campo de la civilización, no cambia íntimamente: guarda el mismo fondo de crueldad y de egoísmo que sus antepasados en los siglos primitivos. Conviene recordar también que todos los hombres del 98 se fijan más en la intrahistoria que en la historia; en los hechos cotidianos y hombres corrientes. Baroja recalca la diferencia más de una vez:

> La obra histórica se basa casi siempre en datos tomados de libros o documentos, en figuras trascendentales y representativas. Esta clase de libros, como el mío, no se ocupa de grandes personalidades, grandes la mayoría de las veces por la casualidad y por el azar; no se refiere a directores de movimientos políticos y sociales, sino a individuos subalternos, del montón, moldeados por el ambiente, y muchas veces sacrificados por las circunstancias [25].

A este deseo de retratar al hombre medio y, a través de él, a toda la sociedad de una época, se añade otro que casi nunca falta en la obra de Baroja, trátese de una novela histórica, de un cuento o de una divagación: añadir fantasía, divertir al lector. Lo resume en pocas palabras en una visión retrospectiva de su obra: «Pero yo no quería hacer novelas históricas, sino más bien una especie de reportaje fantástico» [26].

En esto demuestra alguna afinidad con uno de los más extraordinarios novelistas de hoy, García Márquez: para los dos, escribir es, entre otras cosas, divertirse y divertir al lector, no hacer un juego intelectual o estilístico.

La novela es para Baroja siempre historia; historia de la sociedad en que vive, de la gente que observa; historia, ante todo, de su propio vivir, sentir, pensar. Torrente Ballester ha resumido la opinión de muchos críticos, definiendo

---

[25] *La familia de Errotacho, OC* VI, p. 257.

[26] *El escritor según él y según los críticos, OC* VII, p. 464.

la obra de Baroja como «ochenta volúmenes de memorias», añadiendo que su novela es «un instrumento de expresión personal casi tan riguroso y subjetivo como la lírica»[27]. Aunque la crítica ha puesto de relieve sobre todo su don de transmitir impresiones con un sabor de inmediatez, impresiones que dejan percibir el latido de la vida, no falta quien subraye la cualidad lírica de esta obra. Baroja mismo ha insistido en que lo que más le interesa es llegar a entender y expresar no sólo el vivir, sino también el sentir. Es bien conocida esta afirmación suya, pero tal vez valga la pena citarla una vez más:

> El escritor tiene un fondo sentimental, que forma el sedimento de su personalidad. Algunos hay que tienden a mostrarse fríos y secos; pero se puede sospechar que en ello hay mucho de finta. ... En el fondo sentimental del escritor han quedado y han fermentado sus buenos y sus malos instintos, sus recuerdos, sus éxitos y sus fracasos.
>
> De este fondo el novelista vive[28].

La insistencia en el fondo sentimental indica muy claramente por qué, aun siguiendo fielmente las recomendaciones de Claude Bernard, la obra de Baroja no puede ser igual a la de los naturalistas. El ha ido muy lejos en el camino de la experimentación; en sus estudios de medicina se dedicó con interés a la anatomía, porque quería «sorprender la vida». Trasladó luego este interés a la novela. Según Gerald Brenan, el empeño de hurgar en el secreto de la vida influyó también en su estilo: «And it is because of this desire to surprise life, to catch it when it was off guard, that he abandons so many of the forms and artifices of the professional novelist and puts down very simply what he

---

[27] Gonzalo Torrente Ballester, *Panorama de la literatura española contemporánea*, 3.ª ed., Madrid, 1965, p. 234.

[28] *La intuición y el estilo*, *OC* VII, p. 1057.

has observed and no more. His books are therefore underwritten, full of loose ends, of things suddenly seized and jotted down or that have come into his mind spontaneously» [29]. Julio Caro Baroja, a su vez, recordando al tío, habla de su «mirada clínica» aplicada a todas las manifestaciones de la vida cotidiana. También *Azorín* relaciona su manera de acercarse a la literatura con su primera profesión. Los naturalistas mismos en España no habían llegado a una actitud tan directamente científica, sin alguna interpolación de la retórica. Como tantas veces, la definición sucinta que da *Azorín* indica lo más saliente de la manera de escribir de Baroja:

> Seguramente que sus estudios profesionales, los libros de Patología y de Clínica que ha leído en la Facultad de Medicina, le han ayudado mucho para desentenderse del estilo dominante en su época y llegar a crearse una *prosa de diagnóstico,* una prosa precisa, clara, exacta, incisiva, profunda, una prosa en que, cuando alcanza su grado de intensidad máxima, hay una sensación de poesía, de tristeza poderosas, inefables...» [30]

La breve evaluación reúne las dos facetas que permanecen constantes a través de todo lo que hace Pío Baroja: escrutinizador agudísimo, cuya objetividad le lleva al escepticismo total, y hombre de vida íntima que conserva un fondo sentimental escondido tan fuerte como su espíritu científico. Madariaga llega hasta a llamarle «un sentimental vergonzante», señalando que esta actitud reúne orgullo, timidez y miedo al ridículo [31]. Seguramente hay algo de todo ello,

[29] Gerald Brenan, *The Literature of the Spanish People,* Cambridge University Press, 1951, p. 452-3. Compárese esta definición con lo que dice Baroja en *Familia, infancia y juventud, OC* VII, p. 582.

[30] *Op. cit.,* pp. 117-8.

[31] Salvador de Madariaga, «Pío Baroja», en *De Galdós a Lorca,* Buenos Aires, 1960, p. 159.

pero tal vez más importante aún sea otro aspecto, que Madariaga no menciona: la necesidad de esconder su sensibilidad porque frecuentemente ha sido profundamente herido si no ha interpuesto entre sí mismo y el mundo la distancia irónica.

Eugenio de Nora trata de entender a Baroja, enfocándole desde otro punto de vista: al indicar que en la obra barojiana predominan ausencia de cordialidad y de simpatía humana, opina que tal aridez es resultado de su sinceridad: no quiere poner en sus novelas lo que no ve en la vida [32]. Si recordamos las famosas definiciones barojianas de la vida como «una cacería cruel» *(El árbol de la ciencia),* como «porquería» *(El cura de Monleón),* o «una bazofia maloliente y poco apetitosa» *(Los confidentes audaces),* y del hombre como «un animal cruel, cobarde y caprichoso» *(Intermedio sentimental),* tenemos que darle razón. No debería olvidarse, sin embargo, que casi en todos los libros aparece por lo menos un personaje con un fondo soñador, con anhelo de calor humano: la segunda vertiente de la cosmovisión barojiana. No resultará redundante tal vez recordar que todos los hombres del 98 demuestran un rico filón lírico: parcialmente como reacción contra el materialismo de fin de siglo; por otra parte, como expresión del «yo» individual [33].

¿Qué es, entonces, una novela de Baroja? ¿Cómo la entiende, y por qué escribe? Las alusiones a través de los miles

---

[32] Eugenio de Nora, *La novela española contemporánea,* I, Madrid, 1963.

[33] Lo señala con insistencia Hans Jeschke *(La generación de 1898,* 2.ª ed., Madrid, 1954) y lo hace notar Pedro Laín Entralgo *(La generación del noventa y ocho,* en *España como problema,* Madrid, 1957). Un número considerable de los críticos que han escrito sobre la obra barojiana opinan que su lirismo es una de sus cualidades más destacadas (Federico de Onís, Ramón Sender, Francisco de Cossío, Juan de la Encina, Díez Cañedo).

de páginas que escribió son abundantes; a veces, contradictorias. La definición más cuidadosamente hecha y publicada como prólogo a *La nave de los locos* para contestar a Ortega es harto conocida. Las cualidades salientes que propone son permeabilidad, dinamismo, veracidad, capacidad de transformación. Lo repite en *Memorias:* «La novela, hoy por hoy, es un género multiforme, proteico, en formación, en fermentación; lo abarca todo: el libro filosófico, la aventura, la utopía, lo épico, todo absolutamente» [34]. Una novela, en una palabra, adaptada a la vida, una novela que ante todo *sea* vida y no literatura, una novela que nunca ponga límites definidos entre la existencia real y la ficción.

Los límites: estéticos, morales o los que sean, le parecen ahogadores. Lo que dice de una obra de *Fernán Caballero* podría extenderse a su visión general de la ficción que se escribía en España en el siglo XIX: «Leí las novelas de *Fernán Caballero,* que tenían mucha fama; no me gustaron nada, pero me convencí de que me debían gustar. Las he vuelto a leer después, y me han parecido una cosa bonita, pero mezquina. Me dan la impresión de un cuarto bien adornado, pero tan estrecho, que dentro de él no se pueden estirar las piernas sin tropezar en algo» [35]. El quiere precisamente lo opuesto: horizontes abiertos, posibilidad de añadir lo que se le antoje en el momento (habrá que hablar de esto cuando se comente más detenidamente su manera de componer una obra). Comparando la vida y la literatura que se ha escrito hasta sus días, exclama con amargura: «Pero la literatura es eso: darle un fin a lo que no lo tiene, ponerle un principio a lo que se nos ha presentado sin principio [36]. El no quiere limitarse ni en lo que toca al tiempo ni al espacio, admitir sólo un cierto número de componentes o atener-

---

[34] *La intuición y el estilo, OC* VII, p. 1041.

[35] *Las inquietudes de Shanti Andía, OC* II (Madrid, 1947), páginas 1043-4).

[36] *La sensualidad pervertida, OC* II, p. 982.

se a asuntos «novelables». Esto es lo que hace más difícil definir su novela o su ideal de la novela. Una vez más, es *Azorín* quien encuentra la palabra más apropiada para expresar esta resistencia a cualquier clasificación y la enérgica defensa de libertad total: «Y lo indeterminado es, en suma, toda la obra de Pío Baroja» [37].

Para parecerse a la vida, para producir en el lector una sensación de vida, la novela debe estar abierta ante todo al ambiente real. De aquí el carácter de «reporterismo» (es palabra que usa él mismo) [38] que ofrecen muchas de sus obras y que ha sido subrayado por la mayor parte de los críticos, a veces como elogio, otras con sentido peyorativo. Algunos —Jorge Campos, H. Peseux-Richard—descubren en Baroja a un excelente periodista con grandes dotes no sólo de observación, sino de transmisión directa. Otros—Flores Arroyuelo—alaban su don de recoger la impresión instantánea [39]. Un periodista siempre se destaca por su curiosidad, aunque luego no siempre llegue a profundizar. Y aun dentro de este campo cabe variedad: cada uno se fija en algún aspecto particular. Baroja ha repetido con frecuencia que todo lo que toca a la vida y al hombre le interesa. Lo ha probado incluso en circunstancias no tan propicias a la tarea de observación: en su ensayo «París durante la guerra» cuenta que aun cuando un alerta le obligaba a meterse en

---

[37] *Op. cit.*, p. 8.

[38] Vuelve a hablar de ello en varias ocasiones: «Yo... en mis libros he hecho más que nada reportajes, suponiendo que así se puede hacer algo que no sea influido por la moda del tiempo.» *(Pasada la tormenta,* manuscrito en Itzea, p. 157). Le encuentra la cualidad de lo siempre nuevo: «Que un libro realista pueda parecer reporterismo, es natural. No creo que importe. Yo, al menos, prefiero el reporterismo a la repetición» *(La intuición y el estilo, OC* VII, p. 1022).

[39] Jorge Campos, «El periodismo», en *Baroja y su mundo,* I, p. 245; H. Peseux-Richard, *Un romancier espagnol, Pío Baroja,* New York-París, 1910; F. Flores Arroyuelo, *Las primeras novelas de Pío Baroja. 1900-1912.* Murcia, 1967.

un refugio, se dedicaba a esta ocupación predilecta: se entretenía en observar al público [40].

La observación no es un arte innato, sino que sólo se adquiere ejerciéndolo con resolución y tenacidad. En una de las obras de la vejez, volviendo a la cuestión siempre actual del arte de escribir, distingue entre dos modos: asimilar y transformar lo leído, o «educarse como observador de la vida del ambiente y simplificarlo y estilizarlo» [41]. Páginas más adelante, en este mismo libro da una visión y un juicio retrospectivos de su obra escrita hasta entonces: «Yo creo que, principalmente, he sido algo como un cronista de hechos más bien privados que públicos, un reporter, historiador del ambiente, investigador de pequeños hechos, y que se ha ocupado no de personajes sino de tipos moldeados por el medio social» [42].

Los dos procedimientos que indica Baroja: asimilar lecturas o enriquecerse por medio de la observación, hacen surgir una pregunta: ¿y la invención? ¿Querrá decir que un autor sólo opera sobre algo asimilado, ya existente, en forma artística o natural? Repasando toda su obra, siempre habrá que admitir que lo mejor de Baroja reside en lo ob-

---

[40] En *La decadencia de la cortesía y otros ensayos,* p. 106.

[41] *Pasada la tormenta,* p. 33 (cf. *La intuición y el estilo, OC* VII, p. 1.026). En otra ocasión habla del ejercicio de la memoria que uno puede imponerse: «Muchas veces pensé lo mal que se recuerdan las cosas... "¿Cómo viven estos y los otros tipos?", me preguntaba yo, para hacer un ensayo de mi memoria, y pensaba cómo vestían, qué traje llevaban, detallando prenda por prenda, y luego, al ir a comprobarlo en la realidad, veía que me equivocaba siempre» (*Los confidentes audaces, OC* IV, Madrid, 1948, p. 855).

[42] *Pasada la tormenta,* p. 161-2. También la definición de la obra de Murguía expresa su concepto de la novela: «Luis Murguía, indudablemente, no era un literato, ni siquiera un *dilettante* de la literatura, sino un curioso, un aficionado a la psicología y un crítico de una sociedad vieja, arcaica y rutinaria. Su libro, bastante paradójico, pretende ser un documento y dar una impresión exacta de la sociedad española de finales del siglo XIX y principios del siglo XX.» (*La sensualidad pervertida, OC* II, p. 845).

servado, no en lo inventado; que cuando se deja llevar por la «invención pura» (y aun ésta frecuentemente sugestionada por las lecturas), no logra crear ambientes auténticos, no cautiva la atención. La parte de invención que pone él, hay que buscarla en otra parte: en el comentario personal. No siempre se guía para esta parte por los preceptos de Claude Bernard: razona científicamente, pero considera el comentario como una parte integrante, imprescindible de su obra: «Algunos me han reprochado el falsear los datos cuando he escrito algo de carácter histórico o literario. No creo que sea cierto. Ahora, sobre los datos conocidos, yo he puesto mi comentario, cosa que me parece lógica y legítima, pero que no gusta a la mayoría de la gente... Yo, en cualquier asunto literario, novelesco o de otra clase, he buscado primero la información, los datos, y éstos los he respetado; luego, el comentario, naturalmente, es personal» [43].

El deseo de comentar, de sacar conclusiones basándose en lo expuesto, da a la obra barojiana un sabor muy característico. En ello se ve, además, que nunca concibe su obra como ficción pura, como literatura: siempre sus observaciones son aplicables a la vida concreta y real, como lo demuestran sus frecuentes generalizaciones. La curiosidad innata le lleva a observar; el deseo de crear algo válido no sólo estéticamente, a exponer e invitar al enjuiciamiento. Una obra que aspira a valor permanente es siempre capaz de suscitar pensamientos e incluso de dar una lección, aunque nunca debe ser concebida con un fin pedagógico [44].

El carácter de reportaje, de crónica—y no se debería olvidar que Baroja empezó su carrera literaria escribiendo

---

[43] *La intuición y el estilo, OC* VII, p. 1.029.

[44] En el prólogo a *Valle de lágrimas,* de Rafael Leyda, fechado en 1903, dice: «El arte tiene valor en tanto que influye en la vida; si no produjera risa, ni llanto, ni placer, ni dolor; si no agitara la voluntad con sacudimientos bruscos, sería sólo un juego pueril, una cosa fría, intelectual» (Manuscrito en Itzea, p. 4).

en periódicos; que en 1903 fue enviado por *El Globo* para suplir el periódico con «Crónicas de la guerra civil de Marruecos»; que luego escribió crónicas desde París—, le parece a Baroja un componente importante de la obra. Lo subraya con frecuencia. Una pequeña corrección de la primera versión a la segunda en el primer capítulo de *La busca* da prueba evidente de esta preocupación: en la primera, publicada en folletín en 1903, habla de sus «*deseos* de cronista». En el texto publicado como libro, éstos se convierten ya en *deberes*[45].

La novela concebida como crónica modifica esencialmente el modo de escribir: se trata de presentar hechos cogidos al vuelo, y presentarlos viva y rápidamente, sin preocuparse demasiado de la unidad del conjunto. Madariaga cree que procediendo de tal manera Baroja se convierte en mero «biómetro»[46]. No se puede negar que muchas páginas barojianas son sartas interminables de noticias o acumulación de personajes siempre nuevos. Tal vez convenga recordar aquí que Leo Spitzer considera la «enumeración caótica» como un signo de la edad moderna, y que Galdós se quejaba de que en su tiempo no existiera un lenguaje novelístico que no fuera totalmente el de periódico, pero que desistiera del abombamiento corriente en la prosa española del siglo XIX. Hablando del periodismo no hay que olvidar, además, que al comenzar el siglo las colaboraciones en los periódicos españoles ostentan firmas de muy alta categoría. No es, pues, una «degradación» del lenguaje literario lo que Baroja consigue con su reporterismo, sino la tantas veces alabada naturalidad e inmediatez.

---

[45] El aspecto de «crónica» de la obra barojiana ha sido bien visto por Benjamín Jarnés («Baroja y sus desfiles», *Revista de Occidente,* XLII, octubre-diciembre 1933, p. 348-352), y por Hildegard Moral (*Pío Baroja un der frühe Maxim Gorkij,* Hamburgo, 1964).

[46] *Op. cit.*, p. 166. Domingo Yndurain, a su vez, le llama «hechólogo» («Teoría de la novela en Baroja», *Cuadernos Hispanoamericanos,* número 233, mayo 1969, pp. 355-388).

Si se sustituye la palabra «crónica» por «testimonio», aún más clara se presenta la actitud moderna de Baroja. Tiene él, así como los autores que escriben medio siglo más tarde, en la posguerra, la intención no sólo de contar, sino de exponer los hechos para un examen. Incluso se podría descubrir un antecedente de la «poesía social» en sus *Canciones de suburbio*. Hay poemas en este libro que recuerdan otros de Gloria Fuertes o de Gabriel Celaya; con menos «engagement» tal vez, seguramente con menos fondo poético y maestría que los buenos poemas sociales, pero de ninguna manera inferiores—y quizá con más sentimiento auténtico—a tantos que fueron escritos sencillamente siguiendo la moda, y se limitan a «clamar». Baroja muy raramente eleva su voz; prefiere el tono más íntimo, porque siempre cuenta con una sensibilidad despierta en el lector: «Para un espíritu impresionable, muchas veces el insinuar, el apuntar, le basta y le sobra; en cambio, el perfilar, el redondear, le fastidia y le aburre» [47]. (Alberich ha comentado muy perspicazmente su técnica de alusiones y omisiones.)

Sender le achaca a Baroja el haber producido un testimonio y un realismo falsos y, hasta cierto punto, Nora le acompaña en tal juicio, pero le encuentra una explicación: según él, Baroja dice lo que ve, pero ni siente, ni piensa lo que dice; así, su sinceridad falsea el testimonio. En este caso no se trata, pues, de una acusación de falta de sensibilidad o de veracidad: sólo separa al Baroja-pensador y hombre con emociones del Baroja-testigo [48]. Según Sender, ve sólo lo que quiere ver [49]. Esta acusación encontraría su contestación en la filosofía relativista: ¿qué es la realidad?,

---

[47] *La intuición y el estilo, OC* VII, p. 1047. Este precepto del impresionismo ha sido adaptado también por Azorín, por Valle-Inclán e incluso por Ortega.

[48] *Op. cit.*, p. 111.

[49] Ramón Sender, «Pío Baroja y su obra», *Cuadernos*, núm. 22, enero-febrero 1957, pp. 70-73.

¿existe una sola realidad absoluta? La nota subjetiva que está presente en todas las novelas barojianas va perfectamente de acuerdo con el ideal de los hombres del 98 y con la actitud general de los novelistas del siglo XX. Una vez más, comparándole con sus contemporáneos, hay que admitir que hay más realidad actual en su obra que en la de Unamuno, Valle-Inclán o *Azorín*.

La novela-testimonio, que intenta provocar un juicio exponiendo los hechos observados, tiene varios puntos de contacto con la novela picaresca. Desde las primeras novelas de Baroja los críticos han subrayado, a veces insistiendo demasiado, esta semejanza. Juan Valera ve en *Silvestre Paradox* una continuación de la picaresca; Andrenio la extiende también a las obras escritas más tarde [50]. Muchas novelas barojianas se conciben como un viaje, en lo cual se acercan también a la novela de aventuras, relación que fue examinada detenidamente por Alberich. En un número considerable de ellas el personaje principal sirve de hilo conductor sin demostrar claro desarrollo o crecimiento individual. Lo observa todo con cierta distancia emocional, saca conclusiones que confirman su escepticismo, pero no se compromete interiormente a nada. La imagen que los protagonistas barojianos se forman del mundo no es más halagadora que la recibida por el pícaro. Se puede decir también que en todo lo que presenta el autor se percibe un fondo subyacente de intención ética. Y sin embargo su novela no es picaresca, está lejos de serlo. *Azorín* ha acertado al decir que sólo se podría comparar con una: *Lazarillo*. En él, y en su diferencia de los otros, hay que buscar también lo que le separa a Baroja de un autor de novela picaresca. Según *Azorín*, es la sensación de vida lo que da

---

[50] Juan Valera, «Aventuras, inventos y mixtificaciones de Silvestre Paradox», en *Baroja en el banquillo*, antología crítica preparada por José García Mercadal, I, Zaragoza, s. f., p. 46; Andrenio (Gómez de Baquero), *De Gallardo a Unamuno*, Madrid, 1926.

valor permanente a *Lazarillo,* esa misma sensación que busca Baroja en todas sus obras. Habría que añadir también el fondo emocional: cuando el autor de *Lazarillo* habla del hidalgo, sentimos que no le es indiferente, que le está presentando no sólo como tipo o representante de cierta clase social, sino como hombre. Esta cualidad humana está siempre presente en lo que escribe Baroja. Hay, por fin, una diferencia esencial en la presentación del ambiente. En la novela picaresca se encuentra lo que Pouillon definía como hombre en movimiento contra un fondo más bien fijo. Se presentan diferentes estratos de la sociedad; el pícaro pasa de un amo al otro; parece haber un cambio continuo, y sin embargo el ambiente mismo no cambia internamente. La estructura en todas ellas es parecida en cuanto a las líneas generales; varían sólo los detalles. En Baroja, al contrario, es casi imposible prever el rumbo que tomará la trama en cualquier novela, o qué tipo de personajes serán presentados a la atención del lector. La preocupación existencial es más fuerte que la social, y el elemento autobiográfico —verdadero, no ficticio—es siempre evidente.

La preocupación ética, tanto en la vida como en el quehacer literario de Pío Baroja, ha sido siempre más fuerte que la estética. De esto dan testimonio numerosas declaraciones suyas en *Memorias,* y más aún el desarrollo mismo de cada una de sus novelas. (Entre las varias discusiones de su obra y de su persona es probablemente Sánchez Granjel quien más claramente ha visto esta preocupación). Si analizamos un tanto más detenidamente su manera de proceder para poner los valores éticos de relieve, nos damos cuenta en seguida de que también en esto es ya un hombre del siglo XX. Sí hace generalizaciones y propone conclusiones, pero rara vez éstas adoptan la forma de verdaderas moralejas, que son tan características de la novela picaresca. Él mismo ha formulado la diferencia entre el enfoque antiguo y el contemporáneo: «Hoy, además, la ética está en un período constituyente; por eso no pretende ser una valoración, sino que se contenta con ser una explicación. Antes, el moralizar tenía dos formas: el elogio y el vituperio; hoy no puede tener más que una: el análisis. Pero, transitoriamente, yo creo que, para la moral, se puede tomar como norma la vida misma» [51]. Se limita, pues, a «declarar», según dice Madariaga. Critica categóricamente las novelas de tesis, y advierte que nunca se debe exagerar, convirtiendo la literatura en un instrumento de administrar justicia. Por otro lado, critica a Galdós por «falta de sensibilidad ética» y está persuadido de que sólo una literatura que tiene un sólido fondo ético puede llamarse grande. Fondo ético entendido con suma flexibilidad, ya que él, como Nietzsche, se rebela contra la moral convencional: «Una obra literaria puede ser inmoral con relación a la ética del tiempo; pero no es fácil que sea inmoral con relación a la ética de todos los tiempos» [52]. Sea cual fuere la moral, lo único que pide es que la haya, y según este criterio juzga las obras que lee: «Hay que reconocer que, modernamente, la gran literatura europea ha sido moralista: Dickens, Tolstoi, Dostoyevski, Ibsen, se han distinguido por su sentido ético, y no se pueden comparar estos hombres con los que han tenido la tendencia contraria, como Barbey d'Aurevilly, Oscar Wilde, Jean Lorrain, Catulo Mendès, D'Annunzio y otros por el estilo» [53].

La justicia—o más bien la falta de ella—preocupa hondamente a Pío Baroja, y en su obra palpita una desilusión constante al ver lo que los hombres hacen con ella. Pero si se compara el tratamiento de este tema por Baroja con lo que se hizo en los siglos precedentes, una vez más su actitud resulta más moderna. Baste recordar sus lecturas preferidas: Dumas, Sue, Stevenson, Gogol, Dickens, Dostoyevski. En los primeros, la distancia entre los «buenos»

---

[51] *La dama errante, OC* II, p. 252.
[52] *La intuición y el estilo, OC* VII, p. 1054.
[53] *Galería de tipos de la época, OC* VII, p. 810.

y los «malos» es demasiado evidente, el castigo final demasiado arbitrario. En autores preocupados ante todo por la justicia social, lo que predomina es la exposición de los males con una insinuación muy fuerte de cómo deberían ser remediados. Tanto en Dickens como en Gogol la justicia es aún un concepto institucional. Sólo al llegar a las mejores obras de Dostoyevski se hace más claro el concepto de la justicia como valor ético y posiblemente subjetivo. En él están ya las angustias personales que en el siglo XX cuajarán en la responsabilidad de elección individual abogada por los existencialistas. Baroja se halla más cerca de éstos que de sus autores predilectos del siglo XIX.

Diferencias semejantes se pueden observar analizando todos los géneros que han sido indicados por la crítica como posibles fuentes de la inspiración barojiana: la novela de aventuras inglesa; el folletín francés; la novela social de Dickens. Se volverá a ello en un capítulo ulterior, examinando más detenidamente la formación del autor. Sólo nos detendremos un instante para ver hasta qué punto cultiva Baroja el costumbrismo: una constante de la literatura española de todos los tiempos, aunque considerablemente modificada entre el siglo XIX y el actual, y frecuentemente señalada como uno de los aciertos de Baroja.

Las novelas de Baroja han sido elogiadas por su capacidad de transmitir el sabor del mundo en que se mueven sus protagonistas. En efecto, si muchos le acusan de no saber crear personajes, todos concuerdan en afirmar que los ambientes que hace surgir tienen vida palpitante, trátese de una novela contemporánea o de *Memorias de un hombre de acción,* que recrean la España de las guerras carlistas. Lo curioso, como ya se ha mencionado páginas atrás, es que estos ambientes no envejezcan, que siempre conserven su frescor. También en este caso la explicación debe buscarse en el concepto de Baroja de lo que es una novela: crear—o más bien recrear—un mundo veraz, pero sin limitarse a fotocopiar. Critica a los autores que van con un cuaderno y con un lápiz en la mano en busca de lo «castizo», del «color local»: fijando demasiada atención en esto, mutilan la sensación de realidad. Los personajes de Baroja son ante todo hombres, no piezas de un museo, y el historiar sus pequeñas vidas cotidianas, con sus preocupaciones y detalles minúsculos, no impide que por encima de éstos se imponga una dimensión universal. Incluso cuando da detalles y características de una época, lo que intenta hacer es presentar al hombre, cuyos problemas son atemporales. No ceja en su deseo de comprender y de identificarse con los problemas expuestos. Por eso puede llamar su obra Antonio Maravall no una serie de cuadros de costumbres, sino «una serie de ejercicios literarios sobre la naturaleza humana» que llevan a la creación de lo que él quisiera denominar «una novela antropológica» [54].

No es, sin embargo, el único propósito ni causa de las ocupaciones literarias de Baroja el deseo de ser testigo, cronista, investigador de la época en que vive, o del destino humano. A través de los largos años de su labor literaria no ha dejado de mencionar otro factor importante: la afición a escribir, la imperiosa necesidad de expresarse; a veces divirtiéndose y divirtiendo al lector; otras para escapar a la angustia. Ortega y Brenan hacen resaltar el hecho de que el escribir en Baroja es casi una necesidad orgánica, causada por su timidez. Los que le han conocido cuentan que aunque siempre estaba presente en todas las reuniones en la casa, interviniendo en la conversación, lo que hacía ante todo era observar, paseándose de un lado a otro o parado en un rincón, y luego de repente lanzaba una conclusión. Claro que sus familiares le veían todas las caras: Julio Caro Baroja afirma que a pocos hombres ha oído reírse con tanta fruición y tanta jovialidad como a su tío [55]. Pero

---

[54] J. A. Maravall, «Historia y novela», en *Baroja y su mundo*, I, páginas 177 y 179.

[55] «Recuerdos», *íd.*, p. 37.

al contacto con desconocidos se crispaba, se encerraba; y al quedarse solo, escribía. Consideraba que sólo con escribir disfrutando lograba la nota de autenticidad, aun si corría el riesgo de ser culpado de egotista: «El escritor verdadero tiene una preocupación, que parece a los demás antipática, por su oficio y por su obra; en cambio, el simulador no la tiene, y esto le hace más simpático. El escritor pocas veces sabe disimular su egotismo espiritual; en cambio, el simulador sabe fingir admirablemente desinterés y altruismo» [56].

En una de sus páginas escritas en la vejez, él mismo trata de recordar los motivos cambiantes que le empujaron hacia el oficio de escritor: «Yo comprendo que he escrito algunas insensateces en la juventud. No es que me arrepienta de ellas. Ahí quedan, en la pequeña historia mía literaria. Eran consecuencia del ambiente estrecho y mezquino y de un deseo de vivir con alguna generosidad y amplitud» [57]. Y al repasar su obra, también ya en sus años declinantes, se da cuenta de que su actitud debe de haber cambiado, puesto que sus primeras novelas ya se le antojan un tanto ajenas. Cambian también sus gustos como lector: «Cierto es, y hay que tenerlo en cuenta, que el novelista, cuando ya no es joven, lee pocas novelas, y si las lee, las lee sin entusiasmo, y le gusta, en general, más la obra de un historiador, de un viajero o de un ensayista que la de cualquier compañero suyo fabricante de historias amañadas» [58].

---

[56] *El escritor según él y según los críticos, OC* VII, p. 416. Es precisamente esta dosis de egotismo lo que le instiga a escribir siempre, sin preocuparse del éxito: «Es cómico, evidentemente, es preciso haber tenido extraordinaria afición a escribir, para haber escrito tanto, ante la indiferencia del público, pero ya sabe que uno es de suyo individualista y cuando escribe, como cuando hace otras cosas, piensa por serlo muy poco en el público y sus opiniones» (*Aquí París,* p. 214-5).

[57] *Paseos de un solitario,* Madrid, 1955, p. 144.

[58] *La intuición y el estilo, OC* VII, p. 1040. Ya en *Juventud, egolatría* había señalado una evolución, precisamente según estas líneas, que sirvió a toda la crítica posterior.

Su gran interés por la evolución es confirmado por las tentativas—no siempre logradas—de introducir en su obra aspectos nuevos: escribe incluso farsas casi surrealistas y una novela mala que pretende explorar el mundo onírico.

Lo aventurero, lo folletinesco, lo costumbrista, son sólo aspectos secundarios de la novela de Baroja. El *spiritus movens* de todas ellas es su insaciable deseo de conocer. Desechando todo lo superficial, todo lo que separa la literatura de la vida, hurga con su escalpelo en el existir humano, esperando dar a través de ello con una solución a sus propias angustias. En palabras de Matus, su novela es «un remedio para el mal de vivir», un «reflejo integral, funcional, orgánico de la vida» [59]. La desesperación existencial le confiere un sabor moderno; la capacidad de incorporar en ella el ritmo del siglo en que vive [60] la hace más paladeable que otras que se escriben coetáneamente. Las divagaciones que interrumpen la trama y no obedecen a las reglas de una obra de ficción la hacen asequible a un público universal. Su empeño de «buscar almas» [61] le ayuda a conservar siempre una chispa de simpatía humana. Juzgando la novela barojiana según los preceptos de Ortega, siempre habrá que ver más fallos que aciertos en ella. Pero precisamente uno de estos fallos—su informidad, su estructura «caótica»—ha sido reconocido como uno de sus mayores aciertos, lo que le da un tono decididamente moderno [62]. Sería difícil negar

---

[59] *Op. cit.*, pp. 15 y 50.

[60] «Baroja ha insegnato agli scrittori spagnoli delle generazioni recenti come si scrive un romanzo che abbia il ritmo della vita di oggi giorno» (G. Bellini, *op. cit.*, p.. XVI).

[61] «Fue un curioso de muchas cosas, un sentimental, un cínico y un pequeño buscador de almas», dice de Luis Murguía en *La sensualidad pervertida, OC* II, p. 845.

[62] En la evaluación final de su obra, dice Bolinger: «He has done or helped to do this for literature: to keep the novel open to new possibilities» (Dwight Le Merton Bolinger, *Pío Baroja: A critique*. Tesis doctoral presentada en la Universidad de Wisconsin en 1936, p. 266). También Bellini pone énfasis en las posibilidades ilimitadas que se ofre-

que es la novela «proteica» barojiana, y no los mundos más herméticos, pero menos dinámicos y menos reales, de Unamuno, *Azorín*, Valle-Inclán, la que más posibilidades nuevas ofrece, más caminos sugiere a la novela actual.

---

cen a los personajes barojianos en su libertad: «Ha insegnato che lo scrittore non deve catalogare e giudicare previamente i personaggi e presentarli così, irremediabilmente definiti, perciò morti alla v i t a, ma li deve lasciar liberi nelle loro infinite possibilità» *(Op. cit.*, p. XVI). Este elogio se parece mucho al que Jean Pouillon hace a Stendhal: «Stendhal au contraire est assez sûr de sa pénétration pour n'avoir pas besoin de f a i r e de Julien une marionnette aux possibilités limitées» *(Op cit.*, p. 193).

CAPITULO II

EL ESTILO ES EL HOMBRE

Der Stil ist die Physiognomie des Geistes. Sie ist untrüglicher als die des Leibes[1].

Si aceptamos la definición de la novela como medio de indagación y conocimiento de la existencia humana, la máxima de Buffon «Le style est l'homme même»[2] le va a Baroja al dedillo cuando se examina su procedimiento estilístico. En todos los tiempos ha habido autores cuya obra apenas echaba luz sobre su vida, y otros que vertían todas sus vivencias en ella. A éstos pertenece Pío Baroja. Sería muy difícil apreciar—incluso entender—su vasta epopeya sin por lo menos tratar de compenetrarse primero con el autor. Recuérdese lo dicho por Torrente Ballester: toda su obra consiste en una larga serie de memorias personales.

Tratándose de las fuentes—sea las autobiográficas, sea las adquiridas por la lectura—, siempre se las puede estudiar desde dos puntos de vista principales: el fondo material que recoge, y la manera que usa para expresar lo que tiene que decir. La misma fuente a veces inspira obras muy diferentes, como lo ha hecho notar Menéndez Pidal con el

---

[1] Arthur Schopenhauer, *Gedanken über Schriftstellerei*, Dortmund, 1947, p. 26.

[2] *Discours de Réception à l'Académie.*

famoso «ejemplo» del zorro y del cuervo aprovechado distintamente por el arcipreste de Hita y don Juan Manuel. Cuando se trata de un escritor que durante unos sesenta años va transformando sus vivencias en literatura, es inevitable que se hallen en su obra ecos de su vida no sólo material, sino también estilísticamente. Hay sinnúmero de episodios esparcidos a través de sus cuentos y sus novelas que son una rendición exacta de acontecimientos verdaderos, aunque a veces parezcan fantásticos o estrafalarios. Basta leer *Gente del 98,* de su hermano Ricardo, o las introducciones a los trozos selectos en *Páginas escogidas,* para comprobarlo. Lo señala repetidamente en sus *Memorias* [3]. Teniéndolo en cuenta, no parece erróneo afirmar, como lo ha hecho Federico de Onís, que «una profunda y muy original unidad existe a través de toda esta obra larga, difusa, ondulante, incoherente y variable como la vida: unidad que no brota de la selección y conexión entre los múltiples elementos de la realidad que integran la trama de estas novelas...» [4] En su manera de contar esta vida incoherente, en el estilo, está todo Baroja.

Azorín afirmaba que hubiera sido imposible crear el mundo transmitido por Baroja con un estilo diferente [5]: a

---

[3] «Cuando escribí *Los últimos románticos* y *Las tragedias grotescas,* Estévanez me daba indicaciones y datos de la vida de París durante el segundo Imperio.» *(Juventud, egolatría, OC* V, p. 207); «Esta señora comenzó a venir casi todos los días, por la tarde, a hacer tertulia a nuestra casa, y solía contar muchas historias de la época de la guerra carlista, que eran bastante interesantes y pintorescas, y de las cuales yo me acuerdo con poca precisión. Algunas, a pesar de recordarlas muy vagamente, me sirvieron para las *Memorias de un hombre de acción,* transportándolas de la segunda a la primera guerra civil.» *(Familia, infancia y juventud, OC* VII, p. 551); «La escena, algo transformada, la conté yo en una novela titulada *Aurora roja*». *(Galería de tipos de la época,* íd., p. 842).

[4] «Pío Baroja», en *Baroja en el banquillo,* II, p. 223.

[5] «Entremos en la técnica de la novela. Primer punto (problema que se renueva a cada nuevo libro de Baroja); primer punto: ¿se puede escribir lo que escribe Baroja, según la psicología de Baroja, con un es-

la vida confusa, fragmentaria, de rapidez loca correspondía perfectamente el estilo rápido, conciso, a veces brusco del autor. No será grande equivocación sugerir que no fue sólo este fondo caleidoscópico lo que influyó en su manera de contar, sino también su manera de ser: hombre complejo, con varios estratos, a los cuales corresponden diferentes tonos que no siempre concuerdan. Porque el Baroja de «Mari-Belcha» o del «Elogio de los viejos caballos del tío vivo» es tan auténtico como el de *El árbol de la ciencia* o de *El mundo es ansí*. Su cosmovisión, su concepto del mundo como algo esencialmente cruel ha influido en la elección de temas de sus novelas. Incluso cuando va a la historia, escoge una época muy movida, de luchas feroces, y pone como protagonista a un hombre totalmente escéptico. Pero aun éste, así como el propio Baroja, de vez en cuando se deja llevar por una ilusión, por su deseo de afecto y de cariño. Cuando le ocurre lo mismo a Baroja, brotan sus páginas líricas, que no son retórica, sino que dejan vislumbrar el fondo más íntimo de su ser, generalmente guardado bajo siete llaves. El carácter ficticio de Aviraneta muestra en más de un aspecto la manera de ser y de escribir de Baroja; le concede también un éxito semejante al suyo. Aunque es muy perspicaz, dotado de una orentación rápida, nunca llega a brillar, puesto que en el fondo ha aceptado la ingratitud y la derrota aparente [6].

---

tilo distinto del que el autor emplea? No, evidentemente, no.» *(op. cit.*, páginas 123-4).

[6] La valoración que da de Aviraneta podría aplicarse a él mismo: «Pocos personajes me han parecido tan interesantes como Aviraneta en su trato. La desproporción entre su energía, su intuición y su poca fama ... me maravillaba siempre.» *(Las furias, OC* III, p. 1.281). En cuanto a la faceta íntima, incluso Castillo Puche concuerda con Baroja: «Lo que sí se nota a la legua, tratándole en sus escritos, es que don Eugenio tenía ya desde joven una gran necesidad de afecto o algo así.» (J. L. Castillo Puche, *Memorias íntimas de Aviraneta,* Madrid, 1952, página 130).

Recordando su propia niñez, Baroja ha contado la tremenda impresión producida por las palabras de un maestro, que por cierto no tenía mucho de pedagogo: «Baroja, usted no será nunca nada» *(Juventud, egolatría).* Más tarde, ejerciendo como médico, casi acepta esta predicción: la ayuda que lleva a los enfermos le parece insuficiente, y llegar a perfeccionarla, imposible. Cuando escribe, no lo hace por «llegar a ser alguien» o por ser aplaudido: obedece sólo a una necesidad interior. No busca una obra perfecta que corresponda a los gustos de la sociedad en que vive: busca la manera más adecuada de contarse a sí mismo y de exponer sus preocupaciones. El pequeño punto de amargura que se nota en sus *Memorias* cuando comenta los éxitos de Unamuno o de Valle-Inclán tiene un paralelo en Aviraneta indignándose por la «heroización» de ciertos generales y de otras figuras que en realidad han hecho menos que él y se han expuesto menos. Porque ni uno ni otro son fanfarrones. He aquí una opinión a la que se suscriben plenamente los dos: «La palabra es siempre algo cínico y vulgar... Los pueblos que aman las frases son pueblos mentirosos y fanfarrones» [7]. En otro libro advierte que no hay que fiarse de las apariencias ni de la manera de hablar de un hombre: no revela nunca su ser total. También aquí la descripción de Aviraneta hace pensar en Baroja mismo: «Tenía marca-

---

[7] *La senda dolorosa, OC* IV, p. 724. Muy amarga es la constatación siguiente, seguramente resumen de sus primeras experiencias: «La ignorancia, la rutina, la afectación, el amaneramiento, son simplificaciones; economía de inteligencia y de esfuerzo en el discurrir. La pedantería misma es también grata, tiene el mismo espíritu cerrado. El pedante no razona sobre los hechos generales, discute sobre los datos. El pedante no discurre con su intelecto ni ve con sus ojos; no quiere más que lucir conocimientos, exhibir cifras o palabras que no modifiquen su criterio ni su mentalidad. Lo que se llama erudición y lo que se llama estilo, generalmente no es más que pedantería y amaneramiento. ... Un hombre que tiene más ingenio que el que necesita para su posición y oficio, parece siempre un audaz, un osado impertinente y subversivo.» *(Humano enigma, OC* IV, p. 632).

da tendencia por la frase amarga y el epigrama, lo que hacía creer que era tipo desengañado y sarcástico» [8]. El «hacía creer» sugiere que probablemente tenía otras facetas que se revelaban sólo en un trato más íntimo. Muchos han juzgado también a Baroja seco, impasible, mordaz, haciendo omisión completa de su fondo de ternura casi sentimental.

El estilo es la consecuencia de la manera de ser de un autor cuando éste no trata de disfrazarse. Mucho más difícil resulta establecer esta correspondencia en un autor preocupado por la técnica y por la moda corriente. ¡Cuántas veces ha protestado Baroja contra el «literaturismo» de D'Annunzio o de Valle-Inclán! ¡Qué poca estima tiene por Flaubert! Casi parecería negar la posibilidad de que una prosa elaborada, artística, pueda ser auténtica. Puesto que para él ser veraz significa ser sencillo, apenas admite que haya quien sea veraz con la ayuda de la retórica, que nazca con una predisposición a lo elaborado tan fuerte como la suya a la sencillez. La siguiente afirmación invita a consideraciones ulteriores: «Respecto a que la personalidad la dé la técnica, me parece también falso. Es como si se dijera que la simpatía nace de la forma de las corbatas; claro que hay una técnica inconsciente que nace del temperamento y que se puede encontrar y desarrollar; pero la técnica consciente, aprendida, no puede dar personalidad si no la tiene el artista» [9]. Transparentan estas palabras un fuerte individualismo acompañado de cierta contradicción. Quiere protestar contra el énfasis en la técnica—seguramente es imposible adquirir talento u originalidad sólo con la perfección técnica—, pero tampoco quiere negar el valor del trabajo. Admite que incluso lo innato gana con ser perfeccionado, con la condición de que esta perfección tienda a hacer resaltar el ser humano y no se deje influir por la literatura en boga. Lo ha hecho él mismo durante los largos años de

[8] *Los caudillos de 1830, OC* III, p. 931.
[9] *Las veleidades de la fortuna, OC* I (Madrid, 1946), p. 1.306.

su quehacer literario. Aunque con frecuencia declaraba que el estilo no le preocupaba, otras ha dejado entender que había cavilado mucho acerca de este problema, buscando el modo más auténticamente suyo y tan poco «estilo literario» que ni siquiera se notara. Lo ha comparado con una mujer bien vestida que produce la sensación de elegancia sin llamar la atención por los detalles que la componen. Más de una vez se ha quejado de que tal perfección—escribir una página con lenguaje claro y sencillo—era más difícil de conseguir que diez páginas de elocución basada en reglas. Cuando sus propias palabras acerca de la «despreocupación» son repetidas por boca ajena, se indigna: «¿Cómo estas señoritas pueden pensar que un escritor español, que ha leído, naturalmente, más obras en castellano que todas ellas juntas; que ha pensado en cuestiones del estilo infinidad de veces, puede ignorar lo que ellas saben?» [10].

La negación de todo interés estilístico nunca es completa, además. Frecuentemente es seguida de una aclaración, de una ampliación, como en el prólogo a *La familia de Errotacho:* «El autor no ha creído nunca gran cosa en lo que se llama estilo. El estilo o es una modalidad psicológica individual, y en ese caso se tiene o no se tiene por naturaleza, o es una perfección idiomática, y entonces, más que una característica personal, es el índice del estado de una lengua en una época de su historia. En esta segunda acepción, el estilo no es más que una depuración de lugares comunes» [11]. La preocupación es constante, como lo demuestran tantos prólogos de sus novelas, en los que comenta la manera de escribir folletinesca, o dramática, o sencillamente «adecuada», indicando que se da cuenta perfecta de lo que hace.

---

[10] «Siluetas femeninas», *Intermedio sentimental,* p. 130. La indignación parece justificada: está comentando trabajos escritos por estudiantes de un «college», cuyo español no es muy español aún, y cuya madurez tampoco produce asombro.

[11] *OC* VI, p. 257.

Comparando lo que emprende Baroja con los ideales de algunos autores del siglo pasado, la diferencia es obvia. Muy lejos quedan las teorías de Valera en su esfuerzo de crear una obra estética, o el fondo moralizante de Alarcón. Lo auténtico para Baroja nunca puede consistir sólo en la forma conseguida o en una lección. Quiere abarcar la existencia humana en su totalidad y no consiente en excluir nada. Cree, además, que cada época tiene su sello y su lenguaje. Un lenguaje artístico universal le persuade menos. Confiesa que le apasionan los folletines, las novelas de aventuras, los dramones de Víctor Hugo, pero le parece muy claro que en su tiempo ya es imposible producir obras semejantes y pretender ser auténtico, porque ya no podría «vivir» tales novelas.

El estilo no es para Baroja un trabajo externo, sino algo que tiene una razón interior, que trata de sacar a flor de la piel el alma del escritor y revelar su personalidad. Igual que en lo tocante a la novela, amplía mucho el concepto del estilo: «Para mí, el estilo en la literatura no es cosa exclusiva de la forma, sino que está en la forma y en el fondo, en la acción, en los personajes, en las intrigas, en los diálogos, en todo» [12]. Sólo así hay que estudiarlo en Baroja: es la faz moldeada por una cosmovisión que dirige todas sus acciones. Sólo así se entiende su odio a lo que él llama la retórica y que significa, para él, ampulosidad, expresión bombástica, «ruido sin fondo», falsedad. Cuando Baroja habla de retórica no piensa en ella en los mismos términos que Wayne Booth o Ricardo Gullón. Retórica en el sentido barojiano es siempre algo puramente superficial, no puede ser nunca un instrumento para dar vida a un personaje o un ambiente; al contrario, los mata. La retórica entendida peyorativamente no tiene esperanzas de perdurar: es resultado de una moda, y pasa con ella. Andrenio señala acertadamente que el caso de Baroja es todo lo contrario: desde

---

[12] *La intuición y el estilo*, *OC* VII, p. 1.038.

que empieza a escribir, es el autor más traducido de su generación, porque «hace novelas con ideas», no con palabras [13].

Es hora ya de dejar las teorizaciones y acercarse al autor mismo para buscar más explicación a su estilo y ver cómo cumple con sus ideales. Para ello, habrá que indagar en su carácter y sus gustos, así como ver algunos aspectos de su vida que hayan podido influir en la formación de su estilo.

De tener que escoger una sola palabra para definir a Pío Baroja, probablemente habría que optar por «individualista». Todo lo que hace en la vida está influido por el deseo imperioso de libertad total. El mismo ve las raíces de este anhelo en su más tierna juventud: «El haber nacido junto al mar, me gusta; me parece como un augurio de libertad y de cambio» [14]. Aquí están resumidas las dos características más salientes, que no desaparecen ni en la vida, ni en la obra: cambio y libertad. El individualismo se habrá intensificado en el niño por circunstancias puramente exteriores: el traslado tantas veces emprendido del hogar paterno: San Sebastián-Madrid-Pamplona-Madrid-Valencia. De esta manera, es difícil que el muchacho haya logrado formar amistades íntimas y duraderas, con las que pudiera expansionarse. Puesto que lo que en general para un niño es símbolo de estabilidad, la casa de sus padres, varía, el cambio entra en su vida como un fenómeno natural. En cuanto a la amistad, en *La sensualidad pervertida*, que reúne muchas impresiones autobiográficas, se encuentra la reflexión siguiente: «Me decidí a tomar precauciones en cuestión de crear amistades. Veía, no sé si estaba en lo cierto, que en

---

[13] *El renacimiento de la novela española en el siglo XX*, Madrid, 1924, p. 107.

[14] *Juventud, egolatría, OC* V, p. 192.

mis relaciones sociales, por debilidad, salía siempre perdiendo; así que me decidí a permanecer en guardia y a conservar, sobre todo, mi independencia» [15]. Por otra parte, en la escuela—y más aun en la iglesia—encuentra poca comprensión, y en vez de someterse, de aceptar lo establecido, se rebela. Desde aquellos días concibe dudas acerca de los valores tradicionales, cavila, trata de establecer normas de conducta propias.

De adolescente, Baroja no ve la necesidad de adherirse totalmente a ningún partido político, a ninguna asociación: todos se le antojan de mucha palabra exterior, pero de poco fondo. En casa, está íntimamente unido al hermano mayor, Darío, pero éste muere prematuramente, dejando huellas imborrables en el alma del autor incipiente. La confrontación en la universidad con profesores que no le comprenden exacerba más aún la sensación de que él está solo, que es «diferente», sin producir, afortunadamente, ningún complejo de inferioridad. El conocimiento de las obras básicas de Nietzsche viene a tiempo: el joven ve confirmada su creencia de que no es necesario conformarse, de tratar de ser—o parecer—como otros. Desde entonces busca su propio camino, proponiéndose un solo fin: ser veraz y consecuente consigo mismo, aun si se trata de ir contra la corriente. De esta actitud nace su estilo. Lo recapitula años más tarde: «La literatura es lo que más me ha preocupado, y he pensado en ella no sólo en lo que se considera su fondo, sino también en su forma, en el estilo. Esta preocupación me ha llevado a practicar un contraestilo, que no es, como creen algunos, resultado de indiferencia por la expresión, sino resultado de preocupaciones más o menos justas por ella. Me he batido con el idioma como he podido,

[15] *OC* II, p. 949. En *Familia, infancia y juventud* señala que tal suspicacia se le impuso al observar las acciones de los «amigos» tan numerosos de su padre: «Cuando llegó el momento en que necesitó de su apoyo, yo pude ver que su amistad era falsa y se perdía en vana palabrería.» *(OC* VII, p. 523).

buscando el prescindir en lo posible de tópicos y de lugares comunes de pensamiento y de forma» [16].

Se da cuenta de que tomando este rumbo se expone a críticas demoledoras, pero no puede desobedecer a su propio sentido ético. Más de una vez repite que ser criticado le importa menos que halagar a los críticos, que prefiere ser llamado cínico o salvaje a ser hipócrita. Más tarde, repasando su vida, indica también las consecuencias a las que lleva tal actitud: «Yo hubiera aceptado como lema: la verdad siempre, el sueño a veces. La verdad, como verdad base de la vida y de la ciencia; la fantasía y el sueño, en su esfera. Este entusiasmo por lo verídico y la antipatía por el fraude constante terminan, a la larga, en la misantropía; el otro camino de la contemporización conduce a la hipocresía y a la vulgaridad» [17].

Hablando de la obra literaria de Baroja, interesa más ver cómo el empeño en ser él mismo, en ser veraz en todos sus actos influye su manera de escribir. En casi todas las opiniones citadas hasta ahora se ha podido comprobar que nunca separa ser y escribir. El individualismo da un sello inconfundible a todo lo que escribe; está en la base de su función como innovador de la prosa castellana de principios de siglo. Su anarquismo moral y político encuentran el equivalente en la palabra escrita: se declara incapaz y reacio a seguir reglas establecidas y crea una novela «informe», pero viva. Según él, es precisamente el fondo anárquico lo que le da vida a la literatura: «La manera de escribir anárquica no tiene reglas: se limita a copiar y a interpretar la vida a su capricho. La académica mueve su rueda con el agua que ha movido otros molinos; la anárquica tiene un pequeño salto de agua para su uso» [18]. El anarquismo implica, pues, también originalidad. Es curioso que use siempre la

---

[16] *Vitrina pintoresca, OC* V, p. 844.
[17] *La intuición y el estilo, OC* VII, p. 987.
[18] *Las horas solitarias, OC* V, p. 232.

imagen del agua para ilustrar la libertad, y ver que es ante todo el río el que la simboliza en su imposibilidad de repetirse: «Muy sugestivo es el mar, no cabe duda; para mí es más sugestivo el río. El mar es la unidad, un punto de apoyo del panteísmo; el río es la variedad constante» [19]. En estas palabras aparece otra constante estilística de Baroja: la variedad en vez de la unidad, que se refleja en el interés por el detalle más bien que por la estructuración perfecta del conjunto. La fluctuación del río le sirve para justificar las divagaciones intercaladas en tantas obras suyas: «Yo soy un divagador empedernido. Soy un curioso de muchas cosas y necesito ondular y trazar curvas como los ríos» [20].

Es el fuerte individualismo, pues, la causa del fragmentarismo tan característico de su obra: expresión de un ánimo rebelde e impaciente. El no reconocer normas para ser libre y poder cambiar a su antojo explica las contradicciones que se dan en sus páginas, los saltos arbitrarios, el manejo personal del tiempo.

El espíritu anárquico se va ablandando al correr de los años, pero el meollo del individualismo queda hasta el final. Sigue declarándose independiente y no reconoce ninguna obligación impuesta: «Soy un hombre con mis problemas personales, que para mí son muchísimo más importantes que los de la nación y los del Estado» [21]. Son palabras de su último *alter ego,* Luis Carvajal. Probablemente habría que buscar la causa de esta actitud, que puede parecer egoísta, en la desilusión que experimentó a su vuelta a España al terminar la guerra civil, después de la cual ya no logró vivificar la antigua chispa dinámica.

Incluso el anarquismo debe llevar, como se ha visto, a lo veraz y, con ello, a lo original. Este deseo de la veracidad, segunda norma que rige la vida y la obra de Baroja,

---

[19] *Vitrina pintoresca, OC* V, p. 788.
[20] *La sensualidad pervertida, OC* II, p. 846.
[21] *El cantor vagabundo, OC* VIII, p. 478.

raramente le permite inventar totalmente [22]. Siempre exige una base de realidad. No justifica a autores como Galdós o Valle-Inclán que escriben sobre la guerra carlista situando sus novelas en sitios que ni siquiera han visitado. El va hacia el otro extremo: recorre los lugares, hurga en los archivos, conversa con la gente, estudia los grabados de la época para compenetrarse con los ambientes y los tipos del siglo pasado. La colección de grabados en Itzea es impresionante; reúne todos los aspectos de la vida española en el siglo XIX. Algunos de ellos, como por ejemplo el de Coria *(Los recursos de la astucia)*, llevan minuciosas anotaciones al margen, precisando la situación de tal casa o tal iglesia; otros están provistos de fechas. Por otra parte, si al escribir una novela se da cuenta de que ha introducido algo que pueda parecer inverosímil, añade en seguida una aclaración. Así, al describir un encuentro con las tropas enemigas muy detalladamente en *El escuadrón del «Brigante»*, el personaje que lo cuenta aclara: «Estos detalles, como se comprenderá, los supe después» [23].

Sus mejores páginas son siempre las que hablan de lo conocido; sus mejores personajes, retratos de gente real. Al contrario, su fuerza decrece cuando se trata de algo imaginario, incluso si el episodio imaginado es una sencilla escena amorosa entre un hombre y una mujer. ¡Qué sosos, con qué poca vida resultan tales encuentros! ¡Qué claramente muestran que el autor mismo no tuvo experiencias que le hayan colmado en este campo! Lo reconoce escuetamente: «Yo hablo de lo que he visto... A base de lo que he visto en mí y en los demás, no puedo contar ninguna aventura amorosa extraordinaria. A base de lo que he leído, no

---

[22] Es curioso que los representantes del «nouveau roman» nieguen totalmente la función de la invención. En una conferencia pronunciada en la Universidad de Wisconsin el 5 de noviembre de 1971 sobre la obra de Proust, Jean Ricardou aseguraba que la única función del escritor era «combinar varios elementos dados.»

[23] *OC* III, p. 197.

me interesa escribir nada» [24]. Hablando de personajes femeninos, subraya que no se propone crear protagonistas con vida interior rica, puesto que tendría que inventarlas.

La veracidad y la sinceridad van juntas. Con frecuencia resultan dañosas al hombre que las ejerce, pero si éste no apunta a fines prácticos, no se amedrenta. Sólo rara vez tal certeza produce una nota de amargura: «La falsedad y el disimulo son útiles dentro de la vida social. Yo esta condición no la he tenido, y creo que el no tenerla me ha perjudicado más que otra cosa» [25].

La veracidad en todas sus manifestaciones es consecuencia de la rectitud moral en un hombre que no tiene que encubrir ni fingir nada. Pío Baroja no trata de engañar a nadie, y menos a sí mismo. Se acepta tal como es, no falsifica su imagen interior. Y puesto que no siempre está seguro de cuál es la verdad, investiga y trata de aclararla. Esto le induce a fomentar otra preceptiva estilística: claridad y exactitud.

Se ha comentado ya que estas dos exigencias fueron intensificadas por sus estudios de medicina y por su lectura de Claude Bernard. Pero la Pardo Bazán también ha dejado páginas que abundan en descripciones clínicas (en esto estriba probablemente su error: son demasiado clínicas, no dejan lugar a otras cosas), que no dan nunca la impresión de realidad total; no se siente simpatía escondida detrás de ellas. En el caso de Baroja no es sólo la medicina o el deseo de dar «aire científico» a sus páginas (que sí es evidente en la Pardo Bazán, puesto que no le viene naturalmente, por experiencia vital) lo que le impulsa a hacer ejercicios no siempre fáciles de exactitud y claridad. El quiere alcanzar más allá de la fisiología: «Me parece que poder verse

---

[24] *Final del siglo XIX y principios del XX, OC* VII, p. 662.

[25] *Bagaletas de otoño, OC* VII, p. 1.235. Ya Ortega lo había puesto de relieve: «En este ansia de sinceridad y lealtad consigo mismo no conozco nadie en España ni fuera de España comparable con Baroja.» («Ideas sobre Pío Baroja», *El Espectador,* I, p. 109).

a sí mismo con la mayor claridad es el ideal del escritor» [26]. Esto probablemente es lo que hace la tarea más difícil. La claridad en describir lo exterior se consigue con cierto trabajo y ejercicio; la claridad interior exige más cavilaciones, porque el proceso implica ya no sólo ver, sino también entender: «Yo he tendido siempre a escribir lo que pienso de la manera más clara posible, y esto lo encuentro arduo porque pocas veces lo consigo. Naturalmente, pretendo la claridad, la elegancia, pero esto es difícil. También es difícil, no siéndolo, mostrarse optimista» [27].

Giménez Caballero ha ido a buscar algunas de las constantes del estilo barojiano a sus años de juventud. Al contar cómo se formó el chico mientras acompañaba a su padre en las maniobras de ingeniero, señala como resultado de tales correrías dos inclinaciones: la errabundez y el uso de telémetro [28]. No parece exagerado añadir la tercera: ya entonces se habrá dado cuenta de la necesidad de ser exacto.

La exactitud es una exigencia que Baroja subraya siempre. Sería imposible recoger todas sus referencias a ella. Determina su admiración por autores que saben usarla; la indica como una de las pocas cualidades que logran hacer interesante incluso un asunto que no es extraordinario. Le adscribe — y esto no sorprende — importancia mayor que a la elegancia, y extiende su fe en ella hacia el futuro: «Con el tiempo, cuando los escritores tengan una idea psicológica del estilo y no un concepto burdo y gramatical, comprenderán que el escritor que con menos palabras pueda dar una sensación exacta es el mejor» [29].

Otro rasgo importante del carácter de Pío Baroja es su timidez. Varios críticos han visto en ella la causa de su ac-

---

[26] *Familia, infancia y juventud, OC* VII, p. 507.

[27] *Paseos de un solitario,* pp. 140-1.

[28] «Pío Baroja, ingeniero de sus novelas», citado por Baroja en *El escritor según él y según los críticos, OC* VII, pp. 438-9. Baroja mismo habla del taquímetro *(Familia, infancia y juventud,* íd., p. 633).

[29] *La intuición y el estilo, OC* VII, p. 1.047.

titud crítica y aun arrogante (Brenan, Azcárraga). El autor mismo, analizando los años de su juventud, ha dado pie para ello: «En aquella época, a fuerza de timidez, hubiera sido capaz de hacer algo de una gran bravura» [30]. Frecuentemente se tacha a un hombre tímido de arrogante, puesto que él, no acertando a acercarse a los demás, y por no dejar transparecer su deseo, asume una actitud de indiferencia. No se atreve a dar paso libre a sus sentimientos, aunque muchas veces son más profundos que los que otros, más listos, exponen en la superficie, y se ciñe de una coraza defensiva: «Efectivamente, yo reconozco que soy cobarde para el sufrimiento. Prefiero tener una caparazón de indiferencia para todo y no dejarme llevar por el sentimentalismo, que siempre me ha dado muy malos resultados. Hay que tener una especie de pared aisladora ante la brutalidad de los demás» [31].

La timidez causa un distanciamiento tanto emocional como lógico: un hombre tímido se inclina fácilmente al escepticismo, porque en su soledad tiene más ocasión de examinar y sopesar lo que le rodea, los sentimientos que observa y que tal vez anhela. La timidez quita valor: un hombre que se examina demasiado, pierde confianza en sí mismo. Lo que más interesa aquí es señalar que la timidez también puede influir en el estilo: la pared aisladora de la que el autor se sirve en la vida se traslada también a su obra: no permite efusión de sentimientos y hace que lo trate todo a distancia.

Una consecuencia de su timidez es la ya aludida incapacidad de urdir tramas amorosas o profundizar en caracteres femeninos. Su actitud ante el amor y la mujer no es fácil de explicar, a no ser que se den a conocer incidentes de su juventud que la aclaren. Parece indudable que este «querer y no poder» acercarse a la mujer y a la vida sexual ha con-

---

[30] *Final del siglo XIX y principios del XX, OC* VII, p. 674.
[31] *Los amores tardíos, OC* I, p. 1.335.

tribuido a formar el fondo de amargura que se intensifica con los años. Las únicas mujeres que conoció íntimamente: su madre y su hermana, seguramente no le han inclinado hacia la misoginia. Han sido dos presencias afirmativas que le han acompañado a través de toda la vida. Lo que cabría examinar es el grado de «confesión» a la que habrá llegado con ellas, porque esto es precisamente algo que deja huellas en su estilo: el callarse las emociones fuertes, el no querer expresar lo más íntimo: «Yo, cuando quiero a una persona, no me gusta decírselo; me parece algo cínico y sin gracia; lo mismo me pasa si me quieren; me gusta sentir el afecto en los detalles y en los hechos, no en las palabras. Una de las cosas más bellas de la vida es callar» [32].

La modificación de su estilo por la timidez también se podría ver en los desahogos líricos que tantas veces interrumpen la narración y que a veces parecen—y otras lo son—superpuestos. Es significativo que las páginas más líricas sean dedicadas en general al paisaje o a seres con quienes no puede comunicar sobre un pie de igualdad: niños o animales [33]. No sólo dan ritmo y estructura a las obras en las que se incorporan, sino que crean distancia objetiva entre lo narrado y el lector; a la vez, acercan emocionalmente al narrador. Nunca son pura retórica ni «escapismo» [34]. Una prueba de ello es la inscripción que hace espontáneamente al recibir, mientras le cercan ruidos de la

[32] *La senda dolorosa, OC* IV, p. 724. También cita y comenta este trozo Alberich. Un estudio totalmente dedicado al tema es el de Adolfo de Azcárraga, *La timidez sentimental de Baroja,* Valencia, 1947.

[33] Lo comenta Madariaga, *op. cit.* Existe en este aspecto una semejanza curiosa entre Baroja y Juan Ramón Jiménez, quien se inventó un compañero de conversación para sus desahogos en Platero, y quien adoraba a los niños, mientras que los hombres le culpaban de retraído, arrogante, asociable. También su lírica, sobre todo la de su segunda época, es «una canción sin palabras», íntima. La admiración por Bécquer es común a los dos.

[34] Hans Jeschke, comentando el lirismo de los noventayochistas, sugiere que en algunos es debido al deseo de «escapar».

primera guerra mundial, un ejemplar de las *Memorias* de Aviraneta publicadas en Méjico. El ditirambo al mar que permite la llegada de este tesoro se parece mucho a los interludios líricos que luego intercala en *El laberinto de las sirenas*. Estos se añaden con el propósito de dar más estructura al libro, pero también representan un rasgo estilístico que corresponde a la manera de ser del autor.

Baroja mismo ha sugerido que su propensión al sentimentalismo—más fuerte en un hombre tímido, porque guardada dentro—le preocupaba fuertemente. Su inclinación a la observación científica, basada en procedimientos lógicos, le señalaba claramente lo que llegó a considerar como fallos. Logró superarlos con la ayuda de la voluntad. Una explicación que da en *La sensualidad pervertida* acerca de su fondo sentimental revela cómo este esfuerzo ha podido modificar también su estilo: «Unido a mi tendencia erótica, y quizá como una descomposición de ella, iba teniendo un absurdo sentimentalismo. Era un ridículo sentimiento de perro sin amo. El despedirme de la criada de la fonda, el dejar un pueblo antipático y aburrido, me impresionaba. Había siempre en esto algo semivoluntario, porque si no me fijaba mucho en las cosas, mi sentimentalismo no aparecía. Así que para mí el problema se resolvía en hacerlo todo rápidamente. Una despedida brusca, una decisión inmediata y no pensada, eran muchas veces la salvación en una situación difícil y embarazosa»[35].

El no querer aficionarse puede explicar también el tratamiento de los personajes: se impone distancia emocional al crearlos para permitir que se muevan más libremente. No les defiende, porque quiere evitar el sentimentalismo y ser siempre veraz. Por eso frecuentemente les presenta sólo en un escorzo: para que ni él mismo ni el lector se compenetren totalmente con ellos. Nacida como un medio de auto-

[35] *OC* II, p. 894.

defensa, la rapidez se convierte en un rasgo estilístico que abarca casi todas las facetas de su obra.

Sánchez Granjel ha señalado con gran acierto que no es la timidez sola lo que produce el carácter—ni el estilo—de Baroja, sino la asociación de ésta con una fuerte imaginación. Un hombre tímido, cuando no se decide a intervenir directamente, sueña. Toda su sensibilidad se vierte en los sueños. Baroja mismo ha cavilado frecuentemente acerca de este asunto. En su biblioteca en Itzea se encuentra un libro que parece haber sido cogido por el autor más de una vez y que—uno entre los no muy numerosos—lleva muchos subrayados. Es *Le rêve et l'action* del doctor Gabriel Dromard, publicado en París en 1913. En él se estudia a los diversos tipos del soñador. Por estas fechas —no sabemos cuándo lo habrá adquirido—Baroja estaba ya completamente formado, tanto como hombre cuanto como escritor. Se habrá quedado asombrado al ver que algunas definiciones ofrecidas por el doctor Dromard parecen haber sido establecidas estudiándole a él. Abarcan numerosas facetas del temperamento, en las que se puede buscar una explicación del estilo, y parecen justificar la transcripción de citas más abundantes.

Dromard divide a los soñadores en varios grupos. Sólo dos de ellos: «le rêveur actif» y «le rêveur passif» han merecido la atención de Baroja, expresada por subrayados. Los dos tipos descritos se elevan por encima de la masa, y por eso son despreciados. Es el caso del zorro y de las uvas verdes. El poder soñar es considerado por Dromard como una virtud excepcional: permite al soñador abarcar el cosmos entero, uniendo valores materiales y espirituales. Entre los críticos barojianos, Ortega, Bellini, Chabás, han hecho hincapié en este mismo aspecto: las acciones que emprenden los héroes barojianos son en realidad aquellas que el autor hubiera querido cumplir, con las que ha soñado, y que realiza por lo menos parcialmente en su obra. Cuando se trata de la acción dinámica en Baroja, es ante todo su imaginación la que trabaja. Frecuentemente el soñador no necesita inventar, sin embargo. Su sensibilidad aguda le dota de una perceptividad poco frecuente. Puede, por consiguiente, conjugar invención y observación: «Dépourvus de cette activité fébrile que fait industrie du monde... [les esprits artistes] sont pourvus d'une âme réceptive capable de communier avec son ambiance, et cette ambiance même, dont les autres demeurent distants quoiqu'ils la pétrissent à pleines mains chaque jour, cette ambiance, eux seuls la pénètrent que ne font aucun geste pour l'effleurer» (p. 82). Este es precisamente el caso de Baroja, que siempre ha preferido la vida sedentaria en la vida real, compensándola con el dinamismo de sus obras de ficción.

Es curioso que el doctor Dromard no vea ninguna oposición entre un estudio analítico, frío, y la compenetración por los sentidos: dos constantes de Baroja ya comentadas, y que producen su estilo particular de ondulación. El soñador activo, dice Dromard, no se dedica sólo a soñar, sino que también observa y analiza: «En un mot, vivant dans la vie comme on vit au laboratoire ou dans un théâtre, il verra les choses d'un regard désintéressé, dans l'anonyme et l'impersonnel *sub specie aeternitatis*» (p. 58). Aquí se reconoce la distancia que siempre recomienda—y guarda—Baroja, su ojo y su espíritu críticos moldeados por los preceptos de Claude Bernard.

El rasgo característico principal del «soñador pasivo» es, a su vez, la duda. La duda, sobre todo si tiene su raíz no sólo en el temperamento soñador, sino también en la timidez de un escritor, puede influir en su manera de escribir: el hablar por alusiones, el plantear preguntas constantemente sin contestarlas. Consecuencias de ella son también el uso de expresiones casi monosilábicas, la admisión de contradicciones, la vuelta a examinar lo dicho.

Si el soñador activo se muestra sociable y democrático, al pasivo le califica el doctor Dromard de individualista y de aristócrata [36]. También esto es aplicable a Baroja. Aunque tuvo muchas relaciones con hombres de estratos sociales más bajos que el suyo, no se sentía uno de ellos precisamente por esta razón: porque poseía una inteligencia y unas exigencias a sí mismo superiores y diferentes a las que encontraba entre ellos.

El estudio del temperamento lleva a la investigación de los modos de expresarlo. Dromard ve una relación clara entre los dos. La «incerteza» de que habla hace pensar en «lo indeterminado» que señalaba *Azorín,* aunque éste lo entendiera más ampliamente: «Au demeurant, ils trouvent dans l'incertitude elle-même je ne sais quelle saveur d'un ordre esthétique; ils jouissent de leurs doutes et ils les cultivent au besoin pour leurs équivoques, pour leurs demiteintes et leurs contours irisés. Ils ont enfin une certaine volupté intérieure à voir clair, coûte que coûte, au prix même du désabusement; ils ont une certaine impression profonde de puissance et de pleine liberté à rester à jeun au milieu de la griserie et à s'évader bravement de la duperie commune, pour regarder du dehors et d'un oeil critique l'illusion dont les autres hommes sont le jouet complaisant» (página 137). La actitud escéptica de Baroja se encuentra totalmente en esta definición. Lado al lado aparecen incerteza y deseo de claridad, los tonos grises y los perfiles bien dibujados: una ondulación que reproduce su ritmo interior, y puede observarse en todas sus obras.

Muy característico de este tipo de soñador, según Dromard, y muy certero en cuanto a Baroja, es el no perder control de la situación, no apasionarse. La imaginación siempre queda frenada por el escepticismo [37]. La distancia

---

[36] Habrá que entender, claro es, la aristocracia en este caso como la entiende Ortega: la de espíritu, no la de nacimiento.

[37] No han faltado críticos que lo hayan indicado como un fallo. En esta dirección va la observación de Ortega: habla no ya de la falta de pasión por parte del autor, sino de la imposibilidad por parte del lector de apasionarse leyendo sus obras. Juan Chabás, a su vez, cree que

que se interpone no quita la impresión de la inmediatez, sin embargo. Baroja mismo insiste en que bajo la indiferencia aparente late siempre la emoción, de que es incapaz de escribir algo sin sentirlo.

Interesantes son las observaciones de Dromard acerca de la sensibilidad y la autodefensa en este tipo de soñador: «Une sensibilité raffinée comme est celle des rêveurs passifs souffre de la laideur, appréhende la souillure et craint les froissements» (p. 145). Hace recordar la famosa comparación que hacía Baroja entre sí mismo y un pájaro que no quiere ensuciarse las alas *(La sensualidad pervertida, OC* II, página 893). El deseo de pureza impone una ética sin compromisos, de renuncias. Renuncia a éxitos fáciles y «castiga» su estilo para que llegue a ser puro en el mejor sentido: sin elementos superfluos, sin oropel exterior.

El «sentimiento escondido» ha hecho que algunos le hayan reprochado a Baroja falta de sensibilidad. Si se conoce aun en lo mínimo su personalidad, se ve claramente que tal acusación no tiene base alguna. Baste recordar cómo la muerte de su hermano echó una sombra de dolor sobre todo lo escrito en aquella época, o visitar su casa en Itzea. Hay que creer, si él mismo lo afirma, que daba precedencia a lo ético sobre lo estético siempre. Esto no impide, sin embargo, que haya sentido y anhelado la belleza. Lo atestigua la colección de las obras de arte en Itzea. Las preferencias por el Renacimiento confirman su propio estilo: sencillez y claridad, línea recta y mucha perspectiva.

El retraimiento, el difícil expansionarse en presencia de personas desconocidas pueden haber modificado su manera de escribir. Frecuentemente se le ha achacado que presenta a sus personajes sólo de perfil, que no profundiza en ellos, que no se llega nunca a conocerles del todo. Examinando con más atención la técnica que usa en presentarles, no es

---

Baroja es incapaz de admirar nada *(Literatura española contemporánea 1898-1950,* La Habana, 1952).

difícil darse cuenta de que a menudo les hace conocer desde fuera. Nunca se contenta, sin embargo, con presentar sólo rasgos exteriores o detalles de vestir: casi toda descripción contiene observaciones acerca del carácter o del temperamento del personaje, sucintas pero muy acertadas. No tarda en captar lo más característico de una persona. Este don es seguramente el resultado de largos ejercicios: Baroja es siempre, en todas partes y en toda circunstancia, ante todo un observador. Además, tiene costumbre de estar entre la gente. Incluso en sus paseos continuamente ve tipos nuevos y anota mentalmente el interés que puedan llevar. No en balde ha definido al novelista como «un tipo de rincón, agazapado, observador, curioso y tenaz» [38]. Frecuentemente es capaz, desde su sitio de observación, de captar impresiones más certeras de una persona a quien ve hablar y actuar que el que habla con esta persona: le ayudan la distancia y su tanto de imaginación. Repasando sus relaciones con la gente y sus encuentros, señala que siempre interviene otro factor importante: la intuición: «Yo no sé si es una ilusión o una realidad, pero me figuro que desde que conozco a una persona sé aproximadamente su manera de ser» [39]. Sin duda alguna se puede preguntar si la intuición equivale al contacto directo, al conocimiento vivo y más profundo de estas personas. Siendo observador agudo de tantas, tiene relación de veras íntima sólo con un círculo limitado. Así, cuando sus personajes se parecen a él mismo o a algún miembro de este círculo íntimo, nunca les falta hondura psicológica o emocional. Otros, creados basándose en una observación pasajera, descubren menos facetas, quedan sólo «entrevistos». Parecía apropiado señalar aquí una de las posibles causas que producen este «velo de lejanía» en algunos personajes barojianos, de cuya verosimilitud, sin embargo, no se nos ocurre dudar.

---

[38] *La intuición y el estilo, OC* VII, p. 1.025.
[39] *La sensualidad pervertida, OC* II, p. 908.

Las relaciones entre Baroja y otros hombres presentan otra faceta no menos importante que marca su estilo. Si es un excelente observador, también es recordado por los que le conocían de cerca como un entrañable conversador. Lo uno no excluye lo otro: con amigos ante quienes olvidaba su fondo suspicaz, se expansionaba, se divertía, reía. (¿Cuántos lectores de Baroja, que se le imaginan como a un hombre escéptico, amargado, con el ceño fruncido, creerán que en sus andanzas por Extremadura y Castilla participaba en batallas imaginarias, o era él mismo quien suministraba la «primera ayuda» al «herido» en un desafío de farsa, exprimiendo un tubo de carmín para fingir la herida?) Conversaba con todos: de niño, con los ciegos y los vagabundos que pasaban delante de la casa; de médico, con los aldeanos; de industrial, con los panaderos; de escritor ya establecido, con pícaros que invitaba a su casa, con libreros de viejo, con *Azorín* en sus paseos; de viejo, con su criada. Así iba ensartando no sólo tipos, situaciones y casos psicológicos, sino también estilo, maneras de expresarse diferentes, pero todas auténticas.

Entre los críticos, Barja y Alberich han insistido más en el aspecto tan característico de «narración oral» que tienen las obras de Baroja. Alberich cree que usa conscientemente el estilo de «contador». Baroja mismo lo insinúa en *El escuadrón del «Brigante»*, donde alude a una «epopeya moderna»; y la epopeya siempre se ha transmitido por vía oral. En otra ocasión confiesa que mide a los hombres según su capacidad de conversación: «Yo no me preocupo mucho del estilo... Casi siempre busco al hombre capaz de hablar de una manera interesante, más que al que escribe. Me refiero al que habla en la conversación, no al que discursea» [40]. En esto hay que buscar la fuente principal de la maestría de los diálogos barojianos, reconocida por todos los críticos: son lengua viva, y son naturales.

[40] *La intuición y el estilo, OC* VII, p. 1.092.

Con el don de conversación se junta otra constante del carácter de Baroja, que nunca pierde: la curiosidad. Se interesa por todo, llena cuadernos con las noticias más variadas, recoge anécdotas. Estas interrumpen a menudo el hilo de la narración, a veces parecen estar allí de sobra. Pero en esto siguen las situaciones de la conversación real, que también se interrumpe, cuando a uno de los participantes se le ocurre algo «gracioso», que le parece relacionado con lo que se comenta o discute. En una de sus últimas obras reconoce este pecadillo: «Yo muchas veces me he propuesto escribir un libro serio, pesado, respetable, bueno o malo; no lo he podido conseguir, todo me ha salido ligero y liviano. Sin duda, uno tiene íntimamente el gusto de la historieta, de la anécdota» [41]. La intercalación de anécdotas sirve como relajamiento, permite «descansar» la atención. Se podría afirmar que también actúa como desmitificación: otra razón por la cual puede haber sido usada tanto por el autor. Con la ayuda del tono burlón, da a cada uno su tamaño apropiado y pone cada cosa en su sitio.

La anécdota, para ser aceptada, supone, además, una cualidad en el que la cuenta que Baroja valora mucho: el don de la amenidad. Recordemos que para él, uno de los fines de la literatura es divertir. Recordemos también que es un enemigo mortal del estilo pomposo que no admite amenidad. A él, al contrario, el contar mismo le importa tanto como lo que cuenta. Una obra, dice, debe ser ante todo interesante y amena [42], aunque él mismo no logre determinar en qué consiste ni cómo se logra esta cualidad: «Esto de la amenidad, que a mí tanto me preocupa, no se sabe de qué proviene. A veces parece que es el fondo lo que la trae; a veces se piensa que es sólo el tono y el estilo» [43].

---

[41] *La decadencia de la cortesía*, p. 41.

[42] Véase el prólogo que escribió para M. Gómez Santos, *Baroja y su máscara*, Madrid, 1956, p. 11.

[43] *El escritor según él y según los críticos*, *OC* VII, p. 394.

Nora opina que la amenidad que produce Baroja en sus obras no es espontánea, sino buscada. Es una observación certera cuando se piensa en las anécdotas que sencillamente reproduce. Estas, en efecto, tienen poca gracia y, además, tienen poco de Baroja. En cuanto a su estilo de contar en general, sí tiene amenidad, si por amenidad se entiende la cualidad de no llamar la atención, de fluir naturalmente, como en una conversación cotidiana. El estilo de Baroja no cansa, porque cambia, se amolda a lo contado y porque—para usar una vez más palabras de *Azorín*—«por la manera de como están dichas estas 'enormidades' nos parecen cosa corriente y aceptada» [44].

El gusto por la anécdota, por la historieta bien contadas concuerda con su concepto de la novela como un retrato de la sociedad compuesta de hombres de todos los días, sin héroes ni hazañas épicas. Es lo que él llama vivir y obrar en tono menor, que pide y dicta un estilo apropiado: «He vivido en tono menor, y casi todo lo que he escrito está en este tono. He sido como el que va por un sendero resbaladizo, lleno de piedras y de baches. Nadie tiene la vocación decidida de tomar por gusto el camino de revés, áspero y pedregoso, y no la carretera grande; pero seguramente no fue en mí un capricho, sino una imposición del Destino» [45]. Subraya más de una vez que no es fácil conseguirlo: «En cambio, la retórica del tono menor, que a primera vista parece pobre, luego resulta más atractiva, tiene un ritmo más vivo, más vital, menos ampuloso. Es en el fondo esta retórica continencia y economía de gestos: es como una persona ágil vestida con una túnica ligera y sutil» [46]. Las palabras que usa para definir esta retórica hacen recordar a Bécquer. Baroja mismo indica a este propósito otra admiración suya: «Esta forma de retórica del tono

[44] *Op. cit.*, p. 130.
[45] *El escritor según él y según los críticos, OC* VII, p. 397.
[46] *Juventud, egolatría, OC* V, p. 174-5.

menor hay un poeta moderno que la ha llevado, en mi sentir, a la perfección. Este poeta ha sido Paul Verlaine. Una lengua así..., disociada, macerada, suelta, sería indispensable para realizar la retórica del tono menor que yo siempre he acariciado como un ideal literario» [47].

El procedimiento de «contador de historietas» interrumpe la narración de un modo; el de la divagación, de otro. El fondo intelectual está tan presente en las obras de Baroja como el de la acción o el de la aventura. Es imposible encontrar una que no tenga un porcentaje considerable dedicado a la meditación. También esto es una consecuencia del retraimiento y de las recomendaciones de Claude Bernard: mientras está entre la gente, observa y conversa; cuando se queda solo, trata de sacar de sus observaciones algunas conclusiones generales, llegar a comprender mejor su propia naturaleza y la de todo hombre. Sólo aceptando este último motivo: intercalación de generalizaciones y de consideraciones filosóficas que tienen poco que ver con la trama como un medio de conocimiento, es justificable tal «técnica», si de técnica hubiese permitido hablar el autor. La divagación puede parecer molesta al que no tiene la costumbre de reflexionar. A un lector que tenga hábitos parecidos a los de Baroja le parece natural y verosímil, siempre que piense en la obra como la expresión del autor y no como ficción bien delimitada, donde sería inadmisible. También en este caso el fondo psicológico del autor está intrínsicamente presente en su estilo. Declaró él mismo, y lo han repetido los críticos, que se hace más patente el gusto por la divagación en su «segunda época», la que comienza con *Juventud, egolatría,* pero está presente ya en sus primeros libros. Más tarde hace de ella uso tan frecuente que lo advierte en el prólogo a *La sensualidad pervertida:* «El que comience a leer este libro... y no sea partidario de las divagaciones, debe dejarlo cuanto antes, porque yo soy un di-

[47] *Id.,* p. 175.

vagador empedernido. ...No tengo nada de parnasiano ni de estilista: soy un psicófilo, y sólo el que sienta la psicofilia, como yo, podrá entretenerse leyendo mis cuartillas» [48].

Conversador y pensador son dos facetas de Baroja siempre presentes en su obra. No lo es menos la tercera: la de «transeúnte y paseante en corte» [49], que reúne y complementa las anteriores. Salaverría cuenta que incluso conversando solía pasear [50]. Baroja mismo se ha definido como un hombre que tiene afición a pasear, divagar, mirar el paisaje. Lo último es responsable por su lirismo; las divagaciones le permiten entrar más directamente en la obra (cualquier narrador se vuelve Baroja mientras divaga); el pasear, a su vez, muy probablemente le enseña el ritmo dinámico que anima sus obras. Leyendo a *Azorín* nos imaginamos fácilmente a un hombre sentado delante de una mesa, con la cabeza apoyada en una mano, casi inmóvil, que va fijando uno por uno todos los objetos que le rodean para salvarlos del paso del tiempo. La impresión de Baroja nunca es así, ni puede ser la misma: se caracteriza por el movimiento. Se ha hablado de sus presentaciones rapidísimas, casi como las de una cámara cinematográfica. Son resultado de una mirada que nunca se detiene mucho en un objeto, de un hombre que mira *de paso*. Esto le salva del exceso de detalles, de crear una atmósfera de «cuarto bien adornado, pero estrecho», que criticaba en el estilo de *Fernán Caballero*.

El tema de la vida como un viaje se completa con la visión de ella como un caleidoscopio: se mueve no sólo el hombre que mira el mundo, sino también el mundo mismo: «Hay que tener todavía en cuenta que los que escribimos y los que leemos vivimos en una época rápida, vertiginosa, atareada, que no deja más que cortas escapadas a la meditación y al sueño» [51]. De aquí las transiciones

[48] *OC II*, p. 846.
[49] *Intermedios, OC* V, p. 695.
[50] J. M. Salaverría, *Retratos*, Madrid, 1926, p. 57.
[51] *La intuición y el estilo, OC* VII, p. 1.047-8.

bruscas, los saltos de un asunto o personaje a otro, los diálogos tan escuetos que sólo permiten lo esencial. El signo del mundo moderno es la velocidad; él quiere crear una obra conforme. En su manera de escribir se guía, además, por sus propios hábitos de leer, suponiendo que hay otros lectores como él: «Yo soy de los lectores malos. Palabra por palabra, no hay apenas libro que haya leído y mucho menos pronunciándolas mentalmente. Hay libros que he leído una porción de veces, pero siempre saltando algo que me aburre o que me impacienta» [52]. Esta actitud explica su esfuerzo de crear algo sintético, algo que se pueda abarcar de golpe.

El viaje no es sólo un tema o un concepto de novelar en Baroja. Desde que era niño ha sido una parte integrante de su vida. En una visión retrospectiva señala que sus reacciones han cambiado considerablemente: «Estos viajes, de chico, me parecían una cosa muy divertida; luego, y no sé a punto fijo por qué, me han dejado un recuerdo triste. La ilusión del viaje se apoderaba de mí, y cuando estábamos en la casa que íbamos a abandonar entre baúles, cajas y fardos con cuerdas de espartos, soñaba que marchábamos en busca de un paraíso lleno de bellezas, que luego no resultaba más que una casa como otra cualquiera de un pueblo como otro cualquiera... El momento más agradable de nuestra vida un poco ambulante, el de más esperanzas, era cuando se iba a dejar la casa antigua y se pensaba en cómo sería la nueva» [53]. La imaginación está inseparablemente ligada con el viaje, pero el viaje también intensifica la noción de la relatividad en todo: nada se confirmaba mejor ni más estable que lo ya conocido.

El tratamiento tan rápido de los personajes y de los escenarios no quiere decir que Baroja los presente superficialmente. En esto consiste el ingenio de un buen escritor: en

---

[52] *Las horas solitarias, OC* V, p. 292.

[53] *Familia, infancia y juventud, OC* VII, p. 542.

saber escoger el detalle característico. Unos pocos rasgos en la presentación de un personaje dicen a veces más que una página de descripción detallada. Casi siempre producen una imagen más viva. Baroja ha hablado de la visión sintética que proporciona el enfoque humorístico. Frecuentemente lo consigue con una comparación lograda: «La Riojana tenía la nariz remangada, los ojos muy claros, la boca entreabierta, como expresando una interrogación; el pelo rubio rojizo, la piel blanca y el pecho abundante. Hablaba con mucha gracia, una gracia picante, burda; su conversación era como esos guisos de arriero salpimentados con especias fuertes» [54].

Volviendo una vez más al libro del doctor Dromard, cojamos una última cita sobre la propensión del soñador pasivo a percibir más de una faceta en todo lo que ve: «Dans leur intuition remarquable du 'relativisme' spéculatif, les hommes qui nous intéressent ont appris depuis longtemps que nul ne possède la vérité tout entière et que nul n'en est totalement privé... que la seule vérité bien sûre, c'est de savoir découvrir simplement la part de vérité qu'il y a dans chaque chose. ... Le résultat est qu'ils sont vis-à-vis d'eux-mêmes et des autres dans la posture la plus équitable» (página 154). Baroja aplica esta visión múltiple a todo lo que mira. Casi nunca presenta una sola opinión. A menudo hace conocer a un personaje por contraste; a veces se divierte en añadir una noción irónica al concepto de la relatividad: «Era una rubia esbelta, con los ojos azules y los dientes muy blancos. Los hombres de mi tiempo hubieran dicho que era una diosa, y los jóvenes, que parecía un caballo de carreras» [55]. El punto de vista opuesto se encuentra a cada

---

[54] *El escuadrón del «Brigante»*, *OC* III, p. 128. Luis López Delpecho encuentra una definición muy apropiada para esta técnica rápida: la «fotosíntesis» («Perfiles y claves del humor barojiano», *Revista de Occidente*, XXI, 1968, p. 138).

[55] *Crónica escandalosa*, *OC* IV, p. 988.

paso y puede considerarse como una de las características salientes del estilo barojiano: «Me chocó que se considerase un puro negocio lo que para nosotros, cándidos españoles, era una cuestión de política apasionada»[56]. En *Memorias* declara determinadamente: «Además, yo soy un relativista, como quien dice, absoluto»[57].

Lo relativo entra también en sus consideraciones acerca de la objetividad. Confiesa que el ideal de los realistas no es totalmente suyo, que no logra tomarlo en serio, porque él es incapaz de la impasibilidad total y de creer en una observación que no se equivoca nunca. Siempre tiene presente el fondo de sentimientos, que le parece tan importante como la objetividad, y que en realidad indica en él un residuo romántico que va muy de acuerdo con su individualismo. El compromiso al que llega es observar objetivamente y luego dar a lo observado su matiz individual: «Tomar los tipos y los detalles de la realidad, para organizarlos y ordenarlos conforme al sentir individual, me gusta»[58]. La elección libre del matiz determina lo que le parece la característica más importante en un autor, lo que le da su estilo: el acento: «El acento es todo en el escritor, y ese acento viene de su naturaleza»[59]. La imposibilidad de separar temperamento y estilo se confirma aquí también.

El acento depende no sólo del temperamento, sino también de la cosmovisión del autor. Ya se ha observado que Baroja nunca busca lo extraordinario, sino que al contrario desmitifica, desheroíza siempre que se le presenta la ocasión. Comparándose con otros, y volviendo a unir el carácter con el estilo, observa: «Yo, siempre que he hablado de un hecho presenciado por mí, ante otra persona que tam-

---

[56] *Id.*, p. 1.011.

[57] *Galería de tipos de la época, OC* VII, p. 809.

[58] *La leyenda de Jaun de Alzate,* OC VI, p. 1.130.

[59] *La intuición y el estilo, OC* VII, p. 1.058. Otra vez se puede descubrir una afinidad con Juan Ramón Jiménez, quien repetía también que el acento lo era todo en un poeta.

bién lo presenció, he visto que no estábamos casi nunca de acuerdo en los detalles, ni a veces tampoco en el conjunto. Yo, al parecer, tiendo a disminuir la importancia del suceso, y la mayoría tiende a la amplificación. Probablemente es algo de carácter temperamental» [60].

Un hombre que ve la relatividad en todo y que se ha vuelto escéptico tiende a no dejarse asombrar por nada, a mirar todo lo que ocurre como algo natural. Esta actitud condiciona también su estilo: tampoco cuando escribe permite que entre lo extraordinario, ni en la selección de la palabra ni en las imágenes. Recalca más de una vez que sólo emplea palabras aprendidas en su juventud: las únicas que de veras significan para él lo que dicen, y que desprecia lo «bien sonante». Cuando se trata de encontrar metáforas o comparaciones, también recurre a lo cotidiano: «Como yo no soy una naturaleza retórica, me pareció que en los alrededores de Morella, llenos de manchas de nieve, habían puesto una infinidad de ropas blancas a secar y que las cornisas de las azoteas las habían almohadillado» [61]. Con esto consigue más originalidad que con una metáfora rebuscada. A la exactitud y la claridad se une entonces otra cualidad indispensable: la sencillez. Sólo en la sencillez ve un fondo permanente. Se pregunta de dónde le viene este gusto, y ve una raíz posible en el vasquismo: son hombres sencillos, de pocas palabras y de sentimientos auténticos. Y uno de sus propios ideales es precisamente la autenticidad: una preocupación que no le permitiría escribir «a lo que salga», a pesar de lo que afirman tantos críticos. Para llegar a es-

---

[60] *La intuición y el estilo, OC* VII, p. 993.

[61] *Los confidentes audaces, OC* IV, p. 879. No es sorprendente que tenga sólo palabras de crítica para los que siguen la moda: «Los pintores, sobre todo los muy modernos, creen que se sacrifican por algo cuando pintan cosas extravagantes. — Yo no comprendo qué sacrificio es éste. También han debido creer en su sacrificio los cubistas, los futuristas y los demás mistificadores.» *(Galería de tipos de la época, OC* VII, p. 883).

cribir con sencillez, un autor debe ejercer más fuerza de voluntad, estar más alerta, que el que se decide a crear belleza: «El estilo oratorio es fácil de hacer y fácil de comprender. El estilo sencillo, que explique bien, que dé la impresión bien, sin afectación, sin petulancia, eso es lo que me parece más difícil. Salir del salón sin que nadie recuerde cómo uno iba vestido» [62].

Queda por considerar, por fin, un rasgo más del carácter de Pío Baroja, al que ya se ha aludido varias veces: su escepticismo. Ve en el mundo poco que permita tener ilusiones. En esta «nave de los locos», en la rueda grande donde se barajan arbitrariamente las fortunas, donde no existe justicia ni moral, sería ridículo querer construir algo perfecto o duradero. Parece más natural dejarse llevar un poco por la corriente y admitir un tanto de fatalismo. Pero incluso en esto no renuncia a una nota personal, probablemente como protesta contra el naturalismo: «Cualquiera, al leer la frase final del capítulo anterior, supondrá que yo soy un fatalista. No; no lo soy. No lo soy, pero no ando lejos de serlo. Esta idea de fatalidad es un poco confusa. Encerrando la idea de predestinación, es para mí falsa; pero significando sólo destinación, me parece exacta» [63]. Su individualismo no le permite negar el valor del esfuerzo personal. Tampoco puede abandonar toda fe en la voluntad. Al analizar su propio pesimismo y su amargura, nota una evolución: afirma que en los años de la vejez se va serenando. Probablemente se trata más bien de cambio de enfoque: sus facultades irónicas se van desenvolviendo; mira el mundo a mayor distancia. Así, logra encontrar una nota cómica en lo que antes hubiera parecido triste: «El pesimismo tiene sus ventajas. Cuando se acostumbra a ver que los hombres son como muñecos que hacen tonterías y ca-

---

[62] *El escritor según él y según los críticos*, *OC* VII, p. 423. Son papabras del dandy Jorge Brummel.

[63] *La ruta del aventurero*, *OC* III, p. 711.

nalladas sin saber por qué, el espectáculo resulta divertido, y, por otra parte, el comprobar cómo lo que se ha pensado de malo de la gente es casi siempre cierto, deja tranquilo y seguro de sí mismo» [64].

La ironía que nace de su visión del mundo es una característica del estilo barojiano tan importante que habrá que volver a ella más adelante. Sí se puede indicar ya ahora que esta desilusión, esta desconfianza ante el mundo, la imposibilidad de creer en la armonía total explican el fragmentarismo de su estilo y el uso de locuciones duras, bruscas [65]. En esto es un verdadero innovador en la novela española: la fragmentación, el uso de expresiones fuertes, coloquiales, muy realistas, el arte de exponer a sus personajes para que sean maltratados por la crueldad universal abren camino a los autores jóvenes que empiezan a escribir después de la sacudida de la guerra. Aprenden probablemente de él también la verdad de que es inútil luchar contra el tiempo y hay que aceptar su instantaneidad. El les enseña a poner el acento en la actualidad entendida de un modo especial, que modifica la estructura de la obra que se escribe: «Al hablar de la actualidad no me refiero precisamente a la actualidad política ni a la internacional, sino a la actualidad de una persona en un tiempo; es decir, a la representación de la vida ambiente en mi conciencia en el momento que pasa. Un libro que comienza con este

---

[64] *Los enigmáticos, OC* VIII, p. 430. Sabe que la visión irónica nace de algún desengaño o una experiencia más grave: «Debe de ser hombre que tiene su tragedia en la vida. Esto le da una actitud irónica y burlona.» *(Las veleidades de la fortuna, OC* I, p. 1.249).

[65] Un estudio detallado del lenguaje coloquial empleado por Baroja se encuentra en la tesis doctoral de T. H. Slade presentada en la Universidad de Madrid en 1964, *Contribución al estudio del lenguaje coloquial en la novela de Pío Baroja.* Ya Ortega señalaba que «los vocablos que significan la máxima irritación son característicos de la literatura de Baroja» («Una primera vista de Baroja», *El Espectador,* I, p. 139).

propósito no puede tener un plan arquitectónico, y éste no lo tiene» [66].

Para dar un resumen sintético del ideal estilístico de Baroja—lo cual equivale a dar una «fotosíntesis» de su personalidad—, nada mejor que las palabras del autor mismo, que ya Alberich escogió como la mejor autodefinición de Baroja:

> Es una voz que dice algo monótono, como la misma vida; algo que no es gallardo, ni aristocrático, ni antiguo; algo que no es extraordinario ni grande, sino pequeño y vulgar, como los trabajos y los dolores cotidianos de la existencia.
>
> ¡Oh, la extraña poesía de las cosas vulgares!
>
> Esta voz humilde que aburre, que cansa, que fastidia al principio, revela poco a poco los secretos que oculta entre sus notas, se clarea, se transparenta, y en ella se traslucen las miserias del vivir de los rudos marineros, de los infelices pescadores...
>
> ¡Oh modestos arcordeones! ¡Simpáticos acordeones! Vosotros no contáis grandes mentiras poéticas, como la fastuosa guitarra; vosotros no inventáis leyendas pastoriles, como la zampoña o la gaita; vosotros no llenáis de humo la cabeza de los hombres, como las estridentes cornetas o los bélicos tambores. Vosotros sois de vuestra época: humildes, sinceros, dulcemente plebeyos, quizá ridículamente plebeyos; pero vosotros decís de la vida lo que quizá la vida es en realidad: una melodía, vulgar, monótona, ramplona, ante el horizonte ilimitado... [67]

---

[66] *Las horas solitarias, OC* V, p. 229.

[67] *Paradox, rey, OC* II, pp. 169-170.

CAPITULO III

LA FORMACION DEL ESCRITOR

> *Yo soy un hombre que ha salido de su casa por el camino, sin objeto, con la chaqueta al hombro, al amanecer, cuando los gallos lanzan al aire su cacareo estridente como un grito de guerra, y las alondras levantan su vuelo sobre los sembrados. De día y de noche, con el sol de agosto y con el viento helado de diciembre, he seguido mi ruta, al azar, unas veces asustado ante peligros quiméricos; otras, sereno ante realidades peligrosas* [1].

El estilo y el concepto de la novela son íntimamente ligados, como se ha visto, con la vida personal de Pío Baroja. Parece apropiado, pues, volver a examinar no sólo los rasgos más salientes de su carácter, sino también su «devenir». La sensibilidad de Baroja ha sido destacada por los críticos más perspicaces: *Azorín*, Ortega, Nora. Es de suponer que la poseía ya de niño. Aunque no se puede hablar de escasez de biografías del autor, ninguna contiene detalles abundantes sobre sus primeros años, en que se forma la sensibilidad de un hombre. El mismo recuerda con más detenimiento la época en que tenía ya plena conciencia. Espigando en la obra, la edad de sus protagonistas tampoco retrocede hasta la primera infancia. Lo único que se puede

---

[1] *Familia, infancia y juventud, OC* VII, p. 528.

destacar es la afirmación de Arbó que de niño era impresionable y miedoso. Para buscar una impresión fuerte hay que ir hasta la muerte de su abuela, que noveliza en *Silvestre Paradox,* si se descuentan el susto causado por el canónigo de Pamplona y la vista de los reos de muerte que pasaban delante de su casa. Según confiesa en *Memorias,* lo que mayor impresión le hizo en aquella ocasión fue ver que los nietos de la muerta, sus primos, salían aquella misma noche a divertirse en el carnaval: contraste y relatividad que seguirá encontrando a cada paso.

La opinión de que la vida está hecha de contrastes se confirma por la experiencia cotidiana en la casa paternal: su padre y su madre son dos naturalezas casi totalmente opuestas, como se ve de la descripción que dan de ellos tanto él como su sobrino Julio Caro Baroja. Esta primera oposición de dos valores igualmente positivos puede haber influido en su modo de presentar a los personajes por gustos opuestos, por contraste.

Muchos aspectos de la vida en su niñez habrán contribuido a la formación de sus gustos y sus preferencias. Ya se han comentado sus paseos por el campo con el padre: no por pura afición, sino como ayudante de un ingeniero. Seguramente contribuyen a que el niño adquiera el gusto por el campo y por el paisaje, pero también le enseñan a mirar con precisión. Cuando visita con el padre las minas de Alava, es posible que se le comunique la preocupación social que siente un liberal. También allí necesita una mirada de precisión, puesto que no se trata de visitas de caridad, sino de estudio. Lo importante es que siempre incluyen el lado humano. Así, el niño empieza a conocer varias facetas de la vida. La mira desde una perspectiva de trabajo—suyo y el de los que observa—, pero no deja de notar detalles costumbristas. Cuando más tarde recorre los campos de Extremadura o de Castilla en compañía de su hermano Ricardo, de Ciro Bayo, de Ortega, al enfoque social y lírico se añade la perspectiva histórica.

Sus primeros años transcurren en San Sebastián, donde su abuelo ha puesto una imprenta. En la trastienda de ésta se reúnen amigos para hablar de la política y de la guerra carlista; desfilan personajes de talla. A su vez, en su propia casa oye continuas conversaciones entre su padre y su tío sobre la misma guerra y desde el mismo punto de vista liberal, pero estas noticias van entremezcladas con historias de bandoleros y de crímenes. Habría que investigar cuánta huella han dejado en el niño todas estas historias: las *Memorias de un hombre de acción* también entretejen folletín e historia, costumbrismo y cierto matiz romántico.

En casa de los Baroja siempre hay movimiento (ya se han comentado los frecuentes traslados y su posible influencia en la formación del carácter del niño); siempre hay personas extraordinarias que visitan al padre. El niño oye hablar de un anarquista un día, y otro de un folletinista. La variedad no falta nunca. Cuando sea escritor insistirá en ella como uno de los aspectos positivos de la novela.

Por el otro lado, la austeridad de la madre, su concepto de la vida como cumplimiento de un deber, pone freno a la fantasía. Los acontecimientos más ligeros, incluso folletinescos, adquieren fondo serio y enfoque ético. La atención a lo ético indudablemente tiene sus raíces en la presencia de su madre, presencia que le acompañó hasta una edad muy madura.

El ambiente en que vive los primeros años de su vida es auténticamente vasco. La canción vasca ocupa un lugar importante en la vida cotidiana de los Baroja. El padre recoge y compone canciones y poesía en vascuence. El amor por su tierra y por su lengua se inculca a todos los niños. No se cultiva, sin embargo, el espíritu separatista. Un cuaderno con apuntes de don Serafín demuestra muy claramente que no quiere horizontes limitados: contiene vocabulario y expresiones en cuatro lenguas, una al lado de la otra. Este pequeño detalle basta para indicar que también a los niños desde pequeños se les persuadiría de la utilidad de conocer otros idiomas, de estar en contacto con el resto del mundo: cualidad que Baroja nunca perderá. Cuando juzga al padre, señala sin embargo que era demasiado «vasquista» y localista (*OC* VII, p. 522).

El país vasco tiene un rico caudal de leyendas. Estas entran en la vida cotidiana con derecho igual a las discusiones políticas o históricas. Desde pequeño, Baroja oye hablar de las brujas y conoce un ambiente donde se cree en lo mágico y lo fantástico y en el que entra también el mundo de los sueños. Todo esto pasa luego a su obra. El mundo de la imaginación tiene en ella no menos importancia que el real. Una gran parte de sus protagonistas viven alimentándose de la fantasía.

En una entrevista con Anelies Guilmain, hecha en agosto de 1954 [2], se le pregunta a Baroja acerca de las influencias más destacadas en su vida y su actividad creadora. El contesta, mencionando las usuales: Dickens, Poe, Stendhal, Dostoyevski, pero añade que muy importante ha sido también la de su padre. Hasta ahora ésta ha sido menos tomada en cuenta por los críticos, y merece la pena verla más detenidamente.

Don Serafín Baroja y Zornoza no fue un ingeniero de minas corriente y moliente, limitado a una sola profesión. Los biógrafos de Baroja han hablado mucho de su carácter espontáneo, generoso, no siempre muy práctico; de la facilidad con que trababa amistades; de la variedad de ellas; de su espíritu filantrópico [3]. Para apreciar su influen-

---

[2] El recorte del periódico guardado en el archivo de Itzea no indica el nombre de éste.

[3] Para más detalles acerca de la personalidad de Serafín Baroja véase Julio Caro Baroja, «Dos testimonios históricos y familiares», *Boletín de la Real Academia de la Historia,* t. CLXII, cuad. I, pp. 25-49. También J. M. Salaverría destaca la probable influencia de don Serafín en su hijo: «Conocía multitud de anécdotas, cuentos y episodios de la vida política y literaria de su tiempo. ... Casi todos los tipos populares, ocu-

cia en el hijo, interesa conocer todas las facetas de su personalidad: social, política, y también artística. El talento de los dos hijos que sobreviven se encuentra ya en el padre: era buen dibujante y tenía un estilo no desprovisto de gracia y agudeza de observación cuando escribía.

El interés de Pío Baroja por las guerras carlistas y su enfoque desde el punto de vista liberal sigue la misma línea que el de su padre. Todos los que le conocieron o tuvieron ocasión de participar en sus tertulias en San Sebastián han sido testigos de su liberalismo inquebrantable. Conocía a personajes importantes del partido liberalista y tuvo relaciones con Aviraneta. Este era primo de la abuela de su novia. Le veían cuando venía a San Sebastián, y seguramente, incluso cuando estaba ausente, aparecía en las conversaciones. No sería sorprendente que ya desde entonces hubiera dejado algún eco en la imaginación del niño Pío.

En 1876 don Serafín Baroja tuvo el encargo de escribir crónicas de la guerra carlista en el Norte para *El Tiempo*. Es curioso observar que éstas muestran varios rasgos estilísticos que luego se encuentran en el hijo. Ya en ellas constan su interés y admiración por el paisaje: a veces se olvida de su deber de cronista de guerra y se expansiona en descripciones líricas de los montes y de la costa que tiene delante. Luego, la realidad de la guerra se percibe con una disonancia más estridente aún. Los mismos contrastes —técnica muy romántica—se pueden observar en algunas escenas de *El escuadrón del «Brigante»* o de *Los caudillos de 1830*. En ambos son seguidas de generalizaciones que subrayan la impresión global: la destrucción de la belleza y de la bondad naturales. En la manera de tratar las escenas de

---

rrencias y cantares vascos que Pío Baroja introduce en algunas de sus obras son probablemente el fruto de las narraciones paternas.» (*Retratos*, pp. 51-2). En su libro reciente, *Los Baroja* (Madrid, 1972), Julio Caro Baroja da más detalles sobre las actividades artísticas de su abuelo y también cree que en él están las raíces del talento de Pío y de Ricardo.

la guerra existe una semejanza más: el padre hizo varios dibujos de lo que observaba en estas expediciones, en los que entran detalles precisos, incluso costumbristas. Pío Baroja, cuando escribe sus *Memorias de un hombre de acción*, no se contenta con fuentes literarias, datos sacados de los archivos, o recuerdos personales, sino que adquiere una colección riquísima de grabados para estudiar todas las facetas de la guerra en ellos. La imaginación literaria va acompañada siempre del ojo de dibujante, así como la exaltación lírica del paisaje siempre encuentra en el padre al ingeniero profesional que examina científicamente el terreno.

En su vejez, Pío Baroja escribe una *Guía del País Vasco*, en la que incorpora fragmentos de sus obras anteriores. Incluso en esto sigue la estimulación de su padre: don Serafín redactaba memorias sobre el terreno y los ríos de Navarra. En los dos, el estilo es informativo, aunque menos técnico en el hijo.

Más interesantes aún, por lo que toca a este estudio, son las tentativas de don Serafín como autor de «noveluchas» y cuentos. Escribe con gracia y posee un don de hacer reír a borbotones que el hijo no hereda. Sólo en los artículos que escribe en colaboración con su hermano Darío se encuentra la misma chispa, la misma ironía burlona, ligerísima, que es tan característica del padre.

Los «apuntes» para la historia de *Perico Pello de Alabaindanere*, de don Serafín, merecen atención. Muestran un punto de contacto con la novela picaresca, lo cual probablemente no es pura coincidencia, puesto que el padre tradujo una parte de *Lazarillo* al vascuence. Perico Pello es, sin embargo, un joven moderno ávido de aventuras y de conocer el mundo, sin inclinaciones picarescas pronunciadas. Sus andanzas le llevan a la corte, y desde allí ofrece varios puntos de vista sobre la vida y la sociedad caóticas de su tiempo. La política y las figuras históricas reales se mezclan con la invención folletinesca; hay incluso algún episodio un tanto melodramático. Abundan tipos de los barrios bajos; se hacen bocetos llenos de color del ambiente en que viven; se transmite la jerga en que conversan [4].

En todas las «noveluchas» de don Serafín hay tipos que entran y desaparecen apenas entrevistos; escenas llenas de dinamismo; diálogo rapidísimo, escueto y esencial; observación perspicaz de detalles costumbristas; descripciones de viejas ciudades con puestas del sol. La estructura no es demasiado cuidada ni tiene unidad perfecta, pero el estilo es ameno: párrafos muy cortos, desarrollo veloz, humorismo frecuente. Alguna vez se permite cierto barroquismo combinado con ironía mordaz a lo Quevedo o Villarroel, pero en general rehuye toda retórica. En cuanto a tipos, desfilan por estas páginas compañías de cómicos, ventrílocuos, frenólogos, algún reumático; se pasa por posadas pobres; se da una vista a vuelo de pájaro del paisaje. En la obrita llamada «Del día de Santo Tomás al de Reyes», incluso intercala generalizaciones sobre la novela. En otras, dedica su atención a disquisiciones sobre sueños extraños.

Hay que tener en cuenta todas estas actividades de don Serafín Baroja, así como su estilo en expresarse, y recordar que constituían parte del ambiente en que vivía la familia. No han sido sólo las lecturas de autores conocidos las que han formado el gusto de su hijo Pío. El contacto diario, la convivencia con la personalidad polifacética y cautivadora del padre, junto con su propio temperamento, le predispusieron aun antes de que fuera expuesto a influencias más distantes.

---

[4] El interés por los bajos fondos era general en toda Europa a fines de siglo. En España lo atestiguan títulos como el de López Silva, *Los barrios bajos*, de 1894. En cuanto al valor literario de las obras de su padre, es curioso notar que el hijo haya expresado una opinión bastante crítica: «A mi padre le faltaba para ser escritor el tener una visión clara de lo que era.» *(Familia, infancia y juventud, OC* VII, p. 524).

Importantes en la determinación de la personalidad de un joven son también las otras relaciones en la familia; en el caso de Pío Baroja, sobre todo los dos hermanos. Parece haber sido muy íntimamente ligado con el mayor, Darío, cuya muerte y el dolor causado por ella influyeron en la elección del tema de la tesis doctoral e impusieron este tema a varios escritos de estos años. Teniendo en cuenta los dos artículos escritos en colaboración con Darío, tan llenos de chispa y de humorismo ligero, cabe preguntarse cómo se habría desarrollado el estilo de Pío si la asociación no hubiera sido bruscamente interrumpida. También su escepticismo habría tardado tal vez más en aflorar.

El otro hermano, Ricardo, con una personalidad casi opuesta a la de Pío y muy parecida a la del padre, fue una presencia duradera en la vida del autor. Espontáneo, de palabra fácil y desenvolviéndose con garbo, tenía conquistada la simpatía de todos, era la *persona grata* en todas las reuniones. Es probable que el hermano más joven, más huraño, ya de por sí tímido, se retrajera aun más y aceptara el segundo lugar en las relaciones sociales como consecuencia de esta brillantez de Ricardo. Por otra parte, a través de Ricardo le llegaban todas las nuevas corrientes artísticas europeas y su convivencia con pintores y otros artistas. Se interesaba profundamente en lo que hacía Ricardo, le observaba en la ejecución de sus aguafuertes. No en balde define su propia obra en el prologuillo a *El escuadrón del «Brigante»* en *Páginas escogidas* como «grabados hechos con paciencia y tosquedad». Su sobrino Julio le recuerda elaborando su obra con «una labor paciente, de pintor antiguo» [5]. Los críticos que la comparan con los aguafuertes de Ricardo no van lejos de la verdad: no son los colores lo que abunda en ella, sino las incisiones fuertes; líneas esenciales en vez de florilegios.

Se debe mencionar, por fin, una actividad más «litera-

---

[5] «Recuerdos», *Baroja y su mundo*, I, p. 43.

ria» de Ricardo: la fundación de su pequeño teatro de «El mirlo blanco». Precisamente en esta época—hacia 1926—escribe Pío sus farsas. El intercambio entre los dos hermanos es continuo, el interés del uno por la obra del otro, incesante.

El contacto cotidiano con los miembros de la familia se completa con otro, no menos frecuente o entrañable: el que le proporciona la lectura. A través de sus *Memorias* y de sus novelas ha ido indicando sus preferencias, sus gustos. Ha hablado menos de los periódicos, aunque ha colaborado en varios y se nutría también de ellos. Hojear los más conocidos del último decenio del siglo pasado instruye sobre los gustos y las preocupaciones que «están en el aire» en aquella época. Ya se ha comentado la alta calidad de muchos artículos y ensayos que se publican allí. Es curioso que precisamente cuando se le pide la colaboración para *El País Vasco,* Baroja deje transparecer su pesimismo más hondo, contestando al redactor que poco puede contribuir un hombre que ya no espera nada en la vida [6]. Pero escribe, y sigue leyendo. Varios periódicos parecen tener algo como una «columna de crimen». —¿Habrá contribuido a su interés por los criminales, adquirido desde niño, cuando veía desfilar delante de la casa el cortejo de las ejecuciones?—Abundan también cuentos, impresiones líricas en prosa, ensayos que revelan preocupación por España. La materia para las novelas de Baroja se encuentra en lo que le rodea. El mismo empieza sus actividades literarias por cuentos y artículos de índole ensayística.

Otro tipo de lectura no totalmente literaria son los pliegos de cordel, las aleluyas, los folletines por entregas, los cartelones de las barracas con figuras de cera. Desde muy

[6] Véase J. M. Salaverría, *Nuevos retratos,* Madrid, 1930, p. 57.

joven se siente atraído por este género. Cuenta que siempre le han fascinado las representaciones de «casos notables» en su manera primitiva: cambiando cartelones que los ilustraban y comentaban con un «arte» que no pasaría el examen para ser admitido al nivel literario [7]. En su biblioteca se encuentra una gran colección de pliegos de cordel, y también obras críticas sobre la literatura popular y la «littérature du colportage».

El folletín semanal (en *El Imparcial* de 1901 se encuentra, entre otros, uno de Conan Doyle; *El Globo* publica en 1898 uno de A. Dumas) modifica inconscientemente el concepto de la literatura en todos sus lectores. La técnica de sorpresas, de escenas melodramáticas, de interrupciones en el punto más alto de la tensión, o de saltos de una trama a otra, alternándolas con el mismo propósito, se encuentran en muchos autores de los años de transición entre los dos siglos. En el caso de Baroja, el interés se agudiza no sólo por las lecturas de Dumas, Sue o Montepin, sino por el hecho de que también su padre había asimilado la técnica y contaba entre sus amigos a Fernández y González. Baroja nunca renegará de este fondo, que se puede hallar fragmentariamente en muchos libros suyos. Su actitud no deja lugar a dudas cuando, en 1904, en un artículo sobre Fernández y González, declara un tanto irónicamente que no tendría inconveniente ninguno en que de veras se encontrasen—como se lo reprochan algunos críticos—episodios semejantes a los del famoso folletinista en su propia obra [8]. Lo que ocurre en su caso, sin embargo, es que no se con-

---

[7] Véanse los recuerdos de Baroja sobre este aspecto en «Carteles de feria y literatura de cordel», *Revista de Información Médico Terapéutica,* XXII, 1947, núms. 21-22, pp. 1.024-33. Su sobrino J. Caro Baroja ha estudiado este género muy detalladamente en su *Ensayo sobre la literatura de cordel,* Madrid, 1969.

[8] «Lo decía en son de censura, de amable censura, y a pesar de esto es una de las cosas que más me han halagado.» («Don Manuel Fernández y González», *Los lunes del Imparcial,* núm. 13.232, 1. II. 1904).

tenta con la tensión del misterio y añade un fondo mucho más hondo. Lo ha visto muy bien Guillermo de Torre, definiendo a Baroja como un «folletinista con ideas» que soslaya el sentimentalismo [9].

La presencia del folletín en la obra barojiana es constante no sólo por la técnica y la creencia en la necesidad del misterio [10]. Las alusiones al folletín a través de sus novelas son muy numerosas, con aire socarrón a veces, otras casi en defensa suya. Hace resaltar el carácter impresionante que deja la presentación de los ambientes folletinescos, y parece estar tan compenetrado con ellos que cuando ve algo parecido en la vida real, automáticamente piensa en lo leído: «Hay casas que por su aspecto dan una impresión siniestra e inclinan a pensar que son propicias para crímenes, intrigas y misterios. Son casas sombrías, oscuras, colocadas en callejones angostos, llenas de pasillos y de encrucijadas, de cuartos irregulares y de buhardillones abandonados. Son casas para servir de base a folletines, a melodramas y a comedias de capa y espada» [11]. Cree incluso que París se hizo universal gracias a la presentación detallada y novelesca de sus barrios más desconocidos que durante casi un siglo fueron revelando los folletines. Y parece sentir auténticamente que en el mundo moderno ya no haya lugar para este tipo

---

[9] «Los del 98 escriben sus Memorias. Pío Baroja», *La Nación,* octubre 1947, citado por Nallim, *op. cit.,* p. 139. Véase también E. González Más, «Pío Baroja y la novela de folletín», *Sin Nombre,* vol. II, número 4, abril-junio 1972, p. 58-67.

[10] En *Bagatelas de otoño* aclara lo que entiende por el buen uso del misterio: «Yo pienso que la novela necesita el misterio. Sin misterio no hay novela. Misterio en el ambiente y misterio en el personaje. Ese es el desideratum, el hombre lleno de complicaciones. ... La claridad en la ciencia es necesaria; pero en la literatura, no. Ver claro en el misterio es literatura.» *(OC* VII, p. 1.300).

[11] *El sabor de la venganza, OC* III, p. 1.164. Varias veces ha indicado que también Balzac y Dostoyevski se sirven de esta clase de misterio. Basta recordar la descripción de la entrada a la casa donde Raskolnikoff va a cometer su asesinato para darle razón.

de literatura: «El misterio ha huido y ya no hay folletinistas ni buenos ni malos»[12].

Una de las características del folletín es su uso particular de títulos, tanto del libro como de los capítulos. También Baroja puso títulos para encabezar cada capítulo en varios libros suyos, tal vez recordando lo leído. Pero incluso en este detalle se puede observar una diferencia: en los folletines, los títulos del capítulo frecuentemente inflaban un tanto el contenido que se prometía. Baroja, al revés, da sus resúmenes en un tono desinteresado y aun irónico. A veces señala él mismo que este procedimiento tiene parecido con el de los folletinistas. Las alusiones a la literatura de folletín pueden encontrarse casi en todas sus obras[13].

Así como el folletinismo, hay otros aspectos o temas en la obra barojiana que pueden explicarse por la «moda» vigente. El fue siempre individualista y buscó una expresión personal, pero puesto que también insistía en el contacto con el mundo contemporáneo, no podía ni quería soslayar ciertos fenómenos generales[14]. No aprueba las manifestaciones de la vida moderna, ve en ellas más causas de la injusticia social, y adscribe a ellas una parte de su anarquis-

---

[12] *Paseos de un solitario,* p. 66.

[13] He aquí un ejemplo: «Indudablemente hay ocasiones en que la vida se parece al folletín, y ese momento en que llevábamos a la vieja a esa clínica tan sombría era folletinesco. La naturaleza grande no recuerda nunca la literatura; pero el rincón ciudadano recuerda la literatura, no sólo la buena, sino hasta la mala. Estos sitios siniestros de París tienen aire para ser descritos por Montepin y Gaboriau.» *(Las veleidades de la fortuna, OC* I, p. 1.300-1).

[14] «Muchos hemos querido saltar por encima de nuestra sombra, y pretendemos ser individualistas; pero estamos empujados por la marea social, y aunque resistamos alguna vez, no hacemos más que responder con un pequeño movimiento de resaca a la marea que empuja.» *(La intuición y el estilo, OC* VII, p. 1.029). Esta declaración, un tanto modificada, podría aplicarse también al estilo y explicar cómo incluso Baroja acusa a veces una leve presencia del modernismo.

mo [15]. Reconoce que el ambiente siempre ejerce una influencia, sea de aceptación, sea de reacción, como en su caso. Hay que tener en cuenta, además, que el anarquismo está de moda por aquellos años, que se discute y propaga en todos los países europeos, y que una buena parte de sus prosélitos se adhieren a él puramente por idealismo, sin imaginarse consecuencias ulteriores. Con mostrar el fracaso de Juan en *Aurora roja,* Baroja sugiere la incompatibilidad de ideales puros, de hombre ingenuo y bueno, y la realidad hecha de hombres brutales [16]. Más aplicable a Baroja mismo,

[15] «La civilización está hecha para el que tiene dinero, y el que no lo tiene que se muera. Antes, el rico y el pobre se alumbraban con un candil parecido; hoy, el pobre sigue con el candil, y el rico alumbra su casa con luz eléctrica... antes, el rico tenía que vivir entre los pobres; hoy vive aparte, se ha hecho una muralla de algodón y no oye nada. Que los pobres chillan, él no oye; que se mueren de hambre, él no se entera...» *(Mala hierba, OC* I, p. 459).

[16] Vuelve a presentar un caso parecido en su novela inédita, *Madrid revolucionario.* También allí el idealista pierde todas sus ilusiones acerca de la humanidad. El juicio sobre el hombre moderno se va exacerbando aun más en su vejez: «Se va perdiendo la benevolencia. El hombre se ha mostrado más cruel, más bruto , más teatral y farsante que nunca.» *(Aquí París,* p. 80). Lo más extraordinario en este respecto no es, sin embargo, esta nota amarga, sino su don de prever el futuro. Las declaraciones siguientes, de épocas diferentes, asombran por su actualidad: «Llegará el día en que una especie de magos tendrán toda la ciencia en su cerebro. El resto de la Humanidad será la manada de gentes estúpidas y vulgares a quien se conducirá como un rebaño. ... Un ingeniero calculará una cosa; el otro, otra; un fundidor hará agujas; el otro, volantes. ... y así crearemos esos artefactos que están como por encima de nosotros, porque la mayoría no sabemos cómo funcionan.» *(Las veleidades de la fortuna, OC* I, p. 1.276); «En la calle todo el mundo viste ahora mal; muchos han debido de registrar el fondo de sus armarios, para ponerse lo que tenían desechado hace años; pantalones con rodilleras, chaquetas con los codos estallados, zapatos con los tacones torcidos, y se ha impuesto una tonalidad uniforme y deslustrada, con aire de prendería; el pobre, porque no tiene otra cosa; el rico, porque ha ingresado en órdenes mendicantes y siente vivos deseos de disfrazarse de proletario.» *(Paseos de un solitario,* pp. 145-6. Toma este párrafo de *Madrid revolucionario).*

más personal es la explicación del anarquismo que da Aviraneta: lo une con su deseo de acción y con su individualismo y hace ver que en realidad no es intencional, sino impuesto por la sociedad. «Hay personas que sólo en determinadas condiciones se pueden poner en acción. Yo no he pensado esto nunca. Todas las ocasiones y todos los momentos me han parecido buenos para defender mis ideas e intentar mis planes. ... A las gentes que se agitan como yo, las personas tranquilas les llaman perturbadoras, anarquistas» [17]. Ya se ha comentado en el capítulo precedente cómo aplica el anarquismo a la explicación de su estilo.

También están de moda a principios de este siglo y fines del pasado las novelas en serie. Es una tradición presente en más de un autor preferido de Baroja e incluso en los despreciados, como Zola o D'Annunzio. Balzac y Dickens repiten los personajes de una obra a otra; lo hace Galdós en España; ya antes Walter Scott concibe sus novelas en tres volúmenes. Esto puede haber influido en la disposición de las trilogías barojianas, algunas de las cuales no tienen unidad interior.

En cuanto a temas, las frecuentes referencias a frenología, antropología, psicopatología, seguramente fueron sugeridas por el interés general por estas ciencias en toda Europa. La biblioteca en Itzea contiene muchos volúmenes de obras de Wundt, de Haeckel, así como estudios específicos de antropología o de tipología, extendiéndose también a antropología criminal. La boga de estudios sobre la degeneración, trasladada a la literatura por Zola, encuentra en Baroja campo abierto por su preparación científica. En esto lleva una ventaja a todos los que la tratan sólo como tema: procede como médico y puede darle un enfoque más preciso y una dimensión justa.

---

[17] *El aprendiz de conspirador, OC* III, p. 79.

Las relaciones entre la obra barojiana y la novela de aventuras inglesa han sido estudiadas con conocimiento y juicio certero por Alberich. Preguntándose por la diferencia esencial, observa que en Baroja la vida de acción se presenta vista desde el intelecto [18]. Se podría añadir alguna consideración más. Aunque a Baroja le atrae el mundo de la aventura y se inspira en varios episodios leídos, en general no adopta la misma técnica. Comentando la estructura de los cuentos de Poe con enfoque aventurero, sugiere que se acerca mucho a la novela policial, que tiene un plan bien previsto desde el principio y procede punto por punto, aunque se base en efectos de sorpresa. Y Baroja se ha opuesto siempre a esto: no quiere desarrollar lo que escribe pensando en un desenlace impuesto. Uno de los encantos de sus libros estriba precisamente en no poder adivinar el fin. Está, además, más atento a la verosimilitud y busca menos el sensacionalismo tan frecuentemente presente en algunos de sus autores predilectos, como Rider Haggard. En vez de efectismos, introduce digresiones filosóficas, ausentes en la novela de aventuras. La semejanza con las novelas de aventuras existe, pues, así como con la picaresca, sólo cuando se consideran los elementos componentes, no el concepto del conjunto.

Los libros del Capitán Marryat, frecuentemente mencionado por Baroja, han servido de inspiración a casi todos los autores ingleses—y varios extranjeros—que se han ocupado del mar. Su estilo un tanto seco, conciso, con detalles de precisión (experimentados, no inventados) habrá llamado la atención de Baroja más que las aventuras que cuenta. Otra posible afinidad residiría en el gusto de Marryat por introducir historietas contadas por varios personajes, cada una con su propio estilo, intentando conservar

[18] J. A. Maravall ve un procedimiento semejante en el tratamiento de la historia: señala que Baroja lo intelectualiza todo («Historia y novela», *Baroja y su mundo*, I, p. 170).

la manera idiomática de cada «contador». En cuanto a las aventuras mismas, un libro que parece haber impresionado a Baroja mucho más es *Aventuras de Arthur Gordon Pym*, de Poe.

R. L. Stevenson ha dejado una presencia permanente entre todos los lectores jóvenes. Lo que interesa en él, tratando de descubrir afinidades con Baroja, son sus ideas sobre la novela, que sorprenden por su semejanza, aunque es difícil saber si Baroja las conocía. Hablando del estilo, señala cuatro «virtudes capitales» que coinciden completamente con las predicadas por Baroja: exactitud, claridad, fuerza, concisión. Indica, además, que la fantasía sola no basta, que se debe juntar con la observación precisa de la realidad. Demuestra interés no sólo por personajes novelescos, sino también por los habitantes de los bajos fondos; tiene dificultad en crear personajes femeninos, y es lector asiduo de Walter Scott y de libros de historia. Como para Baroja, el bien supremo para Stevenson es la bondad. Hay que volver a mencionar, por fin, el interés que muestra por los sueños. Todas estas coincidencias no quieren decir que se pueda hablar de una influencia: Baroja leyó ante todo sus novelas, no sus escritos explicativos. Pero un lector sensible y agudo capta siempre más de lo que se cuenta, y cuando percibe afinidades, declara sus preferencias basándose no sólo en lo contado o en detalles estilísticos, sino más bien en el estilo entendido más ampliamente, como la manera de ser de un hombre.

Entre los libros del siglo XVIII, uno sobre todo vuelve a ser mencionado en las páginas de Pío Baroja: *Robinson Crusoe*. También aquí hay que mirar no sólo la historia, por sus ideas y su simbolismo muy afín a Baroja, sino también su manera de escribir: maestría en escenas sueltas y en algunas descripciones, pero cierto fragmentarismo en la estructura. En su estudio sobre el desarrollo de la novela realista, Ian Watt hace notar que una lectura popular en tiempos de Defoe han sido biografías de pícaros, que tampoco tienen unidad de estructura, y que, además, insertan muchas anécdotas. Es curioso y significante este interés por la anécdota en varios autores admirados por Baroja, que luego continúa en él. Lo relaciona él mismo con el hecho de que la anécdota no tiene pretensiones de ser literatura, ni se preocupa del estilo: nace espontáneamente y es expresión veraz: «La realidad y la verdad del detalle la siente el novelista de raza, hasta el punto de que todo lo que es engarce, montura, puente, entre una cosa y otra, en el fondo, arte literario aprendido, técnico, le fastidia. De ahí que para muchos—entre los cuales yo me encuentro—sea más ameno y divertido leer las anécdotas de Chamfort que a Chateaubriand o a Flaubert» [19].

Un contacto más importante es la lectura de Dickens, repetida a través de los años. Admira en él el «humorismo sentimental», la compasión por los pobres [20], la perseverancia en denunciar los males de la sociedad en que vive. Uno de sus libros preferidos es *Pickwick Papers:* escrito por entregas, sin prever lo que sucederá en capítulos ulteriores, con trama tan permeable que podría extenderse *ad infinitum*. Es un libro que respira amor por el desplazamiento y que entreteje escenas de inspiración folletinesca con otras basadas en el costumbrismo, y con historietas interpoladas que no se incorporan verdaderamente en la trama. Ya en este libro se encuentran excelentes descripciones, sobre todo de personajes, con un humorismo difícil de repetir. Algunas

---

[19] *La intuición y el estilo, OC* VII, p. 1.047. Un ejemplar de la colección de anécdotas de Chamfort, bastante manoseado, en la biblioteca de Itzea atestigua esta afirmación.

[20] «A ella le parecía odioso y antipático que el gran novelista inglés pusiera todas sus simpatías en los cocheros, en los traperos, en las muchachas pobres, y no hablara de los poderosos más que para ponerlos en ridículo. Yo le decía que tenía razón, porque, en general, esa gente humilde es la única con gracia y con carácter, y más para un tipo como Dickens, que es, sobre todo, un cristiano.» *(El laberinto de las sirenas, OC* II, p. 1.291).

hacen pensar en la presentación de ciertos personajes en *Silvestre Paradox* o *La feria de los discretos*. Se nota en este libro—y será una de las razones por haber cautivado la atención de Baroja—que el autor cuenta por el placer de contar, por divertir. El moralizar y el tono sentimental son menos notables aquí que en sus novelas posteriores, aunque no falta cierto sabor melodramático. Tiene, además, este autor una cualidad importante, seguramente aprobada por Baroja: el no darse importancia: «Es el payaso místico y triste, San Vicente de Paúl de la cuerda floja, San Francisco de Asís de los rincones londinenses. En él todas son gesticulaciones, y gesticulaciones ambiguas. Cuando parece que va a llorar, ríe; cuando parece que va a reír, llora. Hombre admirable que quiere hacerse pequeño y que, sin embargo, es tan grande» [21]. Como se ve, elogia en él su manera un tanto equívoca, que intensifica el carácter de novela abierta y da una impresión más fuerte de libertad.

La afinidad entre estos dos autores abarca varios aspectos. Les preocupa a los dos lo espacial, la acción y el movimiento exteriores; ambos introducen multitud de personajes que entran y desaparecen sin motivación directamente dependiente de la trama; ambos conciben la novela un poco como un viaje en tren; a los dos se les ha reprochado que no hayan profundizado en la psicología de tantos «viajeros» que acogen a lo largo del camino. La justicia es un tema importante en ambos, así como lo son los bajos fondos. La diferencia estriba tal vez en el hecho de que Dickens se muestra «fascinated by crowds», en palabras de Cockshut [22], mientras que en Baroja es siempre el individuo, aunque sea sólo un personaje secundario, el que se lleva la atención. Es curiosa la coincidencia entre los dos en dedi-

---

[21] *Juventud, egolatría, OC* V, p. 183.

[22] A. O. J. Cockshut, *The Imaginatiom of Charles Dickens*, London, 1961, p. 66.

car poca atención a la vida íntima de la familia: la mayoría de los personajes principales barojianos son solteros, o sencillamente se sienten solos. Incluso si se casan, como Zalacaín, su vida y sus preocupaciones cambian poco.

En Dickens como en Baroja el diálogo es uno de los componentes más importantes de la novela, y ni uno ni otro cuidan demasiado la estructura hermética. Es precisamente lo contrario: la variedad, lo que admiran: «La influencia de la novela española realista llega hasta Dickens, que a mí me parece uno de los escritores más extraordinarios del mundo, autor que ríe y llora como un *clown* sublime. Creo que no se volverá a dar un caso como el suyo en la literatura, porque aunque pudiera aparecer un hombre de genio como él, el mundo que se presentaría ante sus ojos no podría ser tan variado como el del tiempo de Dickens» [23].

Hay, por fin, una técnica de fin de libro—y a veces de capítulo, y en este caso sus orígenes se verían en Cervantes—que los dos usan con frecuencia: en una especie de epílogo se pasa en revisión «la vida y los milagros» de varios personajes que han intervenido en la novela. Una vez más, Baroja es más moderno: constata, no moraliza, mientras que Dickens frecuentemente se deleita en escenas que Monod llama «distribution des prix et jugement dernier» [24].

Es imposible dejar de mencionar, como la última faceta, el fino humorismo de Dickens: el del hombre bueno, que no quiere divertirse a expensas de otros, sino divertir, señalando debilidades humanas generales e incluso suyas propias. A través del humorismo ofrece sus mejores enseñanzas; con la ayuda de él crea personajes cómicos de primer orden. Ya en *Pickwick Papers* explota todas las posibilidades del humor: de situación, de personaje, de lenguaje. En cierta ocasión, comentando su admiración por Dickens,

---

[23] *La intuición y el estilo, OC* VII, p. 1.077.

[24] Sylvère Monod, *Dickens romancier,* Paris, 1953, p. 72.

Baroja sugiere que ha sido esto: el tono, lo que habrá imitado de él, si algo imitó [25].

La diferencia esencial entre Dickens y Baroja consiste principalmente en el enfoque. Dickens, criado aún en la era en que reinaban los sentimientos, quiere hablar ante todo al corazón. Baroja, con su lección de escepticismo y de lecturas filosóficas sobre las espaldas, se dirige al entendimiento. Por eso no moraliza, sino expone; por eso corta a tiempo las escenas que corren el riesgo de volverse melodramáticas. Escribe para un público más adelantado en la crítica, y a este enfoque adapta el estilo.

Mirando hacia el lado opuesto, se yerguen en bloque las figuras gigantescas de los novelistas rusos del siglo XIX. Para Baroja, son sobre todo Dostoyevski y Tolstoi los que merecen más elogios. Antes se solía mencionar las posibles influencias y afinidades con Gorki, pero éstas fueron perspicazmente estudiadas por Hildegard Moral, llegando a la conclusión de que no cabe hablar de influencias.

En general, se han comentado poco las relaciones que pueda haber entre Baroja y Gogol, aunque este nombre aparece frecuentemente en la lista de sus autores predilectos. *Almas muertas* es un libro inmensamente popular en toda Europa a fines de siglo, y seguramente lo admiraba Baroja por su ironía, por su sátira, por la descripción inolvidable de los tipos y de los ambientes. Pero sería difícil hablar de influencias. El tratamiento del tema de la justicia, del costumbrismo, la crítica de los ricos son diferentes en los dos autores. Gogol es ante todo un satírico que formula claramente su mensaje. Baroja, aunque no menos preocupado

[25] «Yo creo que de un autor tan admirable para mí como Dickens no he imitado en algunas ocasiones más que el tono.» *(El escritor según él y según los críticos, OC* VII, p. 464).

por la misma falta de la justicia, sólo expone y deja las soluciones abiertas. Es de notar, sin embargo, que en la serie de artículos sobre autores rusos que escribe en 1890 para *La Unión Liberal* de San Sebastián, sólo al llegar a Gogol aparece con opinión decididamente suya y conocimiento directo. Lo que precede parecen más bien resúmenes de exposiciones leídas en algún libro de historia de literatura rusa. En el artículo sobre Gogol su admiración es auténtica, así como lo es en los que siguen sobre Dostoyevski. Seguramente percibe afinidades, aunque una vez más habrá que hablar de intuiciones más bien que de conocimiento directo.

En la biblioteca de Itzea existe un ejemplar de *Taras Bulba* que lleva varios subrayados, casi todos de descripciones de batalla que Gogol sabe crear con tanta fuerza y dinamismo. Es curioso que incluso en este libro tan dinámico, de una crueldad muy pronunciada, de repente haya interrupciones con descripciones del paisaje totalmente líricas, en un estilo romántico e incluso un tanto retórico si se le compara con la frase escueta y vigorosa de la narración o de la conversación que va al lado. Lo mismo se puede observar en varios cuentos, como «La noche de mayo» (que Baroja probablemente ni siquiera conocía), los cuales reúnen de la misma manera que los libros de Baroja la acción, el diálogo escueto, el movimiento rápido, aspectos costumbristas y luego las digresiones líricas de tal belleza que en las escuelas rusas los niños debían aprendérselas de memoria [26]. Como en Baroja, la ironía no impide un fondo sentimental ni la percepción de la belleza natural.

La admiración de Baroja por Dostoyevski ha sido comentada por varios críticos. La resume él mismo en *Memorias:*

---

[26] Hay que señalar, sin embargo, que en 1890 tales descripciones le molestan aún: le parecen intercaladas para poner a prueba la paciencia del lector (véase su artículo sobre Gogol en *La Unión Liberal).*

El valor de Dostoyevski... está en su mezcla de sensibilidad exquisita, de brutalidad y de sadismo, en su fantasía enferma, y al mismo tiempo poderosa, en que toda la vida que representa en sus novelas es íntegramente patológica por primera vez en la literatura, y que esta vida se halla alumbrada por una luz fuerte de alucinación, de epiléptico y de místico... Que hay en él una técnica de novelista adaptada a sus condiciones, es evidente; pero es una técnica que, si se pudiera separar del autor y ser empleada por otro, no valdría gran cosa. Dostoyevski, cuando deja su técnica novelesca y no hace más que narrar lo visto por él, como en los *Recuerdos de la casa de los muertos,* es tan intenso y tan fuerte, y coge al lector tanto como en sus demás libros [27].

La cita confirma que en todo escritor Baroja ve al hombre ante todo, y que juzga su estilo según éste deja transparecer la personalidad.

En Dostoyevski le atrae no sólo el mundo patológico, sino también el fondo moral, que está subyacente en todas las obras. Le interesan seguramente los análisis del hombre interior. Admira su don de crear personajes enigmáticos y presentar así más posibilidades de interpretación. Los protagonistas de Dostoyevski son ya hombres modernos, cada uno en busca de su propia alma, cada uno con conflictos causados no sólo por el ambiente y la sociedad, de época, sino también y ante todo conflictos dentro de ellos, que les hacen universales y de todos tiempos. Ya Dostoyevski confronta al lector con la responsabilidad de saber escoger bien, que incumbe a todo individuo con libre albedrío. En comparación con sus contemporáneos, es más alusivo y sugerente, no sólo expone detalladamente.

---

[27] *La intuición y el estilo, OC* VII, p. 1.046.

Hay que mencionar, por fin, que con la novela de Dostoyevski la digresión filosófica o ideológica que interrumpe el relato adquiere derecho de ciudadanía. La novela preferida de Baroja, *Los hermanos Karamazoff*, incluye un tratado casi independiente de exposiciones filosófico-teológicas junto al desarrollo de la trama. Se debe conceder, sin embargo, que incluso así la estructura queda muy trabada y se solidifica más con la superestructura simbólica.

También Tolstoi creía en las divagaciones, como lo demuestran las largas conversaciones entre Karataev y Pierre o entre Pierre y André. Pero no es seguramente la disquisición lo que más cautiva en sus libros, sino su poder genial de crear el ambiente total de una época, entretejiendo varios estratos sociales y varios niveles intelectuales. Los teóricos de la novela quedan perplejos ante su obra maestra sin saber cómo clasificarla. Es una novela abierta por excelencia, una novela que abarca tanto la historia de un país y de una sociedad con su cultura como la invención novelesca que urde la trama alrededor de las vidas de una familia, dejando libertad al desenvolvimiento individual de cada personaje. Está repleta, además, de las vivencias íntimas del autor, como lo ha demostrado la magistral biografía de Henri Troyat. Y a través de toda esta maraña se trasluce el fondo íntimamente humano, los valores de una vida sencilla e incluso aburguesada. Es, como en el caso de Baroja, la historia de las ilusiones fracasadas, que a pesar de ello encuentra mérito en la experiencia recibida y admite una existencia «desheroizada» (compárese a Natacha de las últimas páginas de *Guerra y paz* con María Aracil en el epílogo de *La ciudad de la niebla)*. La manera de Baroja de ver la sociedad española del siglo XIX puede haber sido influida hasta cierto punto por *La guerra y la paz*. Sólo que, mirando con ojos de un autor del siglo XX, que además es escéptico, presenta una visión más desilusionada. Tampoco logra crear los ambientes de familia tan típicos en Tolstoi.

Baroja mismo comenta poco la obra de Tolstoi. Se limita a mencionarle siempre entre los autores más admirados. Así como en el caso de Dostoyevski, habrá tomado de él—si algo tomó—el concepto general: la amplitud de visión, los horizontes abiertos. Como en tantos otros, se habrá identificado también con la humanidad latente en la obra de Tolstoi, humanidad que en él ha sabido apreciar Manuel Bueno: «Porque Baroja es, a mi juicio, el más humano de nuestros escritores, si por humanidad se entiende aquella identificación íntima de nuestro temperamento con la tragicomedia de la vida. Mal hará quien se deje engañar por el aire distraído con que el novelista vasco asiste al incoherente espectáculo social. Esa aparente indiferencia es el disfraz del recogimiento interior» [28].

La relación más sostenida con literaturas extranjeras se extiende a los autores franceses. Varias circunstancias lo explican: era la lengua que mejor conocía y no necesitaba buscar traducciones; era también la más traducida al español. Además, su primer viaje al extranjero le llevó a París, y en París pasó las temporadas más largas fuera de su casa. En París fue completando su biblioteca, espigando entre los cajones de baratillo en los muelles del Sena. Pero incluso este contacto proporcionado por el viaje y la estancia allí no le pareció una verdadera introducción: ya conocía París a través de las obras de Hugo, de Sue, y encontrarse allí significó buscar ambientes determinados, «volver a ver» lo nunca visto: «Con esta sugestión romántica viví yo una temporada dominado la primera vez que estuve aquí, en los últimos años del siglo XIX; buscaba el monstruo-ciudad, el diablo-ciudad, y me dejaba envolver en mis paseos por el ramalazo final del romanticismo y de la bohemia, a pesar

---

[28] Citado por Baroja en *El escritor según él y según los críticos*, *OC* VII, pp. 465-6.

de que no creía gran cosa en el uno ni en la otra. Fui como el aprensivo que quiere averiguar si tiene una enfermedad o si está libre de ella. Para creer en el romanticismo necesitaba comprobar por mí mismo la existencia del monstruociudad balzaciano» [29].

Entre los autores franceses más célebres del siglo XIX escoge a Balzac y a Stendhal, porque los dos simbolizan a su modo la libertad. Flaubert está aprisionado por su meticulosidad en la búsqueda del estilo perfecto, Zola por sus teorías. Aunque se ha hablado más de una vez de afinidades entre Baroja y el naturalismo, en realidad lo rechaza. Es significativo que critique a Zola no sólo por sus teorías y su «literatura falsa», sino por la ausencia en su obra de un aspecto que no entra directamente en consideraciones literarias: «No hay en él nunca una sonrisa, una amabilidad o un rasgo de humor» [30]. Como se ha visto tantas veces, en Baroja vence siempre el fondo humano.

La *Comedia humana* de Balzac seguramente le ha atraído por su carácter de obra épica en progresión, por su deseo de abarcar una gran variedad de personajes y tipos, por la presentación exacta de los ambientes. También Balzac generaliza sobre las experiencias humanas; como Baroja, tiene una honda compasión por «los caídos», sobre todo las prostitutas. En la novela, sigue el procedimiento de tantos coetáneos suyos, que empleará también Baroja: mezcla personalidades históricas con figuras de ficción, introduciendo con ello una nota más auténtica en los ambientes creados. Después de su estancia en París, Baroja se vuelve un tanto escéptico en cuanto a la veracidad total de estos ambien-

---

[29] *Paseos de un solitario*, p. 225.

[30] *Id.*, p. 147. Salvador Reyes hace notar exactamente lo contrario en Baroja: «Lo que más me cautivó en don Pío fue su sonrisa, dulce y burlona a un tiempo, una sonrisa que traducía un alma escéptica, sensible y generosa.» (*Rostros sin máscara*, Santiago de Chile, 1957, p. 29). También Torrente Ballester subraya la simpatía que emana de la obra barojiana (*Baroja y su mundo*, I, p. 126).

tes: «—Oiga usted... ¿Balzac no ha tomado datos en el *faubourg* para escribir sus novelas? —No. Aquí nadie le conoce. El, como todos los grandes escritores, inventa su mundo. ... Si quisiera escribir la realidad, no podría; haría una cosa vulgar, pedestre» [31].

Los críticos del tiempo de Balzac le han reprochado a veces el haber lanzado aquella «masa informe» al lector. Críticas semejantes ha recogido Baroja. Balzac es reconocido como maestro en las descripciones, en saber destacar algún pequeño detalle característico en la persona que simboliza su carácter interior. Lo que hace Baroja es «modernizar» el procedimiento: se contenta con menos detalles, no recarga la página con minucias interminables. Así, sus ambientes resultan más vivos, más flexibles. El ambiente de un libro de Balzac a veces tiene el olor de un cuarto encerrado; a través de las novelas de Baroja siempre corre un vientecillo fresco que trae olores nuevos y lleva los apenas percibidos a otra parte.

La más grande afinidad, por su manera de concebir la novela, por su temperamento, por algunos procedimientos estilísticos, existe probablemente entre Baroja y Stendhal. Las ideas que tienen en común son muchas. Para empezar, son los más empedernidos individualistas de su tiempo. Lo curioso es que los dos, guiados por ideales muy parecidos, producen una obra muy diferente. También en este caso se puede hablar, pues, sólo de afinidad, y menos de influencia directa.

Según Stendhal, la única belleza consiste en la verdad. Se puede llegar a ella espontáneamente, casi al azar, tropezando, cometiendo faltas. La primera y casi la única exigencia que pone al autor es la honestidad, la sinceridad total. No cree que ésta pueda lograrse sin lucidez; así, relega los sentimientos al fondo. Se destaca entre los autores del siglo XIX en Francia por saber usar la distancia irónica, a

[31] *El amor, el dandismo y la intriga, OC* IV, pp. 128-9.

tal punto que a veces parece divertirse a expensas de sus personajes, exponiéndoles a la impiedad del mundo impasible. Es uno de los pocos que sepa aplicar la ironía también contra sí mismo. Recomienda conocimiento directo, por experiencia, en vez de fuentes literarias. Rechaza el plan metódico y prefiere la improvisación: un episodio nace del otro. Insiste en la importancia del detalle y en la concisión de su presentación. G. Blin señala que, aunque se le haya reprochado su manera de escribir desaliñada, corrige su obra; pero las correcciones atañen siempre al sentido, nunca al sonido de la palabra [32]. Más adelante se verá que Baroja hace exactamente lo mismo. Incluso en la presentación del personaje se puede observar cierta semejanza: los dos emiten una opinión sobre ellos, casi predisponen al lector.

Jean Prévost, en su estudio de la obra stendhaliana, ha definido su manera de improvisar, y ya Alberich ha notado que esta definición es perfectamente aplicable a la manera de proceder de Baroja: nace de la experiencia y del ejercicio de observación constante. Prévost sugiere que en cuanto al estilo, Stendhal quizá aprendiese algo de las conversaciones con su abuelo [33]. Ya se ha visto que las conversaciones de Baroja con su padre también tuvieron influencia en su formación. Como Baroja, Stendhal era hombre tímido y se valió de la literatura para expresar sus sentimientos y sus ilusiones. Es curioso que así como Baroja, haya coleccionado anécdotas y haya preferido lecturas de autores ingleses. E igual que Baroja, afirmaba que escribía para generaciones por venir.

También Stendhal concebía la novela como un género híbrido entre una obra de ficción y una crónica, y afirmaba que una novela buena valía más que la historia. Muy conocida es su descripción de la batalla de Waterloo, que Tolstoi parece haber tenido presente al concebir la suya de

---

[32] Georges Blin, *Stendhal et les problèmes du roman,* París, 1953.
[33] Jean Prévost, *La création chez Stendhal,* Marseille, 1942.

Borodin. Como Baroja, Stendhal busca siempre la visión sintética, y probablemente a causa de esto—por obtener vista más amplia—se deleita en presentar paisajes vistos desde un punto alto. Incluso la distribución en párrafos tiene algún parecido: son cortos para la narración, más largos y menos dinámicos para las descripciones del paisaje.

No es necesario entrar en detalle, por tan conocida, sobre la definición de la novela como un espejo que se pasea por el camino, reflejándolo todo, que dice tomar de Saint Réal. La ha repetido más de una vez Baroja. Como Baroja, protesta contra lo pintoresco que se busca como ornamento, y aboga—extraordinariamente temprano para su siglo—por el relativismo ético.

Todas estas semejanzas son de afinidad, no de imitación. Muy raras son las veces en que el parecido es tan concreto que permite considerar la posibilidad de una influencia directa, probablemente desde la memoria más bien que mirando y transformando intencionalmente el texto. He aquí uno de estos ejemplos: «Comme madame de Rénal n'avait jamais lu de romans, toutes les nuances de son bonheur étaient neuves pour elle» [34]. La semejanza del párrafo barojiano es innegable: «De conocer Martín la *Odisea,* es posible que habría tenido la pretensión de comparar a Linda con la hechicera Circe, y a sí mismo con Ulises; pero como no había leído el poema de Homero, no se le ocurrió tal comparación» [35].

En su libro sobre la ironía en Stendhal, G. C. Jones estudia sus diferentes facetas [36]. En ella consiste probablemente la diferencia más notable entre éste y Baroja. La ironía de Stendhal es más fría, más impasible, más racional, mientras que Baroja opta por el humor que, según su propia de-

---

[34] *Le Rouge et le Noir, Oeuvres Complètes,* éd. de la Pléiade, I, página 292.

[35] *Zalacaín el aventurero, OC* I, p. 239.

[36] Grahame C. Jones, *L'ironie dans les romans de Stendhal,* Lausanne, 1966.

finición, admite el sentimiento, no proscribe la compasión. La crítica negativa no hace mucha distinción entre los matices: a distancia de más de medio siglo, usa casi las mismas palabras y las mismas razones para el ataque: «C'est un observateur à froid, un railleur cruel, un sceptique méchant, qui est heureux de ne croire à rien, parce qu'en ne croyant pas, il a le droit de ne rien respecter et de flétrir tout ce qu'il touche» [37]. Y es, sin embargo, precisamente este saber desasirse del mundo creado o en el proceso de creación y mirarlo fríamente antes de exponerlo al público, el no imponer una única solución, lo que les da a las obras de estos dos autores su sabor moderno. Fieles sólo a sí mismos, no a las exigencias del conformismo, tratan de sobrepasar los límites del tiempo y de la nacionalidad, y crean una obra que no envejece.

Entre las lecturas preferidas de Pío Baroja no se debe olvidar de mencionar a dos poetas, a los cuales vuelve siempre: Bécquer y Verlaine. Ya se ha comentado la necesidad de tener en cuenta esta faceta lírica, que revela no sólo un fondo íntimo y gran sensibilidad, sino que pone énfasis también en el odio de todo lo artificial, entre lo cual Baroja incluye la retórica [38]. Los dos son poetas de tono menor,

---

[37] Jules Janin en *Journal des débats,* 26 Décembre, 1830, citado por B. Weinberg, *op. cit.,* p. 11. Parece haber salido de este texto «el hombre malo de Itzea», así como la opinión siguiente, que no puede sostenerse en el siglo XX: «Creo que una estadística sobre la influencia de las obras de Baroja en los lectores nos demostraría que éste no ha sabido formar un solo hombre y sí muchos inútiles negadores y seres inadaptados. ... Por esto Baroja es especialmente nocivo para la juventud a quien inutiliza desde los primeros momentos.» (F. Mateu, *Baroja y Azorín,* Barcelona, 1945, pp. 41-2).

[38] Torrente Ballester define muy exactamente lo que Baroja entendía por retórica: «Tenía de lo *retórico* un concepto, no estético, sino psicológico.» *(Baroja y su mundo,* I, p. 126).

los dos para leídos a solas y en voz baja. Tal vez por estas mismas razones también Antonio Machado despierta simpatía en Baroja.

La visión del mundo real que se encuentra en la lírica de Bécquer no es halagadora. Sólo cuando se fija en pequeños detalles de la naturaleza se deja cautivar por su belleza. En general, se vale del mundo de los ensueños para evadirse de la realidad que le oprime. En Baroja también encontramos el ensueño, aunque no siempre contemplativo, como en Bécquer, sino un ensueño de la acción. Los dos subrayan la necesidad del misterio. Los dos buscan la palabra más breve y escueta posible. Y no son sólo las *Rimas* de Bécquer lo que deja un eco en la sensibilidad de Baroja. Sus leyendas, sus pequeños artículos también hacen mella, como lo demuestra claramente un artículo temprano de Baroja, «El poeta», publicado en *El Nervión* el 15 de abril de 1900, que tiene un parecido notable de tono y de fondo con «Tres fechas», de Bécquer. Las descripciones líricas del paisaje, la creación de los ambientes con ruinas en *Historia de los templos de España* pueden haber inspirado más de una página barojiana. El recogimiento ensoñador, apreciado en Bécquer, sirve como contrapeso a los libros que tratan de la acción. Confirma esta necesidad de equilibrio cuando habla de las lecturas de Zalacaín: «Muchas veces, para distraer al herido, Rosa le leyó novelas de Dumas y poesías de Bécquer» [39]. También la visión—o más bien el sueño— de la mujer es en Baroja muy parecida a la de Bécquer.

Una afición más fuerte y duradera aún le ha producido Verlaine. Es el primero entre sus poetas, seguramente no sólo por el interés general en Verlaine entre sus contemporáneos. Jeschke ha señalado su influencia en toda la generación de Baroja: su protesta contra la retórica, su lirismo decadente, su énfasis en la musicalidad (esta última cualidad es más dudosa en Baroja, aunque afirme que la admira).

---

[39] *Zalacaín el aventurero, OC* I, p. 210.

Confiesa en cierta ocasión que le gusta el decadentismo de fin de siglo, porque busca «formas llenas de gracia y de encanto» [40]. Prefiere a Verlaine si tiene que escoger entre él y Baudelaire, porque éste le parece más aparatoso, más artificial. Lo que le causa asombro particular es el hecho de que la poesía de Verlaine no sea un reflejo exacto de su personalidad: «¡Qué cosa más extraña! ¡Qué transformación rara, el que un hombre vicioso, corrompido, pudiera crear una poesía tan romántica y tan pura en medio de su putrefacción moral! Era como si enterraran en un basurero un cadáver corrompido, y, al cabo de poco, salieran de la tumba flores magníficas, de colores espléndidos» [41]. Le encantan el tono gris, lo opaco, los matices finos, la melancolía que invade todos los versos del «viejo sátiro». Parece inspirarse en «L'art poétique» cuando declara: «Para mí en la poesía lo que atrae es lo sentimental y lo musical. La evocación de los colores no me interesa nada» [42]. Es muy probable que un libro de Verlaine, *Poèmes Saturniens,* le haya impulsado a poner el título de *Los saturnianos* a su última trilogía (lo sugiere la explicación que da en la p. VIII, capítulo V, de *El cantor vagabundo),* y que incluso su autodefinición como «fauno reumático» derive del fauno verlainiano. Sin embargo, cuando se pone a escribir versos, no toma como modelo ni a Bécquer ni a Verlaine y emprende un rumbo totalmente diferente. En el caso de los poetas como en los otros, percibe las afinidades sin el deseo de imitar.

---

[40] *Aquí París,* p. 226.

[41] «Los amores de un médico de aldea», *Los contrabandistas vascos,* página 258.

[42] *Aquí París,* p. 58. Varios versos de «L'art poétique» parecen haber sido adoptados por Baroja en su ideal del estilo: «Rien de plus cher que la chanson grise / Où l'Indécis au Précis se joint» ... «Car nous voulons la Nuance encor / Pas la Couleur, rien que la nuance!» ... «Prends l'éloquence et tords-lui son cou». Y estos últimos, que en su espíritu están muy cerca de las líneas de Baroja citadas al comenzar este capítulo: «Que ton vers soit la bonne aventure / Eparse au vent crispé du matin.» (Paul Verlaine, *Oeuvres poétiques complètes,* Paris, 1957, pp. 206-7).

Las lecturas filosóficas de Baroja han sido estudiadas detenidamente por todos los autores que han escrito sobre su pensamiento. Parecería redundante volver a hablar de su ideología. Sólo se puede añadir alguna observación más directamente relacionada con problemas del estilo. Las dos influencias principales son Schopenhauer y Nietzsche, ya que aunque admiró a Kant, seguramente no aprendió nada de su manera de escribir. Además, conoció su filosofía a través de Schopenhauer. Resulta interesante observar cómo Nietzsche y Schopenhauer, aun con rumbo divergente en cuanto a su actitud frente al mundo, concuerdan en las ideas sobre el estilo. Los dos ponen énfasis en lo subjetivo y en valores individuales. Schopenhauer lleva el individualismo al punto de considerar el patriotismo como cierta degeneración de la personalidad. Las opiniones de Baroja sobre «la patriotería» son muy semejantes [43].

Los consejos que da Schopenhauer a los escritores tampoco tienen espíritu contrario a lo que afirma Baroja. Alberich señala un librito de Schopenhauer sobre el estilo en la biblioteca de Itzea, que tal vez pueda revelar más afinidades. Desgraciadamente, en el verano de 1971 no era posible encontrarlo, y habrá que contentarse con afirmaciones entresacadas directamente de su obra para probar semejanzas. También Schopenhauer recomienda la brevedad y la concisión, y hace suya la observación cuyos orígenes Baroja ha trazado hasta Séneca: «'El estilo es la cara del alma' parece que decía Séneca. ... En cierto modo, y desde un punto de vista psicológico, el estilo es una manifestación de la personalidad humana, como puede serlo el hablar, el

---

[43] «Dass für unser Glück und unsern Genuss das Subjektive ungleich wesentlicher als das Objektive sei, bestätigt sich in allem» (*Parerga und Paralipomena,* I, *Sämtliche Werke,* Frankfurt/Main, 1963, IV, p. 381); «Die wohffeilste Art des Stolzes hingegen ist der Nationalstolz. Denn er verrät in dem damit Behafteten den Mangel an *individuellen* Eigenschaften, auf die er stolz sein könnte.» (*Id.,* p. 429).

sonreír y el andar»[44]. La manera de elogiar la sencillez es muy curiosa; aun si Baroja no se inspira en lo que dice Schopenhauer, sus ideas son muy parecidas: «Der leitende Grundsatz der Stilistik sollte seyn, dass der Mensch nur einen Gedanken zur Zeit deutlich denken kann»[45]. A esta máxima corresponde la yustaposición asindética que Jeschke señala como una característica saliente del estilo barojiano, y la estructura lineal de sus novelas. También se parecen en su negación de lo extraordinario[46].

El parecido de tono y de estructura entre los escritos de Nietzsche y *Juventud, egolatría* ha sido señalado repetidamente. Baroja mismo afirma, sin embargo, que en aquella época no había leído directamente a Nietzsche aún, y que la semejanza es una coincidencia. Sea como fuere, tampoco Nietzsche creía en una estructura elaborada y daba precedencia al fondo. La preferencia de lo espontáneo sobre lo minuciosamente elaborado es muy clara en él: «Ich will keinen Autor mehr lesen, dem man anmerkt, er wollte ein Buch machen: sondern nur jene, deren Gedanken unversehens ein Buch wurden»[47]. Si habla concretamente del estilo, no piensa en la estética. Como filósofo que es, insiste en la claridad ante todo: «Den Stil verbessern — das heisst den Gedanken vebessern—, und gar Nichts weiter!»[48]. Y sus ideas sobre la sencillez son exactamente las mismas que las de Baroja. Es muy probable que Baroja las haya conocido. La definición del estilo como expresión de la personalidad es igual en los dos. Es imposible comparar las

---

[44] *La intuición y el estilo, OC* VII, p. 1.084. Compárese esta exposición con la cita de Schopenhauer que encabeza este capítulo.

[45] *Gedanken über Schriftstellerei*, p. 61.

[46] «Die Aufgabe des Romanenschreibers ist nicht, grosse Vorfälle zu erzählen, sondern kleine interessant zu machen.» *(Parerga und Paralipomena,* II *op. cit.*, p. 519.)

[47] *Menschliches, Allzumenschliches*, II, *Sämtliche Werke,* III, Stuttgart, 1964, p. 231.

[48] *Id.*, p. 237.

dos personalidades, pero su búsqueda de la sencillez es muy parecida: «Man lernt es schneller, grossartig zu schreiben, als leicht und schlicht schreiben. Die Gründe davon verlieren sich ins Moralische» [49]. Resulta curioso, pues, que en sus primeros artículos sobre Nietzsche Baroja haya criticado su estilo. Más tarde, cuando le conoce mejor y acepta su filosofía, ya no le molesta el modo de exponerla [50]. También su visión del mundo como caos tiene relación con la visión de Nietzsche. Este universo caótico, fragmentado, encuentra su expresión adecuada en la frase breve y en los párrafos sueltos, en la variación constante de tema e incluso de actitud.

Dwight L. Bolinger ha estudiado detenidamente la formación del pensamiento en Baroja y su relación con el estilo que se crea. Después de repasar las posibles influencias y la posición filosófica adaptada ante el mundo por Baroja, encuentra una relación estrecha entre su cosmovisión y su «arte poética»: «Baroja is definitely a pluralist in philosophy, and carries over into his technique enough of the quality to make it seem as if his novels pictured a pluralistic world» [51].

Aparte de las afinidades y aficiones indicadas con más frecuencia por Baroja mismo, resulta interesante pasar revista a los miles de volúmenes recogidos en su biblioteca de Itzea para confirmar la variedad de intereses que tenía. Y aún es incompleta, y lo que más echa de menos el espigador curioso son los primeros volúmenes que había leído y que tal vez tendrían subrayados o anotaciones. Pero és-

---

[49] *Id.*, p. 242.

[50] Un estudio detallado de estos artículos y del cambio en la actitud de Baroja se encuentra en G. Sobejano, *op. cit.*, pp. 62-4.

[51] *Op cit.*, p. 86.

tos se perdieron durante la guerra, y una gran parte de las obras de sus autores favoritos son ediciones posteriores, de los años veinte o treinta, y por consiguiente no llevan ninguna anotación. Por otra parte, tratándose de la biblioteca de Baroja, existe el peligro de considerar como suyos subrayados hechos por otro: es de recordar que una gran parte de los libros fueron adquiridos de segunda mano.

La colección más voluminosa y más manejada son quizá los volúmenes de varios autores sobre la historia del siglo XIX y sus múltiples manifestaciones: el carlismo, la masonería, las conspiraciones. Llevan muchos subrayados; algunos de ellos, como los de la historia de Pirala, son muy metódicos y han servido para la composición de *Memorias de un hombre de acción*. (Un estudio detallado sobre estas fuentes por el profesor Luis Urrutia Salaverri aparecerá próximamente). Para ilustrar el trabajo concienzudo baste indicar que para crear el pequeño episodio del encuentro de Aviraneta con Lord Byron en Grecia ha estudiado por lo menos tres libros diferentes sobre el asunto, y que para las escenas que sitúa en Méjico leyó, entre otras descripciones del país y de las guerras, un gran volumen sobre las costumbres mejicanas.

Abundan también libros de viajes, libros sobre el mar y los marinos, los corsarios, los piratas: fuentes que fueron aprovechadas directamente, aunque interviniendo la imaginación, ya que el autor nunca hizo experiencia propia de una travesía a América o estuvo en un barco que transportara esclavos negros o chinos, ni en uno que haya entrado en lid con piratas.

Son numerosos los tratados de criminología, memorias de jefes de policía, biografías de aventureros. Las biografías en general le interesaban mucho, como lo demuestran los volúmenes de *Biographia universalis*. Se puede suponer que las leía no sólo por los datos, sino también por el modo de contar: él mismo escribió biografías. Para este mismo fin le habrán servido las *Memorias* de varios autores, desde

Benvenuto Cellini (que encuentra artificioso) hasta Kropotkin. También en ellas, aun más que en las biografías, buscaría al hombre interior, se ejercitaría en el arte difícil de «descubrir el Yo».

Del mismo modo, los *Diarios* que abundan en la biblioteca le interesarían no tanto por lo apuntado en ellos como por el estilo que, se supone, transmite directamente las vivencias íntimas del que escribe. Uno entre todos, *Journal*, de Jules Renard, lleva muchos subrayados, y no es difícil ver lo que habrá llamado la atención de Baroja en este libro: las definiciones escuetas y expresivas, casi epigramáticas, algunas con mucha gracia, otras con ironía finísima. Subraya fuertemente una de sus máximas: «avoir peu de choses à dire et le dire en peu de mots». También en este caso sólo se puede hablar del descubrimiento de afinidades, ya que el *Journal* se publicó sólo en 1927 [52].

Ninguna lectura queda desaprovechada. Es muy probable que cuando coge un libro, lo haga por pura curiosidad, pero luego, leyendo, de repente encuentre afinidades o aspectos que le parecen demostrar maestría en el arte de escribir, y los traslade al gran depósito semi-consciente de la memoria. En libros como *Taras Bulba*, de Gogol, o *Con Dorregaray*, de Ciro Bayo, subraya descripciones de batallas; en *Lucien Leuwen*, de Stendhal, los subrayados más frecuentes son descripciones de personajes y de ciudades con su ambiente. Los *Contes Flamands*, de Lemonnier, llaman su atención sobre todo por las descripciones del paisaje; y la introducción a *Pages Choisies*, de Turgueneff, demuestra por la cantidad de subrayados que le interesó vivamente la exposición sobre las cuatro maneras de usar el paisaje que tiene este autor.

---

[52] Lo que dice Gustave Lanson de Renard podría muy bien aplicarse a Baroja: «Jules Renard, impitoyable pour lui-même, pensait sans doute avoir acquis par là le droit de l'être à l'égard des autres.» (*Histoire de la littérature française* remoniée et complétée pour la période 1850-1950 par Paul Tuffrau, Paris, 1957, p. 1.151).

Un caso curioso presenta *Rome*, de Zola. Está subdividido en partes y subpartes numeradas, con anotaciones al margen, con referencias al pie de la página e incluso algo como un «índice» al final del libro: método que usa con algunos libros históricos que luego aprovecha para *Memorias de un hombre de acción*. Sin embargo, cuando él mismo describe Roma en *César o nada*, sus impresiones y observaciones son diferentes, es imposible encontrar imitación directa. Hay que suponer, pues, que también en este libro habrá estudiado ante todo la técnica de acercarse a una ciudad y presentarla, no los detalles materiales.

La biblioteca contiene guías y libros sobre todas las ciudades descritas más detenidamente en las novelas de Baroja: Madrid, París, Londres, Bayonne. La colección de guías de varios países es muy completa. Es testimonio innegable de su preocupación por la exactitud y su deseo de no hablar de lo que no conoce, de no dar ni siquiera detalles que no sean veraces.

En *Contes Grotesques*, de Poe, subraya, en las páginas preliminares, algunas ideas del autor sobre la estructura. Una de ellas concuerda perfectamente con lo que ha recalcado él mismo más de una vez: que un plan exacto es más necesario para un cuento o una novelita corta que para una novela de cierta extensión. Otro de los subrayados muestra la fuente de una observación crítica, a la que ya se ha aludido antes: Poe afirma que para construir bien habría que inspirarse en los chinos y empezar por el tejado. Es la estructura que luego pasa a la novela policial típica, y que no es aceptable para Baroja: él quiere libertad de variación y fin abierto.

La curiosidad y la capacidad para la lectura en Pío Baroja son asombrosas. No menos impresionante es su deseo de ser siempre original, de no «recrear literatura», de buscar lo veraz. Incluso en los días de la vejez sigue firme en su propósito: en *El viaje a Italia* de Goethe, que posee en traducción italiana, subraya una frase que seguramente identifica con su propio sentir, aunque en general no muestre demasiado entusiasmo por este autor: «Anche qui ho sentito di nuovo che son per tutte le cose troppo vecchio, e non lo sono soltanto per il vero» (I, 153).

Para el que investiga las ideas de Baroja sobre la novela y el estilo, de sumo interés son sus lecturas en el campo de la estética y de la teoría literaria. Pero tales libros no son los más numerosos. Apenas uno o dos sobre la teoría, uno u otro de estética (y aun no entre los más modernos), y los demás, más bien manuales prácticos del arte de escribir, empezando por el *Arte de hablar en prosa y en verso,* de Hermosilla. Esto confirma el interés de Baroja no por la estética en sí, sino por el «método experimental», recalcado repetidamente: «La ciencia estética es una ciencia pedantesca, que no es ciencia. No divierte, no enseña nada útil, no sirve para discurrir mejor» [53].

Los libros de «práctica literaria» que parece haber manejado más son los de Antoine Albalat: *L'art d'écrire en vingt leçons* (París, 1903) y *Le travail du style* (París, 1903). En ellos se define lo que es el «buen estilo» y luego se comenta, a base de ejemplos tomados de varios autores, lo que se debe hacer y qué es de evitar. Albalat acumula muchos ejemplos, con comentarios, de correcciones hechas por autores conocidos entre la primera y la segunda edición de algunas obras. Los copiosos subrayados de Baroja indican su interés por estos datos. Lo atestigua, además, su repetida insistencia en los prologuillos a trozos selectos en *Páginas escogidas,* en que tiene el propósito de «corregir y arreglar» las novelas antes de preparar la edición de *Obras completas.* Se verá en el capítulo siguiente que trabajó varios textos suyos, transformando algunos considerablemen-

[53] *La intuición y el estilo, OC* VII, p. 1.023 Así la siguiente: «Yo no tengo una idea muy clara de la utilidad de la estética y de sus preceptos; me parecen semejantes a las fórmulas de los tratados de cocina para tiempos pobres.» *(Id.,* p. 1.029).

te. Los ejemplares de Albalat contienen no sólo subrayados, sino también anotaciones, donde, como siempre, Baroja muestra su individualismo. Así, p. e., cuando Albalat recomienda: «choisissons surtout des choses vraies», al margen surge la notita siguiente: «et les songes». De un modo semejante anota minuciosamente un estudio sobre las *Afinidades electivas,* de Goethe, subrayando lo que se dice sobre la presentación de personajes, la descripción y la conversación. Un ejemplar de *Adolphe,* de Benjamin Constant, ofrece subrayados más curiosos aún: usa lápiz rojo y azul para subrayar cada verbo y cada adjetivo, como si tuviera la intención de contarlos.

De todos estos libros consta que Baroja estaba preocupado por cómo escribía. Sólo que no aceptaba ningún consejo o regla tal como venían antes de transformarlos en su laboratorio individualista. Puesto que para él, el estilo era ante todo la personalidad, resultaba imperioso forjarse uno que pudiera ser exclusivamente suyo.

Se podría hablar aun de tantos otros fenómenos que han contribuido a la formación de Baroja y de su estilo: sus amistades, como la de Ortega; su vagabundeo por el Rastro; sus gustos y contactos con la pintura; su vinculación con la naturaleza. Todo ayuda a formar la obra voluminosa, pero de todo sólo se admite lo que está en concordancia con su propia visión del mundo. Su espíritu individualista es tan fuerte que no puede permitir imitación; su imaginación y su vida interior, su poder de transformación, suficientemente ricos para proporcionarle tanto la materia como la forma de sus libros. Los contactos con la gente y con la literatura ya existente le son necesarios, pero más aún aprecia la soledad creadora. Al retratar a Javier, en *El cura de Monleón,* no sólo muestra el peligro de dejar sugestionarse demasiado por las lecturas, sino que también resume su propio ideal de trabajo en un ambiente apacible:

> Javier no había pretendido jamás ser cura de ciudad, ni aun de pueblo grande, sino cura de aldea; su ideal era vivir en la casa campesina amplia, cómoda y limpia, con su huerta y su jardín; nada de ambiciones ni de querellas; no aspirar, conservar libertad de espíritu y ver cómo pasaban las horas, alegres o tristes, hasta el final [54].

---

[54] *OC* VI, p. 757.

CAPITULO IV

LA ELABORACION DE LA OBRA

Porque el desaliño de Baroja es un verdadero desaliño y un positivo defecto [1].

Lo usual es que sus libros le salgan «al correr de la pluma» [2].

Yo siempre tomo notas, aunque no en el mismo momento. Cuando me ha impresionado un lugar, un sitio o un pueblo, al cabo de algún tiempo escribo la impresión, y si ésta me deja el deseo de seguir, le voy añadiendo y quitando... [3]

La afirmación que Baroja no se preocupa por la estructura ni el estilo, que escribe «a lo que salga» ha sido repetida con tanta frecuencia que se ha convertido en un mito difícil de destruir. Este capítulo tiene el propósito de examinar la exactitud de tal reproche más de cerca, y de mos-

---

[1] J. M. Salaverría, *Retratos*, pp. 101-2. Unas páginas más adelante da una explicación que lo justifica: «Más bien nos inclinaríamos a suponer que el estilo de Baroja es una consecuencia de su propio modo de vivir. De la independencia con que el autor se ha situado desde el principio en la vida, reacio a dejarse encadenar por ninguna especie de disciplina» (p. 105).

[2] S. de Madariaga, *op cit.*, p. 160. No es invención suya esta acusación; la toma de Baroja mismo: «Cuando encuentro algo aproximado a un plan para escribir un libro, empiezo a la buena de Dios» *(Las horas solitarias, OC* V, p. 253).

[3] *Id.*, p. 252.

trar que Baroja no despreciaba de ninguna manera el trabajo. Los manuscritos existentes en Itzea dan prueba de que revisaba y a veces rehacía por completo lo que escribía antes de mandarlo a la imprenta. Si muchas veces ha declarado que no creía en la elaboración, tampoco faltan líneas suyas que revelan en él a un escritor consciente, preocupado por su obra: «En general, entre los escritores hay más hamletianos que quijotescos, aunque en España no he conocido muchos de esta clase. Yo supongo que he sido más hamletiano que quijotesco, porque me he pasado muchas horas perdiendo el tiempo en pensar qué es lo que está bien y qué es lo que está mal, qué es lo más señalado y lo más vulgar» [4]. Puesto que el vivir y el escribir van siempre juntos en él, esta preocupación por «lo que está bien» puede extenderse de lo ético a lo estético.

El equívoco de la actitud de Baroja estriba en el concepto muy personal de la «obra trabajada» que tiene: en vez de estilización o búsqueda de perfección de sonido y de forma exterior, el acercamiento a la autenticidad. Todas las demás ideas están ajustadas a su concepto de la novela y del estilo como una revelación del hombre: «El estilo, desde un punto de vista psicológico, puede ser de dos clases: interior, producto espontáneo de la imaginación, de la sensibilidad, del temperamento del escritor o del artista, que da a sus ideas una forma y reviste sus sensaciones de un matiz característico, y exterior, manierista, hecho con fórmulas artificiales y estudiadas» [5]. A Baroja, claro es, sólo le interesa el primero, mucho más difícil de encontrar.

La artificiosidad de que habla comprende, en su opinión, también la estructura: si es perfecta, con todo previsto y ejecutado al detalle, no es fiel a la vida ni tiene vida. Muchas veces ha hablado del azar que rige la existencia humana; a este mismo azar quiere someter la obra literaria. La

---

[4] «Frases y anécdotas», *Bagatelas de otoño, OC* VII, p. 1.235.

[5] *Vitrina pintoresca, OC* V, p. 834.

cita inicial de este capítulo muestra que en general su obra crece y se transforma a medida que va escribiéndose. Se verá este proceso muy claramente en cuanto se llegue al estudio más detenido de algunos manuscritos. A veces, el primer núcleo puede ser minúsculo y bastante vago: «Quiero hacer una novela de este ambiente estudiantil que ahora estoy conociendo. No sé lo que resultará. Voy a poner en movimiento cuatro parejas. Dos acabarán bien y dos mal» [6]. Tal esquema permite plena libertad en la ejecución del proyecto. Algunas alusiones, en sus años de vejez, indican el proceso de creación inmediata, sin premeditación: estando en París durante la guerra civil, se refiere al proyecto de dictar la próxima obra directamente a la mecanógrafa. Esto parecería confirmar las teorías de redacción espontánea y del desaliño. Allí mismo precisa, sin embargo, que va a dictar «capítulos y borradores». El procedimiento es, pues, el mismo que con las cuartillas manuscritas: las baraja, las corta, les añade y les quita lo que se le antoja. Nunca se da por satisfecho con una sola redacción.

Las cuartillas minúsculas sobre las que Pío Baroja escribía sus novelas son tan bien conocidas que sería superfluo volver a describirlas. Los juegos que hacía con ellas han sido tema de varios estudios biográficos y críticos. Van perfectamente de acuerdo con su concepto de la novela como una estructura abierta, a la que siempre se puede añadir algo, donde cambiando partes no se destruye el conjunto. Precisamente en esto consiste la «elaboración» de la obra de Baroja. Corta y subdivide las cuartillas; pega tiritas con una o dos oraciones, con un párrafo entero a veces, al margen, al pie de la página, al final del capítulo. Del mismo modo, dentro de los capítulos, intercambia cuartillas, antepone o pospone escenas, agrega personajes nuevos, completa su presentación, les bautiza de nuevo. El hecho mismo de que esto sea posible prueba que sus tramas son sobre-

[6] En M. Gómez Santos, *op. cit.*, p. 249.

manera flexibles, que el argumento principal nunca ocupa toda su atención. Desde el principio ha afirmado que para escribir bien no basta tener un esquema preciso del asunto, que lo importante son los detalles: en su opinión, sólo en los detalles se revela la originalidad de un escritor. En esto concuerda con Stendhal. Y puesto que la selección del detalle siempre implica variedad, no admite una sola forma ideal, ni concibe cómo pueda existir una estructura «perfecta», una estructura modelo aplicable a cualquier asunto. Cree más bien que la forma de la novela es como la piel de un animal: se ajusta al esqueleto que debe cubrir.

Para Baroja, dedicar demasiada atención a la composición, lo cual equivaldría a establecer esquemas, significa representar algo muerto, algo que no permite desarrollo libre. Se da cuenta de que un escritor siempre debe escoger entre dos posibilidades básicas: «A mi modo de ver, se puede llegar a concluir bien una novela o un drama estudiándolos con paciencia y atención. Hecho el esquema de la obra, lo difícil o lo casi imposible es el meter tipos vistos o entrevistos de la vida real en la armazón de ese esquema. En seguida viene la alternativa de respetar los tipos o respetar el esquema, y en general, no hay modo de resolverlo»[7]. Repite incansablemente que *Pickwick Papers*, de Dickens, las novelas de Stendhal o *La guerra y la paz*, de Tolstoi, tampoco tienen estructura hermética, pero no por eso pierden en interés. En este respecto relaciona toda grande novela con la creación épica: «La novela desorganizada es como la corriente de la Historia; no tiene ni principio ni fin; empieza y acaba donde se quiera. Algo parecido le pasa al poema épico. *A Don Quijote,* y a la *Odisea,* al *Romancero* o a *Picwick*. Sus respectivos autores podían lo mismo añadir que quitarles capítulos»[8]. Es el procedimiento que usa fre-

[7] *El escritor según él y según los críticos, OC* VII, p. 436. Jean Pouillon comparte esta opinión: «Or le mauvais romancier a absolument besoin de prévoir» *(op. cit.,* p. 192).

[8] *La intuición y el estilo, OC* VII, p. 1.058.

cuentemente él mismo. El carácter de la narración oral, que está expuesta a cambios según varía el juglar, es muy aceptable para Baroja: también él cambia los textos cuando vuelve a ellos.

Conviene hacer constar, por fin, otro factor que influye en la manera de componer una obra en Baroja, y que es todo menos estético. En cierta ocasión recuerda que él mismo ha sido—y es—lector incansable, y que cree conocer las exigencias de un lector. Por esto, dice, una de sus preocupaciones es «hacer la novela poco aburrida, para lo cual dejo los capítulos breves y los párrafos cortos», y «poner muchas ventanas abiertas al campo» [9]. Estas ventanas dejan lugar a lo imprevisto, permiten la improvisación o una distracción instantánea.

El deseo de libertad y de horizontes abiertos puede haber influido incluso en la preferencia por la novela como el modo más adecuado de expresión. Empezó por escribir novelas dialogadas; concibió *El mayorazgo de Labraz* primero como drama. Reflexionando sobre las razones que le hicieron abandonar esta forma, se pregunta si no habrá sido la rigidez, la exigencia de someterse a reglas fijas y de renunciar al detalle lo que le habrá hecho desistir del proyecto. Una novela, cree, permite una visión más amplia y un acercamiento más natural a cualquier problema.

Se ha aludido ya a las ideas de Baroja sobre la unidad mientras se comentaba su afinidad con Poe. Vuelve repetidamente a considerar esta exigencia: con esto demuestra que le preocupa. Ve su necesidad, pero no quiere construir «teóricamente». Las líneas claras y la subordinación total a un plan minuciosamente trazado son aceptables para temperamentos apolíneos; él se ha declarado siempre dionisíaco. La posibilidad de la invención instantánea, del crear espontáneo le dan la sensación de poseer enormes riquezas,

---

[9] *Las horas solitarias, OC* V, p. 253; *La intuición y el estilo, OC* VII, página 1.078.

de no truncar ninguna posibilidad [10]. No quiere pronunciarse completamente en contra de la unidad, sin embargo. Por consiguiente, busca una explicación a su procedimiento, y da una definición original de lo que él entiende por unidad. En ésta se trasluce el fondo emocional, tan importante para Baroja. Cuando afirma que sólo concibe la posibilidad de producir el efecto de unidad en una obra corta, lo aclara como sigue: «Me refiero a la unidad natural, a la unidad de impresión y de efecto. Podrá haber unidad de preceptista; pero no es ésa la que a mí me preocupa. Una novela larga siempre será una sucesión de pequeñas novelas cortas. ... La unidad de sensación o unidad de efecto no se puede conseguir más que en narraciones cortas. ... Siguiendo esta tendencia, los libros que he escrito los he pensado, o para leerlos de un golpe, buscando la unidad del efecto, o para leerlos a ratos, haciendo los capítulos cortos y concentrando toda la atención en los detalles» [11].

Hay libros de Baroja en los que trata de «superponer» un efecto de unidad, como se verá en la elaboración de algunos manuscritos. Tal unidad es, sin embargo, puramente exterior, y persuade sobre todo el ojo. Más auténticamente barojiano parece el concepto de la unidad de la obra relacionado con su propio modo de ser. En este caso reconoce que se puede hablar de la unidad de tono, o de la visión del mundo. Claro, se extiende entonces ya no a una sola novela, sino a la obra entera del autor; es una unidad personal, vital más bien que estructural: «Supongo que mi vida debe tener su unidad, y la unidad de mi vida hará la unidad de esta historia» [12]. Es innegable, sin embargo, que durante ciertos años parece interesarse más por la estructura y sabe conferir unidad a sus obras. Lo atestiguan *El ár-*

[10] «Yo soy un paseante en corte. Salgo de casa con doce o catorce horas a mi disposición, sin plan alguno, rico, millonario de tiempo» (*Vitrina pintoresca, OC* V, pp. 719-720).

[11] *La intuición y el estilo, OC* VII, p. 1.032.

[12] *La sensualidad pervertida, OC* II, p. 848.

bol de la ciencia, El mundo es ansí, El escuadrón del «Brigante», Los pilotos de altura. La sabiduría en construir crece con los años, hasta que empieza a decaer en los años en los cuales todo el interés es acaparado por problemas personales. El período más propicio para la estructura se debe situar entre 1910 y 1930. Es evidente en los prologuillos que escribe en 1918 presentando las selecciones en *Páginas escogidas:* parece buscar justificaciones para el fragmentarismo de algunas obras, como se puede ver en el caso de *Silvestre Paradox:* «Este libro lo escribí yo de mala manera: unos trozos los hice en el despacho interior de una tahona, entre cuenta y cuenta de repartidores, después de extender una factura o de pagar una letra; otros capítulos los escribí ya un poco emancipado de las cuentas, en una época en que me acostaba tarde y me levantaba tarde para no hacer nada. Algunos capítulos los escribí en el café, entre la baraúnda de gritos y discusiones» [13]. La pregunta que surge al leer esta explicación es si ya entonces, mientras escribía, se daba cuenta de la fragmentación y esto le parecía mal.

La manera de componer «con ventanas» y sin dibujo fijo, basándose en la unidad de efecto que se dirige a la sensibilidad ante todo hace pensar en un estilo que frecuentemente ha sido indicado como el más afín a Baroja: el impresionismo. Ortega incluso le reprocha su exceso. Baroja mismo se reconoce impresionista de buena gana y no les escatima elogios. Como siempre, da su propia definición del término, poniendo ciertos límites: «Parece que el impresionista es el que busca dar la sensación pura de la realidad, sin corregirla por una reflexión posterior artística, intelectual o moral. Así, el autor que encuentra una nota brusca y dura, y aun desagradable, en la vida de un hombre o en un paisaje, la deja, la acusa en el papel o en el lienzo. Está

[13] *Páginas escogidas* (Casa editorial Calleja, Madrid, 1918), p. 54.

bien si no es repulsiva; si lo es no tiene defensa» [14]. Aquí se reconoce al soñador definido por Dromard, que se crispa ante lo feo.

El impresionismo está ligado en Baroja con el énfasis en lo que no es puramente racional ni estructurado. Frecuentemente ha repetido que su obra se basa en la intuición. Intuición que aplica sobre todo a la creación de los personajes: no les crea, les «conoce intuitivamente» al encontrarles en la vida, y vuelve a darles vida en sus novelas. No sabe cómo explicar este don: es un talento con el que se nace, natural, imposible de adquirir por el trabajo. Como tantas otras cualidades suyas, es espontáneo. Dedica varias páginas a la investigación de las relaciones que pueda haber entre lo intuitivo y la deducción, la razón y la adivinación. No quiere renunciar totalmente a lo intelectual —esto no sorprende en un hombre como Baroja— y llega al compromiso siguiente: «La intuición es un conocimiento inconsciente, si se pueden unir estas palabras; un juicio simple y rápido. ... Yo creo que la intuición no debe ser más que un razonamiento rápido y semiconsciente, a base de una sensación antigua y medio apagada. Este razonamiento rápido lleva a una consecuencia calificadora que sorprende a veces porque no se nota su génesis, ni la filiación con ideas anteriores y recuerdos» [15].

De gran interés es lo que dice acerca del «proceso» de la intuición: preguntándose en qué se distingue de la percepción y de la comprensión, que también llevan a un conocimiento no totalmente intelectual, nota una diferencia en el ritmo: éstas van despacio y más ordenadamente, mientras que la intuición procede «a brincos». He aquí una explicación de su propio estilo: también en sus novelas hay saltos, no abundan transiciones lógicas. Trabaja más bien

---

[14] *La intuición y el estilo, OC* VII, p. 1.022.
[15] *Id.*, pp. 978 y 991.

por asociación instantánea, y por eso mismo el desarrollo de sus tramas es imprevisible.

Casi sorprende ver que a veces Baroja intercambia los términos «intuición» e «imaginación». También la imaginación representa para él una «facultad adivinatoria». Sostiene—y en esto va de acuerdo con Unamuno—que los autores españoles, y en general los mediterráneos, son muy pobres de imaginación. Esta le parece la causa principal de la ausencia en España de un género que tanto le interesó en su juventud: el folletín. Se considera a sí mismo una excepción, pero se queja de que esta cualidad suya no haya sido reconocida por la crítica. Y es ella ante todo la que contribuye a divertir al lector. Como la intuición, es libre, no se somete a esquemas, y no se aprende.

La imaginación no quiere decir nunca fantasía pura para Baroja: sólo basándose en la realidad puede inventar bien. No concibe un producto de la imaginación que no respete la verosimilitud. En esto reúne los dos polos constantes en todo quehacer que emprende: observación exacta e imaginación creadora. Es muy conocido, por muy citado, el párrafo siguiente, pero puesto que resume maravillosamente bien la actitud de Baroja frente a la invención novelesca, tal vez sea perdonado volver a repetirlo: «El escritor puede imaginar, naturalmente, tipos e intrigas que no ha visto; pero necesita siempre el trampolín de la realidad para dar saltos maravillosos en el aire. Sin ese trampolín, aun teniendo imaginación, son imposibles los saltos mortales. Sin base de la realidad se va al cuento fantástico de *Las mil y una noches,* bueno para los chicos, pero que aburre a los mayores» [16].

La intuición, la imaginación, la génesis casi espontánea, el desdén hacia la estructuración minuciosa podrían llevar a creer que Baroja rechaza totalmente el trabajo disciplinado. El mismo ha repetido con frecuencia que no cree en

[16] *Id.,* p. 1.047.

la posibilidad de llegar a ser un gran escritor a fuerza de trabajo y de aprendizaje: «En la mayoría de los escritores, pintores, etc., yo no he conocido a nadie que haya acertado por la insistencia en el trabajo. Cuando alguno llega al acierto, ha sido por tener un momento feliz, que el autor no ha podido explicar satisfactoriamente de qué procedía» [17]. Este tipo de trabajo va asociado con su idea, también despectiva, de lo «artístico»: de lo que se produce artificialmente, desligándose de la realidad. Es curioso que un hombre como Baroja, en relación constante con artistas y con el arte, no haya hecho distinción más precisa entre el arte verdadero y la acumulación de valores falsos. Entre la profusión de negaciones y críticas fuertes que dirige a los «artistas» no es frecuente encontrar una delimitación como la siguiente: «El arte sobre el arte nunca ha sido gran cosa. El arte grande siempre ha estado basado en el fondo humano, y no sobre entelequias artísticas» [18].

La visión despectiva del «arte» se extiende incluso al trabajo cuando éste se aplica a la producción de objetos que Baroja considera falsos o innecesarios. Todo lo que lleva a la estilización, a la fijación, en vez de añadir, quita valor. Al contrario, el trabajo resalta como uno de los valores básicos de la vida si se relaciona directamente con el hombre, no como fantasía de un ser ocioso. Entonces ad-

---

[17] *Id.*, p. 971. Muy categórica es la declaración siguiente: «¿Se puede llegar a tener estilo por el trabajo? Yo no lo creo» *(Id.*, p. 1.093).

[18] *Id.*, p. 1.086. Las alusiones denigrantes a los artistas son abundantes en su obra: «Artista no nos parece hoy la cumbre de la inteligencia y de la comprensión, sino más bien un hombre de amaneramiento y de ruina» *(El laberinto de las sirenas, OC* II, p. 1.180); «¡Los artistas! Están haciendo un daño grande a la humanidad entera. Han inventado una estética para el uso de las gentes ricas y han matado la Revolución» *(César o nada, OC* II, p. 636); «El arte es una cosa buena para los que no tienen fuerza para vivir en la realidad. Es un buen *sport* para solteronas, para maridos engañados que necesitan un consuelo...» *(Id.*, p. 596).

quiere cualidad ética, que no reconoce en perfeccionistas como D'Annunzio o Flaubert [19].

Sus consideraciones sobre la técnica literaria—expresión que no le resulta simpática—son parecidas: es algo fijo, algo que impide la vitalidad, algo «aprendido» más que intuido. Más de una vez ha hecho la distinción entre escribir inspirándose en libros, o trasladar a su obra la realidad directamente observada. Para lo primero ve la posible utilidad de una técnica: poseyéndola se aprovecha más la obra que se va a imitar. Este procedimiento no le interesa, sin embargo. Para la transformación directa de la vida, al contrario, no ve una sola técnica posible: varían como la vida y los enfoques que se adoptan para estudiarla. Puesto que uno de los fines de la novela, según Baroja, es llevar a mejor conocimiento de sí mismo, al enriquecimiento a través de la experiencia, la técnica que usa para transmitir ésta crece y cambia con ella. Se queda con el modo impresionista, pues: «dejarse impresionar por el medio y buscar lo característico entre el conjunto de las impresiones» [20]. En él siempre se trata de una selección espontánea; nunca rechaza la ayuda del azar. Por consiguiente, admite sólo lo que se podría llamar una técnica inconsciente: la que le viene naturalmente y es difícil de analizar o de definir, porque consiste en variación libre. Los autores «artísticos» hablan de la técnica—para Baroja esto es amaneramiento—, la aprenden y la ostentan en sus escritos. En los autores menos preocupados por problemas estilísticos, que él prefiere, la técnica también existe, puesto que es una parte integrante de su ser, pero es menos visible: «He visto que, en gran parte, Galdós tenía razón, y que en los mejores escritores modernos, como en Tolstoi y Dostoyevski, hay, a

---

[19] «Si hubiese tenido que trabajar para vivir, habría vivido mejor. Creo que el trabajo es lo único decente de la vida. Lo demás, no vale nada» (*Las noches del Buen Retiro, OC* VI, p. 699).

[20] *La intuición y el estilo, OC* VII, p. 1.026.

pesar del aspecto un poco descosido de la acción, una ciencia de novelista quizá intuitiva, muy perfecta y muy sabia» [21]. Como en éstos, en Baroja la técnica sirve sólo como vehículo. Por esto niega su importancia. Lo ha visto muy bien Matus cuando se propuso estudiar la técnica novelesca de Baroja «en función del autor mismo», llegando a la conclusión siguiente: «En Baroja la técnica pasa casi inadvertida. Se van viendo sus efectos sin que nos demos cuenta del porqué de ellos. Hay un procedimiento de disimulación de la técnica, para evitar que sea un estorbo en el tranquilo fluir de los hechos de la vida» [22].

El énfasis en la intuición y la espontaneidad no impide que en la creación de una obra barojiana entre por parte igual un procedimiento más tangible que éstas: la documentación. Su novela quiere ser un reflejo de la vida; para esto necesita el «trampolín de la realidad». Recordemos también su inclinación al reporterismo y el hecho de que titula *Reportajes* un volumen de sus *Memorias*. Las novelas que quedan inéditas también acusan este carácter. En la introducción de *Reportajes* indica muy claramente con qué fin ha cultivado este «contra-arte»: «He escrito bastantes reportajes, la mayoría con la idea de que me sirvieran de fondo de un libro novelesco. Algunos pocos los escribí sin ese objeto» [23]. En varias ocasiones se explaya más sobre el reportaje, que nunca considera componente indigno de una novela. Ve en él no sólo la cualidad de la inmediatez

---

[21] *Id.*, p. 1.080.

[22] *Op. cit.*, pp. 5 y 55. Muy parecida es la opinión de Max Aub: «Pero ninguno de los de su generación se ha preocupado tanto del problema del estilo como él. Odia la retórica sin darse cuenta de que se fabrica una muy personal y particular» *(Op. cit.*, p. 64). También Francisco Pina advierte que la ausencia de la técnica es sólo aparente: «Pero esto no quiere decir, ni mucho menos, que su técnica sea balbuciente o nula. ... Puede afirmarse que en ellas hay desplegada una técnica bastante más difícil y complicada de lo que a simple vista parece» *(Pío Baroja,* Valencia, 1928, pp. 31 y 34).

[23] *Reportajes, OC* VII, p. 1.103.

y de la percepción viva, sino también el camino hacia la originalidad. El que escribe reportajes no copia, dice, porque un reportaje supone la actualidad más reciente e implica noticia nueva [24]. Esto mismo—y lo han reconocido casi todos los críticos—es lo que da a la obra barojiana la sensación de frescura y de vida.

La documentación en Baroja abarca todas las facetas posibles de la creación novelesca: observa directamente paisajes, tipos, ambientes urbanos. Escucha conversaciones y trata de determinar lo que cada diálogo tiene de característico (no de pintoresco). Estudia grabados que representan ambientes y personalidades de tiempos pasados, inaccesibles a la observación directa. Lee periódicos actuales para estar al día, pero también busca los de la época en que quiere situar su obra. En éstos recoge no sólo las noticias, sino que también observa el estilo cambiante de los reportajes [25]. Apunta todo lo que le parece útil para ser incorporado a una obra, y se queja de que este procedimiento le haya sido impuesto por falta de memoria: «A mí me han faltado, para tener condiciones completas de escritor, bastantes cosas. Una de ellas, muy importante, la memoria. He tenido poca memoria, sobre todo de lo leído. ... Los que no tenemos memoria tenemos que tomar notas y poner los datos en el papel» [26].

Ya se ha comentado que para la «invención» de algunos libros hace uso de la literatura: novelas de aventura, libros de viaje y de geografía; estudios tocantes a la navegación. Cuando se propone escribir una obra histórica,

---

[24] «¿Cómo se va a copiar el reportaje? Se podría copiar de otro reportaje, pero yo he tenido la afición de hacerlos sobre asuntos poco conocidos» (*Pasada la tormenta,* p. 40).

[25] *Azorín* observa que estilísticamente el periódico cumple para Baroja un papel igual que el *Código Civil* para Stendhal: le protege de la literatura.

[26] *El escritor según él y según los críticos, OC* VII, p. 430. En realidad, con esto se contradice en la afirmación de espontaneidad total.

va a los archivos y busca libros de la época. En un breve párrafo resume una faceta del trabajo invertido en las *Memorias de un hombre de acción:* «Recorría con mucha frecuencia los puestos del Sena para buscar folletos, documentación y alguno que otro periódico español de la guerra civil para las *Memorias de un hombre de acción,* que escribí. Me traje entonces, como cosechas de revolver infinitas carpetas sobre la guerra de la Independencia y las civiles españolas, bastantes libros, grabados y litografías» [27].

El trabajo de elaboración se ve mucho más concretamente cuando de la teoría se pasa a la práctica. Aunque los manuscritos de Baroja no son muy numerosos, un cotejo de los existentes con los textos publicados permite establecer ciertas prácticas que ha usado casi constantemente. Las dimensiones de un capítulo no permitirán anotar todos los cambios que introduce; se usarán sólo algunos ejemplos para ilustrar los procedimientos generales.

La descripción más completa de la biblioteca de Baroja en Itzea fue hecha por Alberich [28]. Allí hace mención también de una parte de los manuscritos. Las investigaciones en Itzea en el verano de 1971 han permitido completar la lista de éstos como sigue [29]:

---

[27] *Paseos de un solitario,* p. 198.

[28] «La biblioteca de Baroja», *op. cit.*

[29] Esta lista incluye tanto los textos manuscritos como los mecanografiados y señala aproximadamente la extensión del manuscrito. La mayor parte de los manuscritos consisten en las cuartillas pequeñas características de Baroja. La numeración de las páginas es casi siempre irregular; frecuentemente lleva los números originales y luego otros añadidos con lápiz azul. Muchas cuartillas añadidas llevan la numeración 20A, 20B, 20C, etc.; por consiguiente, la indicación de los folios en esta lista es siempre sólo aproximada, sobre todo tratándose de los últimos textos, donde la numeración no es seguida y consiste en partes tomadas de manuscritos anteriores con la paginación antigua. Para establecer la lista se si-

1. *El mayorazgo de Labraz*. Es su primera versión en forma dramática, inacabada, que consiste en 27 folios sin numerar y algunas cuartillas sueltas, con numeración irregular. Una parte del segundo acto consta en dos ejemplares, que no son completamente iguales.

2. *Paradox, Rey*. Primera versión del libro, mucho más breve. La última parte en forma de breves apuntes, pero el desarrollo llega hasta el fin. 54 cuartillas (numeración posterior). Fechado en 1905.

3. *La Isabelina*. Empieza por lo que corresponde al capítulo III del libro primero en la versión impresa. Paginación doble: 1-222, original, y 38-459 posterior.

4. *Adiós a la bohemia*. Texto mecanografiado escrito pensando en una representación como zarzuela, con música de Pablo Solorzábal, que corresponde parcialmente al texto publicado en *OC* V, p. 101 y sgs., donde se han eliminado las acotaciones detalladas y las referencias a la música. El texto en *OC* omite también el largo monólogo de Vagabundo que parece haber sido concebido originalmente como prólogo y consta, en forma manuscrita, de 5 cuartillas. El texto mecanografiado contiene 27 cuartillas.

5. *Autobiografía*. Versión manuscrita y un tanto diferente de una parte de *Juventud, egolatría*. Frecuentemente tiene los mismos títulos de capitulito; algunos parecen haber sido aprovechados también para ciertas partes de *Memorias*. Lleva correcciones manuscritas. 83 cuartillas numeradas, pero tiene muchas añadiduras.

---

guió, en lo posible, el orden cronológico de las fechas de publicación: muy pocos manuscritos están fechados. Dada la circunstancia de que el autor producía un libro casi cada año, esto no parece presentar un problema grave. Los números 14, 18, 25-29 representan textos hechos con fragmentos de lo ya existente. Julio Caro Baroja cuenta que en los últimos años de su vida Baroja tuvo la manía de cortar lo escrito y componer con ello textos nuevos. Por consiguiente, la identificación de todos los trozos representaría una labor que el tiempo dedicado a este estudio no ha permitido llevar a cabo. Lo que se indica entre ( ) ha sido tachado; [ ] señala una añadidura posterior, también tachada; ++ lo añadido.

6. *La caverna del humorismo.* Aproximadamente 160 cuartillas manuscritas; no representa el texto seguido.

7. *La sensualidad pervertida.* (Diario de un hombre sin voluntad) (Ensayos amoros de un [hombre sin dogmas] fracasado) (Ensayos amorosos de un diletante [crítico]). Parece ser la segunda redacción manuscrita; lleva pocas correcciones. 376 folios.

8. *El mar.* El manuscrito corresponde a *El laberinto de las sirenas.* Empieza por el libro cuarto. Corregido repetidamente: con tinta y con lápiz azul. Paginación doble: una va hasta 496, otra hasta 577.

9. *Las veleidades de la fortuna.* Mezcla de cuartillas manuscritas y la mayor parte mecanografiadas. Empieza con un prólogo que luego no se aprovecha. Contiene anotaciones curiosas, p. e.: «Esta lucha con lo difícil y con lo imposible da un poco de grandeza al oficio. Le hace a uno un poco Prometeo»; u otra que se refiere a la composición: «Hay que ir dando en todas las escenas de viaje alguna nota de sensualidad entre Larrañaga y Pepita.» Sólo fragmentos, Apr. 55 cuartillas.

10. *Las mascaradas sangrientas.* Dos ejemplares mecanografiados que representan dos versiones progresivas. La primera consiste en dos cuadernillos de 185 y 159 cuartillas respectivamente; la segunda, en un cuaderno grande de 164 folios. La segunda lleva, además, numerosas correcciones a mano. Entre todos, es el manuscrito más interesante en cuanto al proceso de la ampliación de una obra. Fechado en Zarauz, 1927.

11. *Las noches del Buen Retiro. (La juventud perdida).* Demuestra larga vacilación en la selección del título: en el primer folio aparecen varios que han sido tachados: *Sombras fugitivas, La juventud perdida, Sombras fugaces, Las noches del Buen Retiro.* El manuscrito está provisto con muchos dibujos que ilustran a los tipos descritos. A la vuelta, en el primer folio, lleva una estrofa de *Coplas:* «¿Qué se fizo el

rey don Juan?» Consiste en tres cuadernos con un total de 380 folios.

12. *Los confidentes audaces*. Manuscrito que es un buen ejemplo del trabajo de corrección; muestra sobre todo cómo se aprovechaba la primera redacción, cortando, cambiando y pegando trozos de las cuartillas originales. Paginación doble: la primera va hasta 357, la segunda, hasta 409. En la hoja final lleva la fecha: [Itzea, julio 1930] [Madrid, mayo 1930] [Madrid, mayo 1930], Itzea, julio 1930.

13. *Los dogmas de ayer y de hoy*. Mezcla de 19 cuartillas mecanografiadas y 51 manuscritas, que corresponden a «Las ideas de ayer y de hoy», de *Rapsodias (OC* V). Lleva correcciones manuscritas.

14. *Ayer y hoy*. Dos ejemplares mecanografiados que no se corresponden totalmente. El segundo, que contiene el mismo texto, lleva el título *La moral comunista* y está fechado: París 1938. La paginación va de 3 a 158. Algunos fragmentos fueron incorporados a *Memorias*.

15. *Canciones del suburbio*. Texto mecanografiado que lleva la anotación: «Para la imprenta», con correcciones a mano. Incluye el prólogo, 254 pp. Fechado en Hendaya (Bayona), 1940.

16. *El cantor vagabundo*. Texto mecanografiado, con muchas correcciones manuscritas. Contiene sólo fragmentos. Empieza por «En el hospital», que corresponde a la cuarta parte en el texto impreso. Paginación irregular: 95-205, 206-243, 355-385, 387-456.

17. *Las veladas del Chalet Gris*. Ejemplar mecanografiado y fragmentario. Contiene la parte titulada *Comentarios y anécdotas*. Otros fragmentos del texto impreso aparecen bajo títulos diferentes en otros manuscritos. Contiene 118 folios, paginación posterior.

18. *Siluetas de escritores y de artistas*. Prólogo: «La decadencia actual de las artes». Texto mecanografiado que contiene muchas partes de *Las veladas del Chalet Gris*. Paginación muy irregular. Apr. 50 cuartillas.

19. *Los amores de Antonio y Clemencia. Pastoral de excéntricos.* Texto mecanografiado, muy corregido, de 40 folios, que corresponde a *Los amores de Antonio y de Cristina,* publicado en *Los contrabandistas vascos.*

20. *Bordegain el Selvático.* Mezcla de cuartillas manuscritas y mecanografiadas numeradas de 1 a 62. Es la continuación de *Los amores de Antonio y Clemencia,* que luego se publica como la última parte de *Los amores de Antonio y Cristina.*

21. *Los amores de Ignacio y de Soledad. Historia de amor. Pastoral vasca,* Manuscrito en la mayor parte, con algunas hojas mecanografiadas. Parece ser la primera redacción—51 páginas—de lo que luego llama *Los amores de un médico de aldea.*

22. *Los amores de un médico de aldea,* mecanografiado en su casi totalidad, con algunas cuartillas manuscritas interpoladas y muchas correcciones manuscritas. 60 páginas. Corresponde al texto con el mismo título incluido en *Los contrabandistas vascos.*

23. *Las hermanas MacDonald.* Texto mecanografiado con muchas correcciones y el prólogo manuscrito. Dos versiones, la primera de 70, y la segunda de 81 págs. Corresponde a la novela corta con el mismo título en *Los contrabandistas vascos.* Junto con 19, 20, 21 y 22 forma una carpeta titulada *Novelas cortas de amor y de odio.*

24. *Desde la última vuelta del camino.* VIII. *La guerra civil en la frontera.* 124 páginas mecanografiadas. Tiene correspondencias con *La moral comunista.* Una parte publicada en *Memorias,* pero no sigue el mismo orden.

25. *Pasada la tormenta.* 261 páginas mecanografiadas, pero la numeración no es seguida. La segunda parte titulada *Rojos y blancos,* 247 págs. Existe, además, otro ejemplar de ésta, anteriormente titulado *Entre Francia y Suiza.* Parcialmente inédito.

26. *Extravagancias. Tiempo de inquietud y revolución.* Como en los textos precedentes, gran parte de los fragmen-

tos son de *Memorias,* otros inéditos. La mayoría de las cuartillas son manuscritas. Muchas correcciones a mano. Apr. 127 páginas, pero la numeración es muy irregular.

27. *Ilusión y realidad.* Texto mecanografiado que había sido entregado a la imprenta, pero no llegó a publicarse. Consta de dos partes: I. *Ilusión y realidad,* de 90 folios mecanografiados con muchas correcciones a mano, y II. *Recuerdos poco gratos,* manuscrito. Sólo una parte fue parcialmente publicada.

28. *Saturnales. I. Los caprichos de la suerte.* 101 págs., luego titulado *A la desbandada.* Partes publicadas en *Nuevamente en París,* en *Memorias.*

29. *Saturnales. II. Miserias de la guerra.* Dos ejemplares mecanografiados, el primero de 258 folios, el segundo de 301, titulado *Madrid en guerra* y luego *Madrid revolucionario,* Inédito. Trata de la guerra civil, concebido casi como un reportaje. Fechado en Madrid en 1951.

Aparte de estos manuscritos, se encuentran fragmentos de *Allegro final* y de *El gran torbellino del mundo* (22 cuartillas manuscritas), así como de *La intuición y el estilo* y unas pocas cuartillas de *Aventuras, inventos y mixtificaciones de Silvestre Paradox.*

En forma de apuntes se conservan proyectos para *La estepa, El Club de los Crepusculares, El doctor Ologaray y sus hijas, El mar, Zara la Vieja.* La biblioteca conserva también las primeras y las segundas pruebas de *La leyenda de Jaun de Alzate,* con algunas correcciones, y las pruebas de *La obsesión del misterio,* así como de *Los amores de Antonio y Cristina.*

El estudio de los manuscritos apuntados arriba permite llegar a la conclusión de que Baroja revisaba siempre: son poquísimos los textos que quedan intactos. Cada versión nueva tiene a su vez correcciones al margen: el «devenir» del texto no acaba hasta que éste se entregue a la imprenta. Teniendo en cuenta que Baroja producía un libro casi todos los años, resulta asombroso constatar cuánto los ha trabajado. Según Julio Caro Baroja, generalmente tardaba de seis a ocho meses en entregar el manuscrito a la imprenta, y el procedimiento era el siguiente: escribía la primera versión en cuartillas sueltas; copiaba él mismo el texto, enmendándolo, en otras cuartillas sueltas; corregía, lo mandaba a copiar a máquina y volvía a revisar; por fin lo enviaba a la imprenta. Como se ha aludido en el capítulo precedente, desde cierta época ya no escribía a mano, sino que dictaba directamente a la mecanógrafa; por consiguiente, los textos mecanografiados de los últimos años podrían ser considerados como manuscritos. Como se ha indicado en la nota 29), en los últimos años frecuentemente desbarataba los manuscritos que tenía preparados, cortándolos y combinándolos de nuevo, lo cual crea un problema de identificación. Entre los últimos de la lista, varios tienen partes que se corresponden, aunque aparecen con un título diferente. Esto mismo produce la maraña de la numeración de las páginas: se aprovechan partes de textos diferentes. La identificación se complica también por el hecho de que siempre ocurren leves cambios y pocas veces el texto impreso corresponde totalmente a los fragmentos reunidos en estas carpetas.

Algunos apuntes sueltos muestran que, aunque enemigo de esquemas y de planes detalladamente trazados, apuntaba las ideas que se le ocurrían y establecía un proyecto en borrador. Entre los papeles sueltos se encuentran tales proyectos para la trilogía *El mar* (aunque muy somero, permite reconocer algunas características), *El Club de los Crepusculares* (con un esquema detallado, casi matemático) y para *Zara la Vieja*, que iba a ser una parte de la trilogía *Las ciudades* y se desarrollaba en tiempos antiguos.

El primer bosquejo del argumento de *Paradox, rey* es más interesante, porque es seguido de la primera versión de la novela. Extendiendo el cotejo al texto final impreso, permite seguir los pasos de la evolución. Descontando *El Mayorazgo de Labraz*, incompleto, es el primer manuscrito que revela el crecimiento gradual de la obra. En él se puede ver, además, que en aquella época Baroja vacilaba aún en cuanto al género y al tono: no señala que es una novela, y lo concibe como un poema épico.

Los tres primeros folios (minúsculos) del manuscrito de *Paradox, rey* contienen el *Argumento*. Seguramente éste no estaba previsto para la publicación: son apuntes en estilo casi telegráfico, como se puede ver del primer párrafo: «Silvestre Paradox y su amigo Diz de la Iglesia vegetan en Burjasot, pueblo cercano a Valencia. Paradox ha escrito a un judío inglés Abraham Wolf el cual va á hacer una expedición al golfo de Guinea para reconocer un territorio del Uganda donde piensa establecer una nación de judíos. Wolf contesta á Silvestre diciendo que si para el 25 del mes de [en blanco] llega á Tánger podrán él y Avelino salir en la expedición. Paradox expone este proyecto a Avelino y salen de Valencia y se embarcan» [30].

En este bosquejo está previsto ya el desarrollo de la trama hasta el final, aunque sin detalles. Está escrito en letra muy igual y corrida. Tiene algunas notas al margen: agrega el elemento sobrenatural con «Conversación que tuvieron todos los animales del reino de Ganga» y un parlamento del Río. El fin previsto no incluye la nota irónica que se añade en la primera elaboración.

Muy interesante es el texto mismo, que empieza en f. 4. Lo encabeza una larga invocación que ya en el texto original lleva la anotación con lápiz azul «Suprimida». En

---

[30] La mayor parte de los manuscritos no llevan acentos y tienen poquísima puntuación. Julio Caro Baroja advierte que éstos se solían dejar a la discreción—y la sabiduría—del cajista.

ésta, que se escribe en tono retórico, se expone, después de invocar a la Musa, el resumen del libro en manera muy abreviada. Representa, pues, la segunda versión del proyecto inicial. De acuerdo con el concepto épico, el texto que sigue la invocación no se divide en partes, como el texto impreso, sino en Cantos. Estos no llevan títulos: un procedimiento que se repite en libros posteriores. Es muy raro que el autor haya puesto títulos a los capítulos mientras escribía; en general vienen añadidos más tarde, al revisar el texto, como lo indican tinta de otro color, lápiz azul o el hecho de que no haya dejado espacio para incorporarlos y los sobrepone al renglón escrito. Esta costumbre prueba que no traza un plan detallado para cada capítulo desde el principio, sino que lo desarrolla libremente a medida que va escribiendo. Luego, al leerlo, lo provee de un resumen sintético, que frecuentemente lleva una nota irónica.

La invocación, que suprime, anunciaba un libro de índole muy diferente al que luego sale de la prensa. No se reconocen en ella la economía ni el tono escueto característicos de Baroja, como se puede ver de los párrafos que la abren:

> Canta ¡oh Musa! las hazañas de mi piadoso y humilde héroe, canta las buenas andanzas y venturas, los infortunios y las desdichas del artificioso Silvestre, divino hijo de Paradox. Canta sus sufrimientos en la ancha mar de los ruidos tempestuosos, sus agonías sobre las grandes y oscuras olas azotadas por el soplo del Aquilón.
>
> ...
>
> Como el impetuoso torrente, hinchado por las aguas primaverales desciende iracundo desde lo alto de la montaña é inunda la llanura, como el bravio corcel retenido en el establo y alimentado de abundante cebada rompe sus fuertes ligaduras y se lanza en el campo abierto á bañarse en las limpias ondas del tranquilo rio, asi tu ¡oh artificioso Silvestre! divino hijo

de Paradox inundaste con la luz de tu ciencia las obscuridades de la misteriosa region de Ganga, asi tu fortaleciste en aquel lejano pais el reino de la Justicia, asi tu quebrantaste las sombrias supersticiones y ahuyentaste el palido Terror y la feroz Discordia terrible como la Noche.

El texto original de *Paradox, rey* cabe en 51 cuartillas. En la versión impresa cuenta 284 páginas. El proceso de crecimiento es incesante, y perfectamente visible ya en la primera acotación. A medida que procede, el manuscrito se vuelve más somero, y el texto impreso, más ampliado. Véase cómo empieza en las dos versiones:

MANUSCRITO

Un pueblo próximo á Valencia. Las tinieblas envuelven la tierra. En las puertas de las cuevas, cuelgan candiles que iluminan un raso de tierra apisonada. Se siente en el aire, el perfume penetrante del azahar. Hay un circulo de hombres y mujeres que charlan. Un hombre canta una especie de j o t a lánguida [y triste] acompañado de un guitarrillo y de un trombon. (f. 6).

TEXTO IMPRESO DE 1906

Un pueblo próximo a Valencia. Es de noche. En un raso de tierra apisonada hay un grupo de hombres, de mujeres y de chicos. A la puerta de algunas cuevas cuelgan varios candiles de aceite, y sus llamas oscilan violentamente en la obscuridad. Las estrellas resplandecen en el cielo n e g r o azulado, sin nubes. Se respira el aire cargado de olor de azahar.

Un hombre canta una especie de jota valenciana, lánguida y triste. Al final de su canto se oyen los sonidos de una guitarrilla y de un trombón [31].

Se puede observar el deseo del autor de crear ambiente, introduciendo la naturaleza. También añade una nota pictórica con la llama oscilante. Es de notar que en las dos versiones el ambiente es casi completamente estático.

[31] Madrid, Librería de los Sucesores de Hernando, 1906, p. 5. Todas las citas se tomarán de esta edición.

La ampliación sigue en cada página. Los diálogos se triplican. En general las ideas principales no cambian; sólo se añaden más detalles. Casi siempre se aprovecha todo lo escrito en la primera versión, aunque barajándolo, haciéndole cambiar de lugar. En este libro da andadura más vivaz al diálogo interrumpiendo el juego directo de pregunta-respuesta y añadiendo con ello tensión dramática entremezclada con efectos humorísticos. Alguna vez, raramente, la versión original, más breve, parece haber sido más eficaz:

—¿Que? ¿Se decide Vd.? —No que va Vd. a ir solo. ¿Dónde está el Conill? (f. 13).	—¿Qué? ... ¿Se decide usted? —¿Quién se atreverá a impedirlo? Hay que prepararlo todo inmediatamente. ¿Dónde está el Conill? (p. 19).

Aquí, la nota humorística contenida en la primera versión cede a cierta retórica en la segunda. La falta de transición en la primera transmite mejor los saltos de la imaginación y la resolución repentina. Por otra parte, el retoricismo anuncia el carácter de Avelino.

Es interesante constatar que añade todos los elementos fantásticos de este libro sólo en el texto impreso: hace hablar al gallo, al perro, a los otros animales; introduce las voces del mar, del viento, del río. Sólo en la versión de 1906 incluye el «Elogio sentimental del acordeón», el «Elogio de los viejos caballos del tío vivo», el «Elogio metafísico de la destrucción». En ellos conserva el concepto original de «Canto» y deja rienda suelta a las emociones, sin permitirse la más ligera ironía. Se podría decir que con ellos incorpora el tono lírico, sustituyendo por él el patos épico de la Invocación.

Desde el Canto cuarto las correspondencias se hacen cada vez más tenues. Si quedan escenas casi iguales, más numerosas son las que se añaden. En el original hay menos personajes; por consiguiente, también los diálogos varían considerablemente. En general, los parlamentos de la segunda versión tienen más chispa y más sabor humorístico. Los fragmentos que se conservan frecuentemente cambian de lugar; algunas cualidades o ideas se trasladan de un personaje a otro. Cambia, además, el uso del tiempo. En el original es más frecuente el pretérito, que confiere rapidez y brevedad al texto y al desarrollo de la acción. La versión impresa prefiere el presente o el imperfecto, prolongando el efecto y consiguiendo la sensación de actualidad.

Los últimos Cantos en la primera versión consisten ya sólo en apuntes, ocupando apenas una o dos cuartillas cada uno. A veces indica sólo el título, sin que siga una sola palabra del texto. Ya no escribe seguido, sino que deja muchos espacios libres e incluso cuartillas enteras en blanco: seguramente piensa volver a ellas para llenar los huecos en cuanto tenga apuntada la continuación que se le ocurre en el momento. Usa este procedimiento también con los detalles: hay oraciones donde se dejan espacios libres para un adjetivo o un verbo. Si no logra completarlas, las elimina.

Una de las últimas cuartillas contiene un dibujo preciso de la calabaza de nitroglicerina con una descripción muy detallada. Sobre otra cuartilla inserta un plano minucioso del lago. La descripción de éste es más larga en el texto original, y la desviación es concebida por Thonelgeben. En la primera versión no se menciona la Isla Afortunada: Paradox House se construye en el pueblo. Por consiguiente, las descripciones del paisaje y de los anocheceres son completamente nuevas.

La obra termina en la versión manuscrita con la ocupación de Bu-Tata por los franceses. Los capítulos correspondientes a X y XI del texto impreso aparecen sólo como un breve bosquejo. Los dos están escritos en una cuartilla dividida en dos, paralelamente: tal vez preveía dos posibilidades para terminar la obra, y luego incorporó las dos. Lo más curioso—y no es la única vez que esto ocurra en la transformación de un manuscrito barojiano—es que el párrafo final queda casi igual que en el original. Sólo cambia la circunstancia: en la versión impresa lo hace más impersonal, publicando el comentario como una noticia en *L'Echo* de Bu-Tata. En el bosquejo original, las palabras concluyentes, pronunciadas por el abate, son oídas directamente por Paradox, que entra en la iglesia.

Las modificaciones entre la primera y la segunda versión son notables. Lo más interesante parece el hecho de que haya cambiado el concepto general: en vez de una obra épica, de tono patético, presenta al lector una novela dialogada rebosante de humorismo y de ironía fina. Muchos episodios han sido inspirados seguramente por sus lecturas. Quitándoles la estructura de un libro de aventuras y subordinándolos a la visión satírica del mundo y de la civilización, les da un carácter diferente y los convierte en algo suyo.

La costumbre de revisión no es algo que Baroja adquiera sólo con el tiempo. Desde que empieza a escribir, adopta el procedimiento de ampliación y de corrección. Lo demuestran varios cuentos, o sea, obritas publicadas muy temprano. Por ejemplo, lo que en 1900 está incluido en *Vidas sombrías* con el título de «La trapera» se publica en *El País* el 10 de julio de 1899 como «El glu-glu de la olla», en versión mucho más corta. Y aun ésta no representa el primer núcleo: en un cuento titulado «El enfermo» y fechado en 1896, conservado entre varias hojas sueltas en el archivo de Itzea, aparecen ya las figuras de una trapera vieja con una hija joven. Y el 30 de diciembre de 1897 publica en *La Voz de Guipúzcoa* el mismo cuento como «La casa de la trapera». Para ver cómo crecen, se comparará aquí «El glu-glu» con el texto impreso en *Vidas sombrías* (Ed. Caro Raggio, Madrid, 1900). El cotejo no sólo confirma el hecho de que Baroja trabajaba sus textos, sino que permite observar algunas características en el proceso a las que permanecerá fiel casi siempre.

El cuento en la versión impresa empieza por unas generalizaciones sobre los solares y sobre los gustos del autor. En *El País*, se presenta directamente el solar en cuestión. Es una técnica que se repite en la elaboración de varios manuscritos barojianos: las generalizaciones y las consideraciones abstractas se añaden a menudo sólo en la segunda redacción. En la primera se contenta con contar y parece más interesado en un desarrollo rápido. Por consiguiente, incluso las descripciones del ambiente y las caracterizaciones de los personajes suelen ser más breves.

En «La trapera» sobreviene también, así como en *Paradox, rey*, un cambio de tono: la narración en «El glu-glu» empieza en tercera persona, presentando el escenario objetivamente. En «La trapera» el autor trata de establecer un contacto más íntimo con el lector desde el principio, dirigiéndose a él directamente y añadiendo comentarios personales. (Lo curioso es que una parte de éstos existía ya en la primera redacción, pero varios párrafos más adelante, y no producía el mismo efecto de entrada). La descripción del solar, que en «La trapera» sigue sólo más tarde, es casi totalmente transformada en la segunda versión, aunque incluye fragmentos de la primera, desplazándolos.

La primera intervención del autor en «El glu-glu» está muy cerca del tono romántico y no establece contacto con el lector, como en «La trapera». Al contrario, el autor parece pensar sobre todo en sí mismo: «Cuando paso por esa callejuela y miro por las rendijas de la empalizada al interior del solar, no sé por qué siento una tristeza punzante.» La escena observada provoca fuertes emociones en el autor, y se pone énfasis en ellas. En la segunda versión, el «yo» emocional ya no ocupa un lugar destacado: se presenta como un observador objetivo y se identifica con otros que quisieran seguirle: «Si algún día por casualidad pasáis de cuatro a cinco de la mañana por allá, veréis a una vieja y a una niña, que empujan desde dentro dos tablas de la empalizada y salen furtivamente a la calle» (p. 134). Con este cambio, así como suprimiendo la Invocación en *Paradox, rey,* elimina toda huella de patos y de reminiscencias literarias.

Transforma también los detalles: en 1899 la casucha de la trapera contiene un cuarto (con breve descripción, que desaparece) y una cocina. En 1900, ésta seguramente le parece demasiado lujosa, y la reduce a un solo cuarto, que sirve para todo. Quita importancia a la vivienda para trasladarla a una presentación más completa de la existencia.

La parte narrativa que representa la salida de las traperas y la descripción de su día está añadida. Se nota esto incluso por el cambio de tono y de ritmo: la primera parte, existente ya en «El glu-glu», transcurre en el presente; en lo añadido todo se cuenta en el pretérito. También sólo en la segunda se introduce el diálogo. El cuento terminaba, en 1899, con un párrafo retórico que el autor, con juicio certero, ha eliminado en la versión impresa. Tenía la misma nota subjetiva y casi sentimental que la primera intervención, también omitida: «Yo prefiero el canto de la olla al de los personajes de Wagner; éstos no me cuentan más que estúpidas leyendas de un pueblo de bárbaros; en cambio, el glu-glu de la olla me habla del hogar, de algo para mi espíritu como un oasis que se busca y se busca y jamás se encuentra.»

La transformación del cuento en su totalidad es considerable, y hay que reconocer que representa un acierto. En vez de las notas demasiado personales añade acción, movimiento y diálogo, que lo convierten en un pequeño cuadro de costumbre. Demuestra, además, mayor interés por la estructura: descontando la generalización introductoria, el cuento se vuelve casi circular. La salida y la vuelta de las traperas completan el ciclo del día; la repetición del tema que cierra la primera parte al final del cuento produce por su ritmo la impresión de una suave monotonía. Con esto, sugiriendo la idea del eterno retorno, trasciende los límites del costumbrismo y plantea la pregunta acerca de la felicidad humana.

El manuscrito de *El mayorazgo de Labraz* ha sido estudiado detenidamente y parcialmente publicado en la tesis doctoral de Todd H. Slade, ya mencionada. Representa el único ejemplo de hechura totalmente nueva. Empezado como drama en 1901, y abandonado al llegar al acto tercero, sale de la imprenta en 1903 como novela.

La primera pregunta que se le ocurre al lector que mira los dos textos es: ¿por qué decidió Baroja cambiar de género? Hay críticos, como Peseux-Richard, que opinan que las novelas escritas en forma dialogada revelan mejor el talento del autor. Examinando las observaciones de Baroja mismo acerca del teatro, se desprenden de ellas varios motivos posibles. En *Memorias* y otros escritos de la vejez repite, sobre todo cuando habla de su adolescencia, que tenía mucha afición al melodrama, subrayando que la comedia y el drama le interesaban poco. Luego, al llegar a la edad madura, pierde casi totalmente el interés por el teatro. El gusto por el melodrama es confirmado por la primera obra de tamaño más extenso que da a la prensa: *La casa de Aizgorri* contiene elementos melodramáticos y efectistas que no se repiten más tarde. Son los que más suenan a reminiscencias literarias y no permiten desplegar invención original.

Hay que recordar también que todo drama supone una estructura más rigurosa que la novela, y que hasta cierto punto significa estilización y limitación. Baroja mismo confiesa que no pudo continuar *El mayorazgo de Labraz* en la forma en que lo empezó, porque «yo necesito escribir entreteniéndome en el detalle, como el que va por el camino distraído, mirando este árbol, aquel arroyo y sin pensar demasiado adónde va» [32]. El proceso de transformación de esta obra en una novela lo confirma con creces: surgen paisajes, escenarios, personajes nuevos; brotan tramas secundarias. Puede dar paso libre a su gusto por las generalizaciones y por la divagación. También puede adoptar lenguaje más natural. Porque éste es, según él, otro problema: está acostumbrado al tono retórico en el teatro, y no ve la posibilidad de hacerlo prosperar en el siglo veinte: «Yo creo que si hoy no se escriben grandes dramas es porque no se puede emplear la forma del diálogo de un Shakespeare o de un Calderón. ... Hoy no hay más que el diálogo realista, que se podría llamar fotográfico, que no sirve para el alto coturno. ... Yo pienso que si se pudiera emplear en el teatro una retórica altisonante, pero sincera y sentida, se escribirían otra vez dramas y tragedias» [33].

La cuestión del tono trae consigo el problema de la verosimilitud, tan esencial para Baroja. Y la situación se complica por un aspecto que, aunque pueda parecer completamente exterior, entra en las motivaciones de un escritor con mucho peso: el autor que escribe dramas está expuesto a la merced y a los gustos del público mucho más que un novelista. Una obra de teatro vive sobre todo en la escena, y un autor que se contente con escribir dramas sin prever la posibilidad de verlos representados, no es sincero consigo mismo. Por otra parte, Baroja es un espíritu demasiado independiente para que consienta halagar al público. Lo más apropiado en tal caso parece escoger un género literario diferente.

Hay, por fin, otro aspecto que nunca deja de interesar a Baroja: aunque anhela alcanzar nivel universal, no permitiría que sus obras se volvieran atemporales o localizadas en lugares abstractos. El drama se presta ante todo a re-

---

[32] *La intuición y el estilo, OC* VII, p. 1.032.

[33] *Locuras de carnaval, OC* VI, pp. 886-7.

presentar conflictos humanos interiores. Baroja también tiene este interés, pero no quiere renunciar al detalle. Tomando como punto de partida la afirmación de que la novela es un espejo y comentando el hecho de que ya Hugo dijera lo mismo del drama, concluye: «No cabe duda de que la novela, por su carácter de complejidad y de extensión, es más el espejo de la época que el drama» [34]. El proceso principal que se observa en las diferentes fases de la elaboración de los manuscritos barojianos es el de ampliación; someterse a la desnudez del drama habría significado para él renunciar a una parte importante de su imaginación.

T. H. Slade, comentando el cambio ocurrido en *El mayorazgo*, señala otro motivo importante: un drama nunca permite tantas digresiones como una novela. Esta observación es confirmada con creces por el cotejo de los dos textos: sólo en la novela introduce a los personajes que se dedican a la digresión. Uno de ellos, el pintor Bothwell, sirve, además, para presentar un punto de vista diferente, más objetivo. Sus reacciones no son siempre iguales a las de la gente de la taberna; su nivel de educación es más alto y le permite formular conclusiones generales. Su cualidad de forastero le lleva a enfocar toda situación de un modo original. El truco de hacerle escribir el manuscrito subraya la intención del autor de presentar un ojo observador imparcial que a la vez—no olvidemos que estamos en los años en que la preocupación por España es más aguda—comenta las rarezas españolas.

El drama comienza sin introducción, directamente en la taberna. La primera escena corresponde en su estructura esencial al capítulo III de la novela, dando prueba del arte de Baroja en ampliar: los parlamentos originales se incorporan al capítulo mucho más extenso, extendiendo el ambiente creado alrededor de ellos en todas las direcciones. Curiosísimo es ver cómo inventa el principio de la novela:

---

[34] *La intuición y el estilo*, *OC* VII, p. 1.059.

aprovecha para el prólogo un articulillo titulado «Cigüeñas» que se había publicado en *El Lunes del Imparcial* el 14 de octubre de 1901, en el que contaba, en tono más bien lírico, una visita a Labraz. Lo amplía, y ya dentro de sus dimensiones, inventa la figura de Bothwell y el manuscrito. Luego, en el primer capítulo, seguramente recordando los folletines, presenta las figuras misteriosas de los dos embozados que sólo revelan su identidad al final del capítulo tercero. El segundo capítulo también es totalmente nuevo: en él se explaya en descripciones y lo utiliza para la creación del ambiente.

Desde el acto segundo hay, a lo largo de algunas páginas, dos versiones manuscritas, una de ellas más ampliada. Como en el primer acto, la parte correspondiente en la novela amplía la ambientación y añade la historia anterior. En realidad, el acto II corresponde al libro III de la novela. El libro II es creación nueva. Lo que se guarda más fielmente, no sólo en ésta, sino también en otras obras que permiten seguir su elaboración, es el diálogo.

En la versión manuscrita del drama, Micaela es diferente de la que se presenta en la novela: más apasionada, también más sentimental, menos calculadora y menos «mujer fatal». El episodio con don Raimundo y la música se añade sólo en la segunda versión. (Queda por saber si con esto mejora la novela.) Don Ramiro es mucho más cínico en la versión final, y la novela gana con ello, eliminando algunos parlamentos melodramáticos entre los dos amantes [35]. También muestra juicio certero en cortar la escena final del acto II:

---

[35] He aquí una escena entre Ramiro y Micaela: —Sí me querrás Micaela. Yo no soy tu igual, soy de otra raza despreciada porque es libre, de otra raza que no tiene más leyes que sus pasiones y la libertad. No se en donde he nacido, habré nacido en el campo del choque de pasiones salvajes y esas pasiones rugen en mi alma. Ya que no puedo subir hasta ti, yo bohemio, yo miserable gitano, baja tu adonde yo estoy y el mundo será nuestro y soborearemos los dos la vida errante sin más le-

DON JUAN: —¡Oh Dios mío!, ¡Dios mío! ¡Tanta tristeza sobre mí! A todos les he amado. ¡Todos me han vendido! He echado mi corazón a sus pies y lo han pisoteado. Mañana esta niña me abandonará también y moriré solo en cualquier rincón.

Todo lo que sigue desde la muerte de Cesárea es nuevo. Se puede, pues, hablar de la elaboración sólo dentro del marco de los dos primeros actos. Estos muestran que el tema del dolor seguía obsesionando al autor: las alusiones a él se intensifican. En cambio, el énfasis en «la casta maldita» de los gitanos y su deseo innato de la libertad, con tono claramente social y un tanto altisonante que traía reminiscencias de algunos versos de Espronceda, disminuye en la versión final. Casi se podría decir que el deseo de libertad se traslada luego a las figuras de don Juan y de Marina, pero en éstas se subraya ya no tanto la condición social como la humana. La invención de Bothwell y de Bengoa quita unidad a la trama por sus digresiones.

Al repasar los cambios de un texto al otro, se hace evidente el deseo del autor de eliminar lo más melodramático y sentimental, y de conferir a un drama local carácter más universal por medio de las divagaciones ideológicas. La carga emocional se traslada a las descripciones del paisaje y parece mejor empleada en ellas. Los dos personajes principales adquieren fuerza por su cinismo y así ilustran más eficazmente la tesis fundamental de Baroja: las buenas acciones no reciben recompensa, porque no hay justicia en este mundo. Lo único cierto en esta vida es la predestinación del hombre al sufrimiento. Hay que mencionar, por fin, un pequeño detalle estructural: consigue carácter más

---

yes que nuestros deseos, sin mas religion que nuestro amor. —Sé que me engañas. —No, no te engaño. Te confieso que soy traidor, traidor para los demas, para ti un hombre que te quiere, que te desea, que tiene sed de tus labios rojos y de tu piel suave y tibia. (Acto II, escena IV.)

objetivo en la versión novelesca por medio de las citas con que encabeza cada capítulo: relacionan lo que se cuenta con otras obras literarias y hacen recordar que lo que se lee también es literatura.

Otra novela que se somete a un cambio sustancial es *La busca.* Aquí no se trata ya de la transformación del manuscrito al texto impreso: el manuscrito no existe. El cambio ocurre entre la primera publicación, en folletín, en 1903 en *El Globo,* y su edición, al año siguiente, como libro. En realidad se debe hablar de los dos primeros volúmenes de la trilogía: el texto original de 1903 comprende *Mala hierba* como parte de *La busca;* sólo en 1904 se añade el segundo título y aparece como volumen aparte [36]. En este texto, aun más que en los vistos hasta ahora, se muestra Baroja un verdadero virtuoso en transformaciones. La nueva versión parece tan natural que logra incluso engañar a los críticos. Si algunos, como Nora, opinan que es una novela «deshilvanada y amorfa», no falta quien hable de «un proyecto bien estructurado y perfectamente llevado a cabo en un solo tirón de dos años de trabajo» [37]. Las dos opiniones no se contradicen si se recuerda que los primeros proyectos de Baroja contienen en general sólo las líneas generales del desarrollo.

La lucha por la vida ha sido estudiada detenidamente por Javier Martínez Palacios y es, junto con *El árbol de la ciencia, Camino de perfección* y *El mundo es ansí,* una de las obras de Baroja más comentadas. No parece necesario, pues, volver a examinar la trilogía. Dentro de los límites

---

[36] Lo ve bien Torrente Ballester cuando señala que una división bipartita de la trilogía sería más lógica. («La lucha por la vida», *Baroja y su mundo,* I, p. 125).

[37] Carlos Blanco Aguinaga, *Juventud del 98,* Madrid, 1970, p. 245.

de este capítulo sólo cabe indicar los pasos en su elaboración y señalar los cambios más salientes.

En 1903, la novela comienza con una introducción que luego, en la versión posterior, se elimina, y que contiene detalles sobre el autor: «El autor se presenta a sí mismo. —Ideas pedagógicas de mi padre.» El tono de la introducción es de graciosa y ligera ironía; sirve para criticar la novela que es popular en aquel tiempo y el estilo rimbombante de los discursos oficiales. Al señalar el asunto del que va a ocuparse, expone, además, las ideas del autor acerca de la técnica novelesca. La eliminación de ella no es fácil de explicar. Así como la de *Paradox, rey* desentonaba, ésta está escrita en la misma vena que luego continúa en la novela. Recuerda un tanto el prólogo a *Don Quijote* y por su principio autobiográfico así como por algunas alusiones hace pensar en la novela picaresca. Quizá decida suprimirla por eliminar toda reminiscencia literaria. Desde luego, no contribuía de ninguna manera a la unidad de la trama.

El texto de los primeros capítulos, que empieza igual en las dos versiones, se amplía continuamente. La segunda versión demuestra más preocupación por la continuidad, por la unidad de tono. Dividiendo el capítulo introductorio en dos, y marcando la división por puntos de suspensión que reanudan con el mismo tema, también aquí parece recordar el procedimiento usado por Cervantes en algunos capítulos de *Don Quijote*. Lo que en la primera versión se presenta en tono autobiográfico, en la segunda se convierte en la tercera persona del «autor». El cambio en el desarrollo de los capítulos siguientes es constante y a veces tan considerable que casi se podría hablar de una redacción nueva. Las modificaciones se pueden apreciar en el cotejo de las dos versiones del párrafo siguiente:

1903	1904
Al pasar junto a esta última ... un niño enteco, pálido y largui-	Al pasar junto ... como una lombriz b l a n c a. Encima de la

rucho, como una lombriz blanca. No se comprendía b i e n cómo aquella mujer gorda podía haber entrado en cuarto tan chico; se sospechaba sí que quizá en otra época, la mujer no fuera tan rolliza y voluminosa, porque sólo a un farsante de la peor especie se le podría ocurrir que un carpintero inexperto construyese parecido chiscón, poniendo dentro a la mujer voluminosa, a la manera de pie derecho o de cimbra. Tampoco se podía explicar fácilmente cómo una mujer tan gorda podía haber dado al mundo de los vivos una cosa tan insignificante, tan chica y tan de mal aspecto como el fetillo que solía tener casi siempre en los brazos.

Si a aquella especie de ballenato porteril se le preguntaba...

(El Globo, núm. 9.943, 5. VI. 1903).

ventana se figuraba uno que en vez de «Portería» debía poner: «La mujer cañón con su hijo», o un letrero semejante de barraca de feria.

Si a esta mujer voluminosa se la preguntaba algo...

(OC, I, p. 260).

En este caso, el trabajo es de eliminación: omite la nota pintoresca un tanto exagerada, y sólo con establecer el paralelo con un barraca donde se enseñan los monstruos de la naturaleza, consigue un efecto aun más fuerte y sobre todo más amargo.

También en las transformaciones de este libro saca párrafos de un capítulo y los traslada a otro, sin que por esto sufran el sentido ni el desarrollo de la trama. Cambia constantemente también los nombres: una costumbre que guardará siempre, lo mismo que el cambio perpetuo de las cifras. Casi nunca se repiten iguales. La preocupación por los nombres seguramente le viene de los autores del siglo precedente, que intentaban caracterizar al personaje a través de su apellido o su apodo. Lo curioso es que se atenga más o menos al sonido del nombre que se le ocurriera primero: Juana se convierte en Casiana; Matildona en Isabelona.

Las ampliaciones más considerables ocurren siempre cuando Baroja se dispone a describir una casa, un ambiente, un paisaje; también se extienden las caracterizaciones de los personajes; frecuentemente transforma el habla indirecta en conversación viva, reproducida directamente. Y, como es su costumbre, añade generalizaciones. Los cambios internos de partes de capítulo son muy abundantes: la descripción de los amigos de Manuel, las escenas en la taberna, la presentación de los tipos pintorescos del corral se barajan arbitrariamente, se pasean de un capítulo a otro. Tampoco es igual la división de capítulos y su titulación; y no siempre hay correspondencia entre las partes del libro. La estructura general es floja y permite variación.

No son, sin embargo, los cambios de detalle lo que más sorprende en el cotejo de los dos textos, ni el hecho de que divida una novela en dos debido a su crecimiento. El aspecto más interesante en la elaboración de *La busca* es la inclusión, sólo en la segunda redacción, de un personaje principal, con sus entradas y salidas constantes: personaje que encarna las ideas de Baroja sobre la voluntad y que Gonzalo Sobejano señala como el representante más destacado de la influencia de Nietzsche. En *La busca* de 1903 Roberto Hasting no existe. Tampoco existen, por consiguiente, la mayoría de las escenas relacionadas con él, o se presentan en disposición muy diferente. La trama secundaria de los amores de Roberto y Fanny nace sólo en la segunda versión. Sólo con Roberto entran la mayoría de las discusiones teóricas y abstractas.

La transformación de esta novela es francamente asombrosa, tanto temática como estructuralmente. Como Bothwell en *El mayorazgo de Labraz*, la introducción de Roberto y de todas las divagaciones generadas por él sirve para llevar la novela del ambiente exclusivo de los bajos fondos de Madrid a un nivel más universal. La maestría en incorporar multitud de escenas en un texto ya existente, en urdir sub-tramas y saber ligar todas las partes con el tema principal atestigua las dotes extraordinarias de narrador. Habiendo observado cómo entreteje las dos tramas, con qué habilidad salda las junturas, resulta imposible afirmar que Baroja no sabía estructurar. Lo que hace con estas dos novelas es más difícil que escribir una nueva con un plan bien trazado. Confirma con ello que es un escritor capaz, y que es su creencia en los horizontes abiertos, y no su incapacidad, lo que le impide dar una arquitectura más sólida a sus libros.

Los cambios vistos hasta ahora se refieren sobre todo a lo que se podría llamar modificaciones de estructura, donde el conjunto del texto original se transfigura considerablemente. No menos interesante resulta examinar la transformación de una novela por medio de ampliaciones. Es el tipo de crecimiento que se da en la elaboración de todas las obras de Baroja y prueba que para él escribir era un proceso continuo y abierto, nunca previsto en su totalidad ni planeado con detalle. Ninguna novela lo ilustra mejor que *Las mascaradas sangrientas,* interesante no sólo por la transformación de cada versión consecutiva, sino también por su génesis: tratando de la época de la guerra carlista, incorpora detalles de un crimen ocurrido en el siglo veinte. Este aspecto no entra, sin embargo, en la discusión de los cambios del texto.

Las mascaradas sangrientas es la única obra que se puede examinar en tres versiones distintas, cada una acusando un crecimiento constante. El primer texto—mecanografiado—suma 344 cuartillas de tamaño pequeño. El segundo crece a 164, de tamaño grande, y la versión impresa cuenta 334 páginas. Se podría hablar incluso de una versión intermedia entre la segunda y la tercera: el segundo «manuscrito» lleva tan copiosas correcciones a mano que con derecho se puede considerar como un texto independiente (203 folios según numeración nueva). No es igual al texto final, impreso. Los cambios más numerosos ocurren entre la segunda y la tercera versión. Luego, la última copia que habrá ido a parar en la imprenta y no se conserva, se modifica ya menos. Nos referiremos al primer texto como A; al segundo como B; al texto que se establece con las correcciones manuscritas en B como B_1 y al texto impreso en 1927 como C.

Para apreciar debidamente la lenta génesis de esta obra habría que estudiar lado al lado y página tras página los cuatro textos enteros: procedimiento completamente imposible si se considera la extensión de la novela. Por consiguiente, procederemos, así como se ha hecho con los textos precedentes, entresacando sólo algunos trozos que parezcan más representativos, e intentaremos llegar a alguna conclusión general.

Desde las primeras páginas se puede observar que el autor se esmera ante todo en los principios y los fines de capítulo. Son los más elaborados, mientras que el resto del texto, y sobre todo los diálogos, acusan modificaciones menos importantes. Es un detalle curioso en el proceso de la elaboración: en general el autor tiene desde el principio una idea clara, apuntada con un par de palabras, pero luego, tal vez recordando sus propios hábitos de lector—de lector de folletines por entregas—, concentra su atención en crear los efectos más completos posible para comenzar y cerrar sus propias «entregas».

Los cambios generales, conformes a su procedimiento habitual, son: sustitución de nombres; subdivisión de capítulos y agregación de títulos a cada uno de éstos; transformación de párrafos; cambio frecuente de pretérito a imperfecto [38]. Si se mira el conjunto de los tres textos, lo que llama en seguida la atención visual es una diferente dispo-

[38] La vacilación entre estas dos formas, así como el uso muy frecuente de «le» para el acusativo femenino han sido adscritos por algunos críticos a la influencia del vascuence.

sición tipográfica. El texto más primitivo se presenta en bloques mayores. Desde la segunda redacción los párrafos que eran más largos se subdividen; a veces se parten también los capítulos. La versión final, C, consiste ya en párrafos principalmente muy cortos y da la sensación de un fluir más rápido: efecto curioso, puesto que las descripciones se alargan.

El primer texto frecuentemente contiene breves notas acerca del desarrollo ulterior, o del procedimiento: «no citar pueblos»; «pintarla atractiva». En una hoja manuscrita insertada en A se esboza el plan de una manera muy escueta: «Asesinato de Cabañas. Asesinato de madre e hija. ... Un levantamiento de figura. Muerte de Bertache — y lo comen los perros. Violación de la gitana; luego la matan. El dinero de Bertache se queda Orejón con él.» Estas breves notas prevén ya el desarrollo en forma esquelética de casi el libro entero. Las páginas 48 y 49 contienen apuntes semejantes: «Conversación detallada entre Bertache y Lucas el Ribereño. Bertache amenaza al joven porque tiene un secreto suyo. Descripción del pueblo y de los alrededores.»

El texto A empieza con la presentación directa del ambiente del crimen. Los capítulos I, «El narrador», y II, «La muerte de un general», aparecen desde B, en seguida ampliados (B_1). En la página titular de A se lee una nota manuscrita: «La muerte de Cabañas puede contarla Bertache en la venta deshecha.» En efecto, la cuenta en el capítulo III, incorporando esta narración a la parte subtitulada «Día triste». La nota siguiente, que introduce el primer párrafo y tal vez fue pensada como título, es «La preparación del crimen en la pequeña ciudad.» El final de la novela, lo que corresponde al epílogo en C, consta sólo en forma de apuntes en A: «Un día en el jardín de la casa de campo de Bayona. El jardín con aire de alucinación del viento Sur. Nubes rojas. Helianthus — sin una ráfaga de viento. Todo inmóvil. — Recuerda el día que fueron al castillo.» (f. 158)

Veamos a continuación el capítulo inicial del libro, del que existen sólo las versiones B, B_1 y C:

B	B_1	C
Poco después de la guerra Alvaro Sanchez de Mendoza fue a cobrar el alquiler de la casa que el viejo Chipitegui tenía en la calle de los Bascos.	Una mañana de otoño poco después de la terminación de la guerra Alvaro Sanchez de Mendoza iba á cobrar el alquiler de la casa del viejo Chipiteguy en la calle de los Vascos en donde aun vivían sus padres.	...Vascos, de Bayona, en donde...
En la buardilla donde había vivido Palassou el zapatero sansimoniano había un hombre enfermo. Este hombre de unos 25 años que se encontraba postrado en la cama le dijo a Alvaro que no le podía pagar. (f. 1)	En la guardilla ocupada en otro tiempo por Palassou el zapatero sansimoniano había un español enfermo. + + Era un hombre de unos veintitres á veinticuatro años flaco, moreno, de ojos negros, con un bigote corto y el pelo rizado. Apesar de ser aun joven tenía el aire cansado las mejillas demacradas y una de ellas con la roseta malar roja característica de los tuberculosos. + Este [español] hombre postrado en cama dijo a Alvaro rotundamente que no le podia pagar.	...buhardilla ...flaco, moreno, la cara demacrada, los ojos negros y hundidos, el bigote corto y el pelo rizoso y abundante. A pesar ... las mejillas hundidas y una de ellas... El joven español postrado en cama dijo a Alvaro rotundamente que no le podía pagar[39].

[39] Editorial Caro Raggio, Madrid, 1927, p. 13. Esta edición se usará para todas las citas.

La primera versión presenta sólo datos esenciales. Ni siquiera se detiene a describir al personaje. Se contenta con una presentación general de un hombre venido a menos que está enfermo: situación que se encuentra frecuentemente en los folletines del siglo pasado. Las correcciones manuscritas añaden ya alguna precisión: la estación del año, la hora del día, el lugar, la nacionalidad del enfermo y el detalle que relaciona a Alvarito con él: se encuentra en la misma casa donde había vivido éste en condiciones parecidas. Así, el párrafo que sigue en el texto y muestra la compasión de Alvarito resulta más consecuente. Al releer el texto se le ocurre al autor que se debería dar cuerpo más concreto al joven enfermo, y pega un segundo papelito al texto ya ampliado, pintándole como una figura romántica: exterior que está de acuerdo con el carácter que revelará luego. La versión final añade poquísimo, pero la distancia entre ésta y la primera es muy considerable. Lo que en el primer texto se presentaba casi como un reportaje adquiere en la elaboración características novelescas. Incluso el cambio del pretérito al imperfecto puede haber sido motivado por la diferencia de enfoque: permite detenerse en detalles. Este prevalece a través del libro en la redacción final.

Más considerables aún son los cambios al principio del capítulo II. Aquí no sólo, siempre por exigencias de la precisión, sitúa la narración en un tiempo concreto, sino que corrobora su verosimilitud introduciendo figuras históricas reales. Da, además, un breve resumen de la situación actual de la guerra y caracteriza el ambiente por medio de una visión antiheroica (en pocos renglones presenta a los aldeanos, a los guerrilleros, a los generales y a los reyes). También añade alguna generalización sobre la naturaleza humana:

B	B_1	C
Unos días después Maluenda se unía a una	En la venta de una aldea del camino cerca	

partida en la que iban los dos hermanos.

Por esta aldea habían pasado varias veces las tropas Carlistas y disciplinadas la gente de los pueblos no sabia a que atenerse. Ya nadie tenia esperanza en una solucion de completa victoria. Habia intereses grandes y pequeños que tenian que romperse y desgajarse. (f. 5 A)

de Echarri Aranaz se detuvieron al atardecer. ...

Por aquella aldea pasaban constantemente tropas Carlistas medio indisciplinadas dispuestas a llevarse cuanto veian. La gente de los pueblos no sabia a que atenerse. Ya nadie esperaba la victoria; a todas horas se hablaba de convenios de transacciones pero la solucion tardaba. Para llegar a conseguir la paz era indispensable que se rompiesen y desgajasen muchos intereses grandes y pequeños de los dos bandos. (f. 7)

... atenerse.

Comenzaba el año 1839. Los ejércitos liberal y carlista estaban mejor organizados que nunca, y, sin embargo, la exaltación en los dos campos había disminuido. Maroto había fusilado hacía meses a cuatro generales carlistas en Estella y expulsado de la corte de don Carlos a los más perspicuos de los realistas, a los más señalados de los apostólicos. Maroto se había vengado de sus enemigos, de aquellos a quienes aseguró que perseguiría debajo de la cama de su rey y señor, aunque éste luego lo mandara decapitar; había expulsado con gusto a Arias Teijeiro, de quien sospechaba tener amistades nefandas con don Carlos.

Maroto, Espartero y Cabrera eran los tres ases de la guerra. El éxito estaba vacilante entre ellos. Subían, bajaban, tenían alternativas de éxitos y fracasos. Carlistas y liberales se iban hartando de matar y de fusilar. ¿Hartar? La palabra quizá no es muy exacta, porque el hombre parece que no se harta nunca de ello.

Las intrigas eran constantes, María Cristina, el infante don Francisco, don Carlos, la princesa de Beira, los cortesanos y los palaciegos se pasaban la vida intrigando.

Ya nadie esperaba ...

Para llegar a conseguir ... (p. 22-3)

Como se ve, el texto crece incesantemente en cada redacción. Un pequeño detalle en la primera indica que tal vez fue dictado: en vez de «indisciplinadas», la mecanógrafa pone «y disciplinadas». Si se ve una de las cuartillas enmendadas, el proceso se hace más obvio aún: representan un ejemplo de un minucioso trabajo de taracea, con renglones duplicados, con a veces hasta tres correcciones de una oración, con papelitos añadidos y sobreañadidos. Para no perderse en la maraña, toda añadidura lleva cuidadosa numeración.

Cambian también los títulos en este capítulo. En el original ponía «Un crimen» (ya éste por encima de otro, completamente tachado); en la corrección manuscrita aparece el que luego quedará. Tanto el comienzo totalmente diferente como el intento de subdividir el capítulo muestran que el autor aún no estaba muy seguro acerca de la estructura: en seguida después de los párrafos introductorios, copiados aquí, ponía, en B_1, PRIMERA PARTE, que luego tachó. (Es de recordar que toda esta parte sólo se escribe en la versión B.)

Desde el capítulo III se pueden comparar ya las cuatro versiones, que hablan por sí mismas. Transcribimos sus párrafos iniciales:

A

Durante la guerra Tolosa era un pueblo amurallado que tenia algunos dias gran animacion. Solia celebrarse un mercado todas las semanas en el cubierto de la calle de la Solana á que solian acudir los labradores de todos los contornos.

En esta calle de Solana habia una taberna medio cafe la taberna de *Gorrischco* que solia estar siempre llena de jente. (f. 3).

B

Durante la guerra Tolosa era un pueblo amurallado ocupado por los Carlistas. En general era triste pero había algunos dias en que había gran animación. Solía celebrarse un mercado todas las semanas en el cubierto de la calle de la Solana al cual acudían los labradores de todos los contornos.

En esta calle de la Solana había una taberna medio café que solía estar por la tarde y por la noche casi siempre llena de gente. Este café se llamaba el café de Satorra. (f. 14).

B_1

Durante la primera guerra civil Arbea pueblo estrecho amurallado oscuro estaba ocupado por una guarnición numerosa de carlistas. En general era triste pero algunos dias se notaba cierta animación. Solía celebrarse un mercado todas las semanas en un arco próximo á la muralla + en el cubierto de la calle de la So-

C

Durante la primera guerra civil, Arbea, pueblo estrecho, amurallado, obscuro, (en *OC* + en el fondo de un embudo de montes, +) estaba ocupado por una guarnición numerosa de carlistas.

En general, y aun en tiempo de paz, Arbea era sitio triste, muy dominado por la clerecía y los jesuitas.

lana + al cual acudían los labradores de [todos] los contornos.

Algunos días, sin embargo, se notaba cierta animación.

Solía celebrarse un mercado todas las semanas en el cubierto de la calle de la Solana, arco próximo a la muralla, al cual acudían l o s labradores de los contornos a vender cerdos, corderos y toda clase de hortalizas.

EL CAFE DE «SATORRA»

En aquel cubierto habia por entonces un café que solía estar por la tarde y p o r la noche casi siempre lleno de gente. El tal café se llamaba el café de la Solana aunque también era conocido por el café de Satorra.

El café instalado bajo el arco en una casa antigua y negruzca se comunicaba por una puerta con un zaguan húmedo por donde se subia á la posada de Gorrischco. Al otro lado del zaguán había una taberna. (f. 20).

EL CAFE DE «SATORRA»

En aquel cubierto había por entonces un café, que solía estar por la tarde y, sobre todo, por la noche, casi siempre lleno de gente.

El tal café se llamaba el café de la Solana, aunque también era conocido por el café de *Satorra.*

El café ... (p. 36-7)

El proceso de ampliación no muestra mucha novedad aquí, excepto el cambio del nombre. Se observará que las diferencias entre B_1 y C van disminuyendo. En cambio, B_1 lleva en este trozo casi siempre correcciones dobles. No es raro que el autor ponga una versión diferente, y luego, al volver a leer el texto, opte por la original, o junte las dos, como sucede el describir el emplazamiento del mercado. Es de notar que las ampliaciones de C ya no añaden características esenciales, sino más bien pintorescas o ideológicas. Se confiere más color al mercado, enumerando lo que se vende allí; la actitud anticlerical del autor encuentra expresión en la caracterización despectiva y generalizadora de un pueblo sometido al poder de los clérigos. Más interesante en este texto es la transformación de las unidades: lo que eran dos párrafos en la versión original se vuelven siete en la final.

Ya se ha señalado que una parte importante en la elaboración de la obra barojiana corresponde a la presentación de los personajes. La caracterización completa aparece sólo después de varias transformaciones. Se puede apreciar este trabajo en un breve ejemplo: la primera introducción de una de las víctimas del futuro crimen:

A

La Veremunda su hermanastra era guapa blanca esbelta con los ojos obscuros el cabello castaño [pintarla atractiva sexual]. Las dos hermanastras eran rivales desde la más tierna infancia y la Tiburcia habia odiado a su hermana pequeña desde la infancia. (f. 34).

B

De las dos mujeres la una era alta, rubia, guapa la otra rechoncha, morena y de ojos negros.

Al parecer se echaban en cara antiguos retemores, entre una y otra hermana habia grandes rivalidades. La del caserio era la favorita de la madre. (f. 17-8).

B_1

De las dos mujeres la una era alta, rubia, guapa la otra rechoncha, morena y de ojos negros. Esta era la cocinera de la casa de Satorra y atendia a la taberna de abajo. Al parecer las dos mujeres se echaban en cara antiguas ofensas, tenian viejos resquemores. Entre una y otra hermana habia grandes rivalidades. La del caserio, la mujer guapa y campesina, la Veremunda, era al parecer la favorita de la madre. (f. 23).

C

De las dos mujeres, la una era alta, rubia, ágil, esbelta, de cara blanca *(OC* color blanco); la otra, rechoncha, la cara incorrecta, los ojos negros, uno de ellos que bizqueaba; el color moreno obscuro y los labios gruesos. Esta era la cocinera de la casa de Gorrischco y atendía a la taberna de abajo.

Por sus palabras, las dos mujeres se echaban en cara antiguas ofensas; tenían viejos resquemores. Entre una y otra hermana había grandes rivalidades. La del caserío, la mujer guapa y campesina, la Veremunda, era al parecer la favorita de la madre; en cambio, la cocinera de la posada, la Tiburcia, llevaba el camino de ser desheredada (p. 45) [40].

---

[40] Una elaboración considerable se puede observar en la presentación de un personaje secundario:

A

Echeverría no era militar. Se había pasado la vida en el Real de don Carlos asistiendo a fiestas y banquetes.

Aguirre no tenía ningún talento ni energía. Era un impulsivo inconsciente y borracho (f. 137).

B

Respecto a Echeverría no era militar. Don Juan Echeverría se había pasado la vida en el Real de don Carlos asistiendo a fiestas y a banquetes echando discursos furibundos, interviniendo en la Secretaría y hasta en la cocina del Real de D. Carlos pero nunca había dirigido una batalla ni tenía condiciones para ello.

Respecto de Aguirre era un impulsivo inconsciente y borracho, un hombre algo parecido a Bertache (f. 74-5).

B_1

Respecto a Echeverría no era militar. Don Juan Echeverría se había pasado la vida en el campo del Pretendiente asistiendo a fiestas y a banquetes echando discursos furibundos y truculentos, interviniendo en la Secretaría ... para ello.
[en dos papelitos pegados y corregidos añade los dos párrafos que siguen con algún cambio en C.]

Respecto a Aguirre, era un impulsivo inconsciente, alcoholico, un hombre algo parecido a Bertache, con menos talento, con muy poca energía y con un fondo vesánico casi de loco. (f. 106-7)

C

Respecto a don Juan Echeverría, no era militar, sino canónigo. Cierto que se puede ser canónigo y militar, como el cura Merino era militar y cura, más militar que cura; pero Echeverría era más canónigo que hombre de guerra. Don Juan se había pasado la vida en el campo del pretendiente asistiendo a fiestas y a banquetes, echando discursos, furibundos y truculentos, en los campos y en los púlpitos; interviniendo en la secretaría, y hasta en la cocina, del Real de don Carlos; pero nunca había dirigido unas tropas ni tenía condiciones para ello.

Echeverría, al verse al frente

Lo que aparecía en A sólo como un apunte se va elaborando a través de las tres revisiones hasta llegar a una presentación que ya por sí misma explica el motivo del crimen que seguirá. Elimina las repeticiones malsonantes de

---

Maroto contestó a la de Echeverría extrañandose de que el cura diera este golpe mortal al carlismo y se insultaron los dos llamando el uno al otro indigno sacerdote y el otro traidor e infame.

de l o s sublevados, publicó una proclama que terminaba así: seis meses de obscuras intrigas y de incesantes ataques han conseguido, al fin, violentar la voluntad soberana, y desde aquel tiempo la guerra derrama, más que nunca, sus furores sobre nuestro territorio. A vosotros, vascongados y navarros, está reservada la gloria de salvar a nuestro rey, a su causa y a nuestro propio país. Un momento basta. Corred, y os acompañará en v u e stra heroica empresa, Echeverría.

Zaratiegui publicó i n m e diatamente, para que sirviese de correctivo a la del canónigo, otra alocución, dirigida a los baztanes, firmada en Etulain, en la que decía que: algunos miserables voluntarios, seducidos por un cobarde, habían desertado de las filas de la lealtad y del campo de la gloria, para cubrirse con la ignominia y la vergüenza de los traidores.

Maroto, a su vez, contestó a la alocución de Echeverría, extrañándose de que el canónigo diera este golpe mortal al carlismo, y se insultaron el general y el cura, llamándole el uno al otro indigno sacerdote, y el otro calificándole de traidor e infame.

Respecto de Aguirre, era un impulsivo, inconsciente, alcohólico, un hombre algo parecido a la última oración en A. Hace lo mismo al presentar a los dos hermanos que van a ser asesinos: sólo esbozados en A, adquieren figura en B, y entre B_1 y C se les rodea de historietas intercaladas y de personajes secundarios que pueden parecer inesenciales, pero que contribuyen a crear la atmósfera general.

Los tres capítulos introductorios antes de la escena del crimen se elaboran considerablemente en B_1, y cambian otra vez en C. Es interesantísimo ver cómo entreteje aquí el ambiente desmoralizado de las actividades carlistas con el relato del asesinato premeditado, trasladando la significación de éste al nivel de la guerra carlista. La escena misma del crimen, el punto culminante de esta historia, se somete a una revisión minuciosa en cada versión. La ha ido preparando con las ampliaciones, y en el texto final la divide en varias partes. El «preanuncio» del crimen se intercala a intervalos desde el principio del libro, manteniendo alerta al lector para este desenlace. Compárense los cuatro textos para darse cuenta exacta de la extensión de los cambios:

A

Entonces Lucas vio que la media puerta o puerta cancela del caserío se abría y que una mujer se presentaba. El joven debio meter la mano y abrir por completo la puerta. El viejo entonces se acercó a la mujer. Desde la borda el ribereño vio que brillaba una oja de acero y la mujer debio de caer al suelo herida por la e s p a l d a. Entonces los dos

---

B

Entonces Maluenda vio que se abria la mitad de la puerta cancela y que una mujer la Beremunda se presentaba en ella. Uno de los hombres debio meter la mano y abrio por completo la puerta. El hermano mayor entonces se acercó a la mujer. Maluenda veia la escena con perfecta claridad. Desde la fonda vio que brillaba una hoja de acero y la mu-

Bertache, con menos talento, con muy poca energía y con un fondo vesánico, casi de loco. Aguirre no hizo nada más que beber y hablar (pp. 186-7).

hombres entraron en el caserío. (f. 60)

...

Allí debio quedar vacilante sin saber que direccion tomar pero al volverse vio la silueta de los dos hombres que la acechaban entonces + quiso huir + tropezo y cayo. Los dos hombres se abalanzaron sobre ella y entre los dos la mataron. (f. 62)

jer debio de caer al suelo herida por la espalda. Entonces los dos hombres entraron en el caserío dejando el farolillo a la puerta. (f. 32)

...

Allí debió quedar vacilante un momento aturdida sin saber que dirección tomar pero al volverse vio la silueta de los dos hombres que la acechaban en la obscuridad entonces se decidio a huir tropezó y cayó. Los dos hombres se abalanzaron sobre ella y entre los dos la acorralaron y la mataron. (f. 33)

B_1

Entonces Maluenda vio que se abria la mitad de la puerta cancela y que una mujer probablemente la Veremunda se presentaba en ella. Los dos hombres se pusieron a hablar con la muchacha y a bromear. Uno de los hombres, el mayor *(sic)* metio la mano y abrio por completo la puerta para pasar. El hermano mayor entonces entro en el zaguan y se acercó a la mujer como para abrazarla. Maluenda pudo darse cuenta de lo que ocurria con perfecta claridad. El hombre llevaba la careta puesta. Desde la borda vió Maluenda que brillo una hoja de acero como un rayo y la mujer debió de caer al suelo herida por la espalda dando un grito agudo de dolor. El hermano mayor agachandose asestó un segundo golpe a la mujer ya caida mientras el peque-

C

Entonces Maluenda vio a la luz del farol que se abría la mitad izquierda de la puerta cancela, y que una mujer, probablemente la Veremunda, se presentaba en ella. Los dos hombres se pusieron a hablar con la muchacha y a bromear. Uno de los hombres metió la mano y abrió por completo la puerta para pasar. El otro, entonces, entró en el zaguán y se acercó a la mujer como para abrazarla.

Maluenda no pudo darse cuenta de lo que ocurría con perfecta claridad. Le pareció que el hombre llevaba una careta puesta; ¿pero era verdad o ilusión? Desde la borda vio Maluenda el brillo de una hoja fina de acero como un rayo, y la mujer debió de caer al suelo, herida por la espalda, dando un grito agudo de dolor.

ño alumbraba con el farolillo en la mano... (f. 48)

...

Al acercarse al manzanal vio sin duda aquella sombra misteriosa que se erguía en medio. Debio quedar vacilante un momento aturdida sin saber que dirección tomar pero al volverse vio la silueta de los dos hombres que la acechaban enmascarados. Entonces dio un grito de espanto se decidió a huir tropezó y cayó. Los dos hombres se abalanzaron sobre ella y entre los dos la acorralaron y la tumbaron a garrotazos y la remataron a cuchilladas. (f. 49)

El matador, acercándose, asestó un segundo golpe a la mujer ya caída, mientras el otro alumbraba con el f a r o l i l l o en la mano...

...

Al acercarse al manzanal vio, sin duda, aquella sombra misteriosa que se erguía en medio. Debió quedar vacilante un momento, aturdida, sin saber qué dirección tomar; pero, al volverse, vio la silueta de los dos hombres que la acechaban quizá, enmascarados; entonces dio un grito de espanto, se decidió a huir y marchó de prisa por una vereda de hayedos, hasta que tropezó y cayó. Los dos hombres se abalanzaron sobre ella y entre los dos la acorralaron y la tumbaron a garrotazos y la remataron con un hachazo en la nuca. (p. 95-8)

En la ampliación de esta escena, así como en la preparación de ella, se atisban reminiscencias de las lecturas de folletín. La primera versión, breve y escueta, le parece tal vez insuficientemente horrible, y poco a poco va añadiendo detalles cuyo fin es provocar más terror y repugnancia. Se nota en las correcciones también la preocupación por la verosimilitud: lo que el observador escondido ve con «perfecta claridad» en A, B y B_1, se convierte en un «parecer» dudoso en C, corroborado por un *quizá* y un *probablemente*. Lo agregado sobre las bromas y el fingido abrazo añaden veracidad psicológica. Se eliminan los numerosos «entonces» que entorpecían la estructura. El pequeño detalle del farolillo que en B se abandonaba a la puerta y confería una nota más suave se emplea desde B_1 para subrayar la fría crueldad de los asesinos. Por fin, en la escena final, en vez de cuchilladas opta por hachazos, que son más visibles, parecen más horribles, y también recuerdan escenas de folletín.

En los capítulos que siguen inmediatamente, grandes partes ya ni siquiera se amplían, sino que se añaden totalmente. Así, en B_1 el capítulo XI, y en C todo lo que no toca directamente al crimen y representa generalizaciones o divagaciones, como los capitulitos titulados «Arios y semitas», «La moral» o, ya anteriormente, «Una pequeña novela» y «Conversaciones sobre la historia natural». La transformación de los textos consecutivos no se limita a la ampliación tocante a la descripción de una escena importante, la caracterización de los personajes, o una ambientación más completa y verídica. Así como añade sub-capítulos enteros con generalizaciones, a veces enriquece el sentido de un párrafo con una insinuación muy breve. Tales añadiduras son suficientes para dar a un párrafo que funcionaba sólo como el desarrollo de la narración, carácter de índole ética. Se puede notar este procedimiento en el párrafo siguiente:

A	B
Desde Elizondo el brigadier Real fue a pedir permiso para que don Carlos pudiese entrar en Francia. (f. 185)	Desde Elizondo ... en Francia. El general Espartero no quiso aprovecharse de las circunstancias y dejó escapar muchas de las tropas carlistas sin castigarlas. (f. 95)

B_1	C
Desde Elizondo el brigadier Real y no como dijeron Zabala fue a pedir permiso para que don Carlos pudiese entrar en Francia. Al general Espartero no le parecio bien aprovecharse de las circunstancias y en este trozo corto de Urdax a la frontera no quiso atacar a los carlistas y dejo escapar muchas de las tropas enemigas sin castigarlas.	...y dejó que salieran las tropas enemigas sin castigarlas.

Harispe el general francés se lo hizo notar al verse con él. —¿Que quiere Vd.? — le contestó Espartero. —Eran españoles como los míos. ¿Para que matarlos? (f. 128)	Harispe, el marichal francés, se lo hizo notar al verse con él. (p. 223)

Aquí pone en boca de Espartero palabras que está formulando él mismo a través de todos los volúmenes de las *Memorias de un hombre de acción:* el énfasis en la inutilidad de la matanza. Escoge muy bien el lugar y la ocasión, sin embargo, y la respuesta de Espartero no suena a moraleja. Sirve, además, para ilustrar la relatividad del punto de vista: reacciones distintas por parte de dos caudillos de nacionalidad diferente.

El final de la novela se elabora poco a poco: de los breves apuntes de A se pasa a una descripción ordenada del jardín y del encuentro con Manón. En el epílogo sigue el procedimiento habitual: da un breve resumen del desarrollo de la vida de los protagonistas principales y les presenta ya mucho más viejos.

Los tres textos de *Las mascaradas sangrientas* muestran claramente que Baroja no escribía «a lo que saliera». Confirman lo referido por Julio Caro Baroja: una elaboración paciente y minuciosa de varias copias consecutivas de cada texto, que crecen con cada transcripción. Lo que al principio se concebía como una sola trama, se guarnece de subtramas y de detalles variados a medida que adelanta la revisión. En esta novela, que por su argumento podía inclinar al autor hacia un desarrollo folletinesco, lo sensacional queda subordinado a la tensión general de la atmósfera de las guerras carlistas, e indirectamente sugiere un paralelo entre éstas y el asesinato. Situando el crimen en un pequeño pueblo y ampliando la caracterización de los personajes que apenas tienen contacto con lo que pasa fuera de su casa, crea un ambiente de color local y con precisión geográfica e histórica. Partiendo de lo folletinesco, se entrega a generalizaciones sobre la naturaleza humana y ofrece una evaluación de la guerra. A través de las ampliaciones introduce más ideas y opiniones propias. Resumiendo las transformaciones efectuadas a través de los tres textos, se puede concluir que en vez de contar un suceso contenido en sí mismo, presenta un trozo de la vida en una época histórica con sus múltiples aspectos.

Todos los manuscritos existentes de Baroja atraviesan etapas semejantes de elaboración. Los capítulos introductorios con generalizaciones o con una presentación más personal se añaden casi siempre sólo en la versión final. También las anécdotas se intercalan en general sólo en la segunda redacción. Una constante preocupación por presentar una narración viva le hace aumentar los diálogos y convertir lo referido en lo dicho, como en el ejemplo siguiente, tomado de *Las mascaradas sangrientas:*

Echeverría le dijo a Aguirre al presentarse este que hacia un momento le habian enviado un recado a San Juan Pie de Puerto para que se presentase en Bayona y pudiesen hablar con el (A, f. 105).

—Hace un momento—le dijo Echeverría a Aguirre al verle—hemos enviado un recado a San Juan Pie de Puerto para que se presentara usted en Bayona y pudiéramos hablar (p. 166).

La complicación de la trama y la extensión a varias subtramas ocurre casi siempre durante las correcciones, así como la subdivisión en capitulitos más pequeños y su titulación. Frecuentemente, la ampliación contribuye a hacer las transiciones más suaves. Lo que queda más intacto en la mayoría de los textos son las conversaciones y los relatos rápidos de alguna aventura o de un acontecimiento. La división en párrafos cortos se da casi siempre sólo en la versión final; frecuentemente cambia también el orden de las oraciones dentro de un párrafo, o se corrige su sintaxis, lo que prueba que no era indiferente a la estructura. Cuando ocurren cambios de palabra, son siempre motivados por el deseo de precisión. Hay ocasiones en que deshace una frase rítmica y «bonita» porque se da cuenta de que no encaja en el ambiente que presenta o en la boca del personaje que la pronuncia. De vez en cuando elimina adjetivos, acorta las oraciones. Cuando amplía, no lo hace por conseguir un efecto pintoresco: añade detalles de caracterización que permiten compenetrarse mejor con el personaje o con el ambiente.

Un tipo diferente aún de las correcciones, que permite percibir el deseo que durante un período tuvo Baroja de dar estructuración a sus obras, ocurre en las novelas cuya narración se interrumpe regularmente por interpolaciones de textos de tono y ritmo diferentes. Los fragmentos conservados de *El gran torbellino del mundo* revelan que las estampas en frente de cada capítulo no estaban previstas en la primera versión. En el texto impreso, éstas, de redacción esmerada y casi sin movimiento, actúan como contraste frente a la narración (que antes era seguida), la cual adopta el ritmo conforme al título: de torbellino. La inmovilidad, intensificada por el uso del presente en los verbos escasísimos, se confirma también por el fondo: en las estampas se describe lo que permanece, contrariamente a la efemeridad de los hombres con sus ensueños de felicidad que se agitan en el desarrollo de la trama. Alternando los dos tipos de escritura, contrapone, además, constantemente arte o literatura y vida.

También en *Las veleidades de la fortuna* los «croquis» adquieren su forma definitiva sólo en la versión impresa. En el manuscrito se puede notar que aún está tanteando. El texto de los «croquis» no es tan compacto, y el tono es menos diferente al de la narración principal. Sólo en la redacción final aparece la estructura circular de algunos de ellos. Todas estas medidas dan prueba del empeño por parte del autor de mostrar que sabe componer, y que mezcla estilos diferentes con un propósito muy definido.

Un procedimiento muy parecido se puede observar en la elaboración de *El laberinto de las sirenas*. En la transformación de este manuscrito añade muchas generalizaciones que hacen resaltar la afinidad de gustos y de ideas entre Roberto y el autor, y amplía detalles de manera semejante a la observada en *Las mascaradas sangrientas*. Introduce también algún personaje nuevo, que no aparece en el manuscrito. El cambio más esencial en este texto—y el más interesante desde el punto de vista estilístico—es el hecho de que en la primera versión manuscrita los cantos de Roberto no aparecen, o sólo se alude a ellos someramente. Así, el primero, que corresponde al capítulo II: «Los mascarones de proa», se agrega en hojas numeradas 93B, C, D, E, F y se somete a varias correcciones posteriores antes de adquirir forma definitiva. El capítulo IV: «Es el torrero del faro...» surge de un modo parecido, con la numeración de 100A, B, C, D, E, F, G, H, I, J, K. Después de numerosas correcciones manuscritas al margen de cada página, se transforma una vez más al pasar a la imprenta. «La canción de los hijos de Aitor», «La canción del capitán Galardi», «La canción de la libertad del mar», tampoco existen en el texto original.

En el libro segundo de *El laberinto de las sirenas* busca el efecto de unidad por otro medio exterior: añade la repetición de un estribillo. Termina los capítulos I y II con «Galardi era un vasco decidido y valiente», que seguirá volviendo como un ritornelo a través de toda esta parte, e incluso en las siguientes. El estribillo se añade sólo en la versión impresa y consigue crear cierto efecto rítmico. Casi todos los párrafos que contribuyen a crear ritmo, sobre todo al final de los capítulos, son incorporados posteriormente, como el «!Adiós! ¡Adiós, Roccanera!—dijeron los marinos, saludando con la gorra—, ¡Adiós, barrio de la Marina! ¡Adiós, piedras del laberinto! ¡Adiós! ¡Adiós! ¡Quién sabe si nos volveremos a ver!» *(OC* II, p. 1.299). Como en tantas otras, también en esta novela se agrega el epílogo en una corrección posterior.

El laberinto de las sirenas, El gran torbellino del mundo y *Las veleidades de la fortuna* tienen interés especial en cuanto a la elaboración de la estructura: son textos que más claramente muestran la preocupación de Baroja por la unidad exterior. Las tres novelas fueron escritas en sus años de madurez, en los años en que, según Gonzalo Sobejano, su poder inventivo iba disminuyendo. El cotejo de los manuscritos no permite aceptar totalmente esta afirmación: donde menos correcciones ocurren incluso en estos libros, donde menos vacilación se siente es en el desarrollo de la fábula. Seguramente no es falta de invención lo que inclina al autor a desparramarse en divagaciones o a intercalar trozos líricos que interrumpen la trama sencilla. Es su deseo de mostrar la complejidad del hombre y probablemente también su reacción a la crítica que le reprochaba constantemente falta de estructuración. No es frecuente que lo añadido confiera unidad orgánica a la obra; sí da prueba de la habilidad—y del deseo—del autor de juntar formas heterogéneas en un todo rítmico y casi armonioso conservando la característica de una estructura abierta.

Nos queda por considerar brevemente una faceta más en la elaboración de la obra barojiana, la que de un modo paradójico confirma su innegable originalidad. Se trata de la transformación de un texto ya existente y, por más señas, no suyo. El profesor Urrutia, quien ha sido el primero en hacer este hallazgo, lo ha comentado con toda documentación. Por consiguiente no entraremos en detalles, aunque parece imperativo aludir al fenómeno por lo menos someramente, porque toca muy de cerca el problema estilístico. Es un caso curiosísimo e incluso gracioso si se recuerdan las críticas que Castillo Puche dirigió a Baroja precisamente a causa de este texto «desconocido». En un libro escrito en 1952, o sea 21 años después de la publicación de *Aviraneta, o la vida de un conspirador,* acusa a Baroja de haberse «mantenido en esta inocencia y en esta simplicidad después de un siglo de novela psicológica» [41] y de haber inventado a un Aviraneta falseado por no haber conocido los documentos auténticos. No obstante esta acusación, luego encuentra afinidades entre los dos no sólo en lo tocante al carácter, sino incluso en cuanto al estilo: «Aun se podría probar mucho más; se podría probar la relación de semejanza y afinidad que se da entre la prosa de Aviraneta y la de Baroja, coincidencia, como es natural, casi de un orden psicológico. La retórica que le sobra a Aviraneta es producto de la época. Es cierto que algunos párrafos aviranetianos, sobre todo de su correspondencia, parecen calcados de Baroja» [42]. En realidad, es Baroja quien «calca». No sólo conocía las *Memorias* de Aviraneta, sino que las aprovechó detalladamente para la creación de seis capítulos de su *Aviraneta.* No es de asombrarse, pues, que los dos estilos muestren parecido.

Las *Memorias* de Aviraneta fueron publicadas en Méjico en 1906 y le llegaron a Baroja durante la primera guerra mundial, causando el desahogo lírico al que se ha aludido en un capítulo anterior y que empieza como sigue:

> Oh ¡tú, aislada Inglaterra, enigmática Albión, Sirena de los mares del mundo, Tutela de los caminos del mar, Dama Brújula, Niña Timón: contra el viento de la Gran Guerra has hecho llegar seguras a su destino, en la panza burguesa de un trasatlántico, estas Memorias de un hombre de corazón.
>
> Y tú, oh ¡Mar! mientras los tiranos se disputan la diversidad del planeta, tú eres uno, eres el principio

---

[41] José Luis Castillo Puche, *Memorias íntimas de Aviraneta,* Madrid, 1952, p. 74.

[42] *Id.,* p. 143.

del planeta y de la vida: la unidad; y tan pronto sumiso como indomable, solo te rindes, caballero de la tierra, a una dueña veladora, velada de fatalidad, para que en la tierra cada cual alcance su destino.

No sólo leyó las *Memorias,* sino que en el ejemplar que se conserva en la biblioteca de Itzea hizo un plan detallado para la biografía que iba a escribir [43]. Lo que hace es sencillamente copiar, a través de varios capítulos, trozos de las *Memorias* escritas por Aviraneta. Pero precisamente en su manera de copiar estriba su originalidad.

Los capítulos que tratan de la vida de Aviraneta en Méjico en *Aviraneta,* son seis; el último de ellos, la transcripción de un parte de don Isidro Barradas sobre las actividades de Aviraneta, se puede considerar como un documento oficial. Para los cinco donde cuenta sus acciones, y que constan de 28,5 páginas en la primera edición de *Aviraneta* [44], aprovecha unas doscientas páginas de las *Memorias.* El procedimiento aquí es contrario al que se ha visto en las transformaciones de los otros manuscritos: en vez de ampliar, procede por eliminación. Elimina toda la retórica ochocentesca a la que se refería Castillo Puche. Elimina, además, todo lo que no toca directamente a Aviraneta. Hay, por ejemplo, descripciones muy detalladas e interesantes de la vida y de las costumbres de los jarochos hechas por Aviraneta en sus *Memorias;* las omite, porque no iluminan ni el carácter ni las acciones de éste.

El examen de las omisiones confirma todas las ideas teóricas de Baroja sobre el estilo: las frases largas de Aviraneta se acortan en la versión barojiana; frecuentemente

[43] La diferencia es enorme cuando se compara el texto de *Aviraneta* con «La mano cortada», que se había publicado en *Los caminos del mundo* en 1914, antes de que Baroja leyera las *Memorias* de Aviraneta: en esta novelita no se apoya en ningún dato concreto.

[44] Espasa-Calpe, S. A., Madrid-Barcelona, 1931; *Mis memorias íntimas. 1825-1829,* por D. Eugenio de Aviraneta e Ibargoyen. Las publica por vez primera don Luis García Pimentel. Méjico-París-Madrid, 1906.

se eliminan adjetivos descriptivos, que añadían una nota pintoresca; condensa la narración de los acontecimientos, que fluye más rápida. En varias páginas, para acortar los párrafos, sencillamente utiliza sólo la primera parte de cada párrafo escrito por Aviraneta. Admite sólo lo esencial y elimina detalles y referencias a personajes secundarios. En el primer capítulo—el XX de *Avinareta*—no introduce él mismo absolutamente nada; sólo corta y sustituye de vez en cuando una palabra más exacta. Desde el capítulo siguiente ya no sigue el texto de Aviraneta completamente al pie de la letra, pero siempre se atiene rigurosamente a lo contado por él. Para los cambios que introduce, compárense los párrafos siguientes:

MEMORIAS DE AVIRANETA

A los seis días pasamos a la vista del Pico de Teyde en la gran canaria.

A los pocos entramos en el golfo de las Damas, y en los vientos aliseos, disfrutando una temperatura deliciosa; comiendo todos los días en buena mesa colocada sobre cubierta y bajo un toldo magnífico. Todos los días comíamos pan fresco, cocido en horno de fierro que llevaba el barco y agua deliciosa que había en sus algibes o grandes depósitos de zinc. Al medio día nos la enfriaban con nieve, y rico vino de Burdeos. Teníamos buen cocinero y nos servían excelentes comidas. Con veinte carneros y gran número de gallinas que se habían embarcado a bordo, tuvimos todos los días carne fresca hasta nuestro arribo a San Tomás, que llegamos a los quince de nuestra navegación (pp. 1-2).

AVIRANETA DE BAROJA

A los seis días de salir de Burdeos pasaron a la vista del pico de Teide, en la Gran Canaria.

Entraron en el golfo de las Damas y en la zona de vientos alíseos, disfrutando de una temperatura deliciosa. Todos los días comían pan fresco cocido en el horno del barco y agua deliciosa de los aljibes que enfriaban con nieve. Con veinte carneros y gran número de gallinas tuvieron carne fresca hasta su arribo a San Tomás (p. 137).

La eliminación ataca sobre todo los adjetivos superlativos y los detalles que elaboran las circunstancias sin añadir nada de veras esencial. Nótese también el cambio en el ritmo de las oraciones: en la redacción de Baroja pierden la ondulación lenta. Las omisiones son mucho más notables cuando lo contado tiene sólo una relación secundaria con las actividades de Aviraneta; también reduce las descripciones:

MEMORIAS

Nosotros seguimos al coronel Vázquez, que nos condujo a una ranchería grande que estaba dentro del bosque, que pertenecía a un compadre suyo, ranchero bien acomodado. La casa era de paja, inmensamente grande, dividida y subdividida por paredes de caña revestidas con esteras finas y las camas, no había más que esteras, algunos catres de viento y diferentes hamacas de pita, pero ningún mueble, a excepción de banquetas rústicas de madera. Aquel Jacal o ranchería, estaba en lo interior iluminada con faroles sencillos colocados en todas las habitaciones (pp. 14-15).

AVIRANETA

Vázquez le condujo a una ranchería dentro del bosque, que pertenecía a un ranchero bien acomodado, compadre del coronel. La casa era de paja, inmensamente grande, dividida y subdividida por paredes de caña revestidas de esteras finas.

No había muebles, a excepción de banquetas rústicas de madera; las camas eran esteras, algunos catres de viento y diferentes hamacas de pita (p. 139).

Lo que llama la atención en esta transformación es el hecho de que en realidad no modifica el texto, sino que sencillamente escoge una oración aquí, otra allí, y casi sin cambiarlas consigue una descripción armoniosa de un interior, en estilo fluido y con hechura de frases más elegante. Como siempre, introduce también una subdivisión del párrafo. Todo el capítulo XX nace usando este procedimiento: consiste casi íntegramente de fragmentos que a veces parecen escogidos a la buena de Dios, pero que luego revelan una selección cuidadosa basada en la economía fundamental de Baroja.

¿Se debería hablar de un plagio ante la evidencia del procedimiento usado? Antes de afirmarlo, no estaría de más recordar que este libro no fue concebido como una novela, o sea una obra de ficción, sino como una biografía. Así, recoge no sólo los datos referidos autobiográficamente, sino también el estilo del hombre que retrata, y lo usa con valor documental. No es el propósito de este trabajo acusar o justificar a Baroja por lo que inventó o por lo que copió. La referencia a la génesis de estos capítulos se ha hecho con la intención de mostrar una vez más, por vía diferente, la habilidad del autor en barajar, en transformar textos ya existentes: en este caso no los suyos, sino ajenos. Lo más asombroso en este ejemplo es que incluso lo que copia de otro autor adquiere ritmo, andadura, incluso vocabulario (por eliminación de lo «ajeno») y sonido tan barojianos que ni siquiera a Castillo Puche, en su empeño de atacarle, se le ocurrió dudar de la autenticidad de este estilo.

Un estudio detenido de los otros volúmenes de *Memorias de un hombre de acción* e incluso de algunas novelas que tratan de la guerra civil, como *Zalacaín el aventurero,* revelaría seguramente ejemplos de transformaciones semejantes con lo que «pide prestado» a la *Historia de la guerra civil* de Antonio Pirala, a *Le Camp et la Cour de Don Carlos,* de M. G. Mitchell (Bayonne, 1839), o a las crónicas que su padre escribía por los años 1875-6. Un caso concreto de «préstamo» son las dos páginas del libro de Pierre Lhande, *L'émigration basque* (París, 1910), que aprovecha en *Las inquietudes de Shanti Andía* (1911) [45]. Desde el punto de vista estilístico, estos préstamos no quitan valor a la obra barojiana. Al contrario, confirman su independencia y su preocupación muy consciente por un estilo auténticamente suyo.

---

[45] Las semejanzas y las diferencias entre los dos textos fueron estudiadas por el profesor Eloy Placer en un trabajo leído en la Universidad de California, Riverside, el 27 de noviembre de 1971.

A la luz de lo que se pudo observar en la investigación de los manuscritos de Baroja, que dan prueba irrefutable de un trabajo constante, concienzudo, minucioso, resulta imposible seguir repitiendo que el autor no se preocupaba ni por la composición, ni por el estilo. Un examen detallado de cualquiera de estos manuscritos revela que la imaginación se adelantaba siempre en el proceso de la invención de una fábula nueva, procediendo por saltos que apenas permitían apuntar las líneas fundamentales. Luego, una vez el proceso casi intuitivo terminado, la elaboración de la obra se sometía al razonamiento, intentando contentar no sólo la curiosidad del lector, por lo cual habría sido suficiente el rápido desarrollo original, sino también las exigencias críticas del autor que se proponía presentar con cada novela un ejemplo veraz de la vida humana en toda su complejidad.

CAPITULO V

¿EVOLUCION O REPETICION?

En lo escrito anteriormente por mí hay algo supuesto o inventado, con el fin de aclarar o explicar lo mal conocido. En estos libros finales también lo hay. Es difícil que cada personaje de tipo aclaratorio provenga de una visión directa. Las siluetas se desdoblan y repiten. Todo se repite en la vida y en la literatura [1].

Hablar de la evolución en la obra de un autor siempre es arriesgado: si por un lado se pueden observar cambios en su técnica o sus temas, por otra parte casi siempre queda un fondo inmovible que reúne y conserva las características básicas. En el caso de un autor como Pío Baroja, con más de sesenta años de actividad creadora y unos cien volúmenes en su haber, es inconcebible una producción sin variación alguna. Dependiendo de cómo se la mire, ofrece más o menos denominadores estables o facetas cambiantes. Así, Eugenio de Nora la divide, apoyándose en criterios perfectamente aceptables, en tres períodos principales: 1) «etapa creadora» (1900-1912); 2) época de reiteración y perfeccionamiento formal (1913-1936); 3) época de vejez y decadencia (1937-1956). Leo Barrow, por otra parte, toma la negación como

[1] *Crónica escandalosa, OC* IV, p. 979.

punto de partida en sus investigaciones estilísticas y encuentra las mismas actitudes de base en todas las épocas [2]. Recordando que Baroja se había declarado irredimible pesimista ya a fines del siglo pasado, antes de que hubiera publicado su primer libro, no resulta difícil aceptar esta exposición que muestra un procedimiento estilístico constante.

En el presente capítulo se compararán algunas técnicas de varios períodos novelísticos de Baroja, incluyendo una breve consideración de sus contribuciones periodísticas en los primeros años, así como algunas referencias a la obra fuera del campo de la novela: *Memorias*. Puesto que en Baroja el arte de escribir—y la evolución de este arte—está inseparablemente unido a la evolución de Baroja-hombre, parece natural que se puedan observar algunos cambios. Se debería tener en cuenta también que Baroja no es el creador de unas cuantas obras maestras, al lado de las cuales el resto de las novelas no merezca atención; al contrario, cada una de ellas representa—para usar una imagen ofrecida por el autor—un signo distinto en el «grande teclado con una serie de yoes» [3]. El yo final se revela sólo a través de la suma de todos ellos, lo cual no impide que algunas de las obras sean más logradas.

Escoger sólo unas obras «representativas» como punto de comparación se hace imprescindible cuando se trata de comprimir la investigación en un capítulo. Tal procedimiento, sin embargo, significa siempre cierta limitación e incluso distorsión de la imagen del conjunto. Así, las novelas comentadas aquí no podrán valer como ejemplos absolutos de la manera de escribir del autor en cierto período. *Aventuras, inventos y mixtificaciones de Silvestre Paradox* reúne muchas características del primer Baroja, además de contener un fondo básico que permanecerá en su obra hasta el final, pero ni de lejos puede compararse con *Camino de per-*

---

[2] Barrow establece una división cronológica en cuatro grupos, prescindiendo de todo juicio valorativo.

[3] *Juventud, egolatría, OC* V, p. 156.

fección o con *La feria de los discretos* en cuanto a las descripciones líricas del paisaje. *El escuadrón del «Brigante»* es ejemplar en la perfección de su estructura, pero la visión crítica de España, que tiene raíces comunes con la crítica practicada por otros hombres del 98, es muy diferente de su modo de proceder en *El árbol de la ciencia.* Tampoco otra obra señalada como un ejemplo de maestría técnica, *El mundo es ansí,* escrita casi al mismo tiempo, se podrá apreciar debidamente a través de la discusión de aquélla. *El gran torbellino del mundo* representa la preocupación por la estructura exterior y el interés por la divagación, pero es completamente diferente de otra novela «representativa» del mismo período, *El laberinto de las sirenas,* donde las preocupaciones mencionadas se entretejen con una intriga novelesca, y donde abundan también descripciones líricas del paisaje, así como poemas en prosa intercalados. En fin, *Susana,* una obra de la vejez, es menos compleja que *El caballero de Erlaiz* o *Laura.* Las obras escogidas servirán sólo como punto de partida, y la comparación entre ellas no pretende dar una imagen completa del arte ni de la evolución de Baroja.

En su ensayo sobre el estilo de Pío Baroja sugería Alberich que para conocer su evolución sería necesario estudiar los primeros artículos dispersos en la prensa y señalaba que en los escritos de los primeros años se notaban características comunes al modernismo, e. g. el deseo de crear una prosa rítmica, que había subrayado también Jeschke [4]. Julio Caro Baroja, a su vez, hace notar que ya los primeros ensayos y cuentos «tenían, por lo general, un tono filosófico, un tono de época y edad que hizo que no gustaran nada a don Nicolás Salmerón y que fue la causa de que

[4] *Op. cit.,* pp. 70 y sigs.

dejara de colaborar en *La Justicia*» [5]. Indica, además, que los cuentos nacieron entre 1892 y 1900, es decir, precisamente cuando comenzaba a enviar sus contribuciones a los periódicos. Hace observar también que ni el tono ni el concepto de algunos de ellos se repite más tarde. Hay que considerar, por consiguiente, este período como el período de formación, los años de tanteo, en los que ensaya varios estilos hasta llegar a forjarse el suyo.

Los primeros artículos que publica Baroja en *La Unión Liberal* de San Sebastián en 1890 son los de la serie sobre «La literatura rusa», a los que se ha aludido ya. Los primeros son meros resúmenes que aún no dejan vislumbrar lo personalidad del autor; los últimos revelan más claramente sus gustos literarios e ideológicos, pero no se destacan por su manera de expresarlos. Todos ellos están escritos en estilo informativo, ateniéndose a lo esencial y traicionando su gusto por la rapidez y la brevedad de la visión:

> Como pintor de costumbres, es admirable. Tiene algo de Teniers en el colorido y algo de Velázquez en el dibujo, y describe las escenas familiares con suma naturalidad y un colorido que encantan. ... El diálogo no puede ser más animado, sus descripciones no pueden ser más verdaderas, pero no dispone de la acción, deja languidecer las situaciones más dramáticas y parece que adivina el interés del lector en una escena para fatigarle con sus descripciones [6].

Aquí se trasluce el joven lector de libros de aventuras, que luego reconocerá el valor de las descripciones del paisaje y pecará él mismo más que Gogol por sus divagaciones.

Muy diferentes en el tono son los dos artículos escritos en colaboración con su hermano Darío, también de 1890;

---

[5] Prólogo a Pío Baroja, *Cuentos*, Madrid, Alianza, 2.ª ed., 1967, p. 7.
[6] «El naturalismo: Gogol», *La Unión Liberal*, núm. 345, 6.III.1900.

«Silverio Lanza y su editor J. B. A.» y «Vates calenturientos». El «tempo» de éstos es mucho más rápido, la ironía más mordaz; en las invectivas no se anda con remilgos. Y sin embargo, la impresión general es de una gracia innegable; el tono burlón parece indicar que no se toma nada muy en serio. Como ilustración, véanse el primer párrafo del primero y el último del segundo:

> ¡Qué injusta es la suerte! Yo que me precio de crítico de alto coturno, un Taine, un Sainte-Beuve, un Janin, que he disecado a granel, no tenía noticia de que había existido en el mundo un tal Silverio Lanza, el cual, mientras vivió, dio en la flor (bien espinosa y de acre perfume, por cierto) de escribir para el señor de Lector, que decía el malogrado Agustín Bonnat. Pero nunca es tarde si la dicha es buena.

> ¿De qué modo, pues, vosotros, poetas chirles, queréis resucitar aquellas épocas de inocente locura? ¿Con vuestros versitos? Inútil empeño, vana empresa. A este vetusto siglo XIX le ha salido, años ha, la muela del juicio y de burla al oír cosas que un tiempo le conmovieron en lo más íntimo [7].

Esta gracia, este tono despreocupado y a la vez interesado ya no se repetirán. Al coger la pluma solo, Pío Baroja no se permite bromas; siempre procede con seriedad, incluso en sus observaciones irónicas. La muerte del hermano dicta no sólo temas que le parecen obsesionar en los años inmediatamente siguientes, sino que influye también en la expresión.

Resumiendo las primeras tentativas que asoman en los periódicos, se puede sugerir que el interés por el dominio de la forma existe en Baroja desde el principio, tal vez par-

[7] *La Voz de Guipúzcoa*, núm. 1970, 15.IX.1890 y núm. 1990, 6.X.1890.

cialmente debido a los aires modernistas que soplan fuertes en esos años. Por otra parte, ya desde entonces se afirma la precedencia del contenido: en un artículo escrito en 1898 protesta violentamente contra la búsqueda de las apariencias cuando éstas no tienen qué encubrir. La voluntad de estilo se puede observar en varios artículos por el uso del estribillo, por el ritmo recurrente, por la alternancia equilibrada de efusiones líricas y descripciones realistas, o del pasado y el presente [8].

La alternancia de varios «tempos» y de tonos diferentes en la narración es evidente en «La obra de Pello Yarza», de 1901. En esta obrita parece acordarse de las leyendas de Bécquer, no sólo en cuanto al tono, sino también en cuanto a la estructura. Empieza por crear un ambiente lánguido y melancólico, muy parecido al de «El rayo de luna»; luego aviva la narración alternando los párrafos en que continúa la nota nostálgica con una relación abreviada de las «aventuras» de Pello y con algunas observaciones de carácter costumbrista. Al final vuelve al tono nostálgico, que raya con el sentimentalismo. La reiteración del párrafo inicial al final intensifica la impresión de estructura circular. La nota sentimental, así como la descripción del pueblo envuelto en bruma, con aire casi mágico, traen reminiscencias de Bécquer; la crítica social implícita permite adivinar a Baroja.

«A orillas del Duero», también de 1901, contiene a su vez varias características que permanecerán en la obra barojiana de los años maduros: descripciones líricas del paisaje, de movimiento apenas perceptible, que ayudan a crear el ambiente total; y por otro lado realismo en observar detalles costumbristas, vivificados por la inclusión de rápidos escorzos de diálogo. La alternancia del imperfecto y del pre-

---

[8] El estribillo se usa en «La muerte y la sombra», *El Ideal,* 21.III. 1894; «Poncio Pilatos», *El Globo,* 9.IV.1903; «Cuadros del Greco», *El Globo,* 26.VI.1900; el ritmo alternante es notable en «A orillas del Duero», *El Imparcial,* 2.XII; 9.XII; 16.XII y 30.XII.1901; 13.I y 10.II.1902.

sente entreteje la intrahistoria con la inmediatez de una experiencia personal única. Aquí aparece incluso algún tipo que cuenta su historia. Así, desde el principio se unen el lirismo, la crítica social y asomos de ironía. Sería difícil encontrar una denominación justa para estos fragmentos: son concebidos como crónicas—lo atestigua el hecho de que les ponga fechas y nombres del lugar en que se escriben—, pero a menudo parecen funcionar sólo como desahogos líricos. Ya en ellos demuestra, pues, que no quiere separar tajantemente la manera de escribir un ensayo, un cuento o un poema en prosa. Del mismo modo, en sus «Croquis madrileños» de 1897 y en sus crónicas de la guerra civil en Marruecos mezcla reportajes, impresiones casi poéticas, e incluso un tanto de moralización: cualidades que luego se encuentran en sus novelas.

Los ecos que se pueden trazar en los primeros escritos de Baroja no se limitan a Bécquer. «Burguesía socialista», publicado en *El Globo* en 1902, hace recordar la crítica llena de ironía que usaba Larra. Este artículo es un ejemplo de estilo claro, expositivo, conciso; reproduce un fragmento del diálogo para añadir una nota viva; introduce alguna faceta pintoresca. Aquí se sigue el modelo clásico de estructura: exposición del tema a través de un ejemplo concreto; generalización y discusión de la idea; conclusión. Todos los artículos de estos años llevan su poquito de moralización: unos como ataque abierto, otros por implicación. En los menos barojianos asume el tono de parábola, que luego abandona por completo.

Varios entre los primeros artículos tienen aún un tono melodramático, que poco a poco irá desapareciendo. Es curioso que no incluya en *Vidas sombrías* cuadros como «La gran juerga» (1894), «La muerte y la sombra» (1894), «El enfermo» (1896), «La institutriz» (1899), «El poeta» (1900). Tal vez ya al reunir su primer libro haya pensado que no correspondían al estilo que en su desarrollo había adquirido un matiz más individual. Un buen ejemplo de su deseo de proscribir el sentimentalismo y la retórica es la transformación del artículo que en 1899 publica como «Lejanía» en *Revista Nueva* y que vuelve a ofrecer en *El Globo* en 1903 como «Espíritu de subordinación». La eliminación de lo «literario» le confiere más fuerza, como se observará comparando un párrafo de las dos redacciones:

1899	1903
Sufrían y miraban al cielo esperándolo todo de arriba. El sacerdote los enervaba con sus oraciones y sus promesas celestes, les enloquecía y desequilibraba con sus cuentos milagrosos, sus fantasmas y sus espectros; llenaba sus almas de sombra, de inquietudes y de tristeza. El rey hacía pesar su tiranía sobre ellos, el noble les explotaba con odiosas gabelas e ignominiosos tributos. Y ellos, los pobres, amaban al sacerdote, adoraban al rey y respetaban al noble.	Sufrían y miraban al cielo, esperándolo todo de arriba; el cura les enervaba con sus misterios; el noble les robaba; el Rey les tiranizaba; ellos querían al cura, al Rey y al noble. Tenían sangre de esclavos.

El segundo texto es más eficaz a causa de su brevedad. Intensifica el efecto por la estructura: la enumeración repetitiva de los explotadores. El sustituto «cura» por «sacerdote» implica de por sí una visión despectiva. La última frase, que añade, se repite al final de varios párrafos, formando un estribillo que resume la intención principal del autor.

La continuidad del proceso creador desde los primeros tanteos es evidente también por los temas. Los artículos de los años 1890-1905 contienen ya el núcleo total que será elaborado en los años siguientes. La obsesión por la muerte y el dolor, que causa una actitud pesimista, es muy fuerte en estos años, así como su interés por los pobres y por la injusticia social, que asoma a cada paso. La diferencia entre el tratamiento de esta preocupación en los artículos y luego en las novelas estriba en el tono. En los artículos, comparables a lo que escriben otros miembros de la generación por los mismos años, la exposición clara va casi siempre acompañada de invectivas contra el explotador. El ataque, la acusación son mucho más obvios, el tono más militante, pero a la vez más retórico y por consiguiente menos eficaz. En las novelas, las mismas acusaciones frecuentemente ni siquiera se formulan en palabras, sino que se deducen del cuadro creado. Sería imposible encontrar en ellas una presentación como la siguiente, ejemplo de la manera más temprana:

> ¡Qué frío hace! El vapor de agua se congela en los cristales de las ventanas; el viento helado corre por entre las rendijas de las portezuelas. En un extremo del coche se ve a un hombre y a su mujer—ambos a cuerpo y vestidos de verano—que arropan, con un raído mantón, a su hija, que asoma por encima del esbozo su cara de grandes ojos aterida y lívida; otros dos hombres hay en el vagón: el uno se encoge porque no puede alargar el harapo que tiene por manta; el otro taconea con furia, quizá con la ilusión de calentarse los pies, pero nadie puede infundir calor a sus agarrotados miembros.
>
> El farolillo del techo presta una semi-claridad al interior del coche; el banco está duro como corazón de usurero, y no se puede dormir; ninguno habla; se contentan con dirigirse foscas miradas, porque el frío excita el cerebro y hace imposible el conciliar el sueño, y el hambre y el frío dejan desfallecido al cuerpo y dan instintos insociables al espíritu.
>
> Y sin embargo, todos han tenido que ahorrar y sufrir privaciones para comprar su billete, y el precio de éste representa para ellos muchos días de trabajo, muchos afanes y muchas miserias.

> Y el accionista, mientras tanto, envuelto en su bata y cubierta la cabeza con su gorro, tostándose los pies en la chimenea, mira las llamas, que serpentean por entre las leñas, oye el silbido del viento, ve, a través de los cristales de su ventana, la caída de las últimas y amarillentas hojas de los árboles, y después de leer su nombre veinte veces, su nombre escrito en los periódicos, como presidente de una sociedad caritativa, observa que las ganancias que le dan sus acciones de los caminos de hierro no son las que su ambición desea, y se lamenta y piensa en que ha de hablar a sus amigos para que pidan que subvencionen nuevamente a la Compañía; pero sus filantrópicas inclinaciones no llegan hasta enseñarle que, por poco dinero que desembolsase, podría hacer esas neveras móviles, que son los coches de tercera, si no confortables, un tanto pasaderas [9].

La lección es demasiado obvia aquí; la división entre blanco y negro sobremanera radical. La narración no vale por sí misma: sólo sirve como vehículo para la crítica social.

La tendencia al melodramatismo no se afirma siempre, sin embargo. Otro de los artículos tempranos, «La tuberculosis y el matrimonio», de 1903 (clara prueba del impacto dejado por la muerte del hermano e incluso una posible causa de su resolución de no casarse), muestra ya a esta fecha la capacidad de Baroja de exponer las ideas clara y sucintamente. No esquiva términos científicos—es la época en que más cerca se encuentra de la medicina—y presenta sus conclusiones de una manera objetiva.

Fragmentos o bosquejos de sus libros se encuentran también entre las publicaciones periodísticas de estos años. Así,

[9] «En el vagón de tercera», *La Justicia*, núm. 2.142, 18.XII.1893.

en 1901, *Juventud* publica «Ciudad sin alma»: la descripción de Yécora que será incorporada en *Camino de perfección;* el cuento «Las dentaduras de Mr. Philf», aparecido en *El País* en 1899, pasa a formar parte de *Silvestre, Paradox;* en «Mala hierba», que da a conocer en 1902 en *El Globo,* se discurre sobre la «golfería». Y una crónica madrileña titulada «Hampa», publicada en *El Pueblo Vasco* en 1903, contiene párrafos que con leves cambios serán trasladados a *Mala hierba.*

En el capítulo anterior se ha comentado el cambio al que ha sido sometido el cuento «La trapera» a través de sus varias redacciones. Una gran parte de los cuentos reunidos en *Vidas sombrías* ven la luz del día varios años antes en periódicos, y varios atraviesan transformaciones parecidas, a veces en intervalo brevísimo. Así, un breve fragmento publicado con el título de «Sin ideal» en 1899 aparece en 1900 como la primera parte de «Nihil», y «Día de niebla», de 1894, que en 1898 se publica con el mismo título y cambios insignificantes en *El Nervión* de Bilbao, se transforma en «Grito en el mar». El proceso de elaboración en éste es semejante al que se ha podido observar en las novelas comentadas en el capítulo anterior: el autor va añadiendo notas complementarias y transformando los párrafos. Su modo de escribir no cambia, pues: desde los primeros años manifiesta el deseo de encontrar la expresión y la forma adecuadas, que permitan incluir ya en los escritos breves todas las insinuaciones y una variedad de actitudes.

La evolución en el autor es continua. Algunos cuentos de *Vidas sombrías* muestran un estilo ya decididamente suyo. Las diversas técnicas que ensaya en ellos hablan de su inquietud, del deseo de conservar varias puertas abiertas para el desarrollo futuro. Algunos acusan una nota sentimental fuerte; otros aún no se han liberado de cierto retoricismo; pero en los mejores practica ya la distancia humorística. Sorprende al lector por un despego repentino de lo contado, como al final de «La vida de los átomos», o en «Medium», donde el último párrafo permite nuevos niveles de interpretación. En muchos usa la técnica de contraste, que a veces recuerda a los autores románticos; en casi todos cuida el diálogo y los toques costumbristas. El simbolismo de unos cuantos se debe probablemente a la influencia de la época, que se puede percibir también en *La casa de Aizgorri*.

En todos los cuentos se nota la preocupación por la estructura: los párrafos son breves y equilibrados, frecuentemente escritos en prosa rítmica. El uso de las formas verbales es magistral cuando se trata de producir un efecto fuerte: en «Grito en el mar» apenas hay movimiento a través del cuento; todo respira tranquilidad obtenida alternando el presente con el imperfecto. Así, la repentina irrupción de un pretérito condiciona la receptividad del lector aun antes de que se anuncie el acontecimiento trágico. El efecto se intensifica por el hecho de que luego la narración vuelve al imperfecto y al presente, destacando la unicidad de la emoción instantánea [10].

Otras veces la oscilación entre los tiempos ayuda a establecer el ambiente general, como la nostalgia, conseguida por el uso del presente, con que abre y cierra «Mari Belcha». En este breve cuento, señalado repetidamente por los críticos como muy importante por ser una de las primeras manifestaciones del fondo sentimental del autor, aparece incluso una divagación sobre la vida y la nada. En su breví-

---

[10] Mucho más tarde, en *Las noches del Buen Retiro*, confirma que es consciente de los efectos que se pueden conseguir con las formas verbales: «El pasado no es mejor que el presente, mi querida amiga, es cierto, pero se alumbra con una media luz crepuscular sugestiva, poética, distinta a la claridad cruda y agria del momento. Sólo el empleo del verbo en pasado basta para matizar la frase de cierta nota melancólica» (*OC* VI, página 587).

simo desarrollo experimenta con el tiempo, rompiendo la cronología: recurso que usará constantemente en su producción ulterior.

En «La sima» la maestría del narrador es innegable. Condensa en este cuento la crítica de la superstición, de la apatía de los aldeanos, de la ineficacia del ministro de la Iglesia; notas costumbristas de la vida de los pastores, que no tiene nada del idilio pastoril, se juntan con vigorosas descripciones del paisaje. Estas abundan en imágenes literarias, que más tarde ya no se encuentran en las páginas barojianas, pero siempre refuerzan la impresión general del ambiente. En realidad lo establece desde la primera oración: «El paraje era severo, de adusta severidad» [11], y sigue intensificándolo por medio de metáforas: «sierpes y dragones rojizos nadaban por los mares de azul nacarado del cielo», «densas nubes negras, como rebaños de seres monstruosos, corrían por el cielo». La retórica va de acuerdo con la imaginación de los pastores supersticiosos; sólo motivándola así es aceptable.

La sobriedad y la rapidez de la narración, el uso de vocabulario técnico, la reproducción de escorzos brevísimos del diálogo en dialecto, actúan como contrapeso a los deslices melodramáticos y mantienen la verosimilitud. Lo real y lo supersticioso se presentan paralelamente, sin comentario, con lo cual consigue un efecto más fuerte. Hay, por fin, un sabio manejo de figuras para producir el clímax dramático: el cuento empieza con dos personajes; el número va creciendo hasta llegar al punto culminante: el oficio de los difuntos, y decrece otra vez hasta dejar el lugar completamente solitario.

---

[11] Usa la misma técnica a través de toda su obra, como se puede ver en el comienzo de una de las historias escritas en su vejez: «A los personajes de esta historia los conocí hace mucho tiempo, después de la guerra mundial del 14 al 18, primero en Basilea y luego en Stuttgart. La historia es lamentable y triste» («Un aviador ruso», *Los enigmáticos*, *OC* VIII, p. 391).

En general, los personajes de los cuentos están muy ligados al ambiente y representan ya una gran variedad de tipos. En cuanto a los temas, su repertorio es interminable; enumerarlos equivaldría a repasar la temática completa de Baroja. Lo más interesante de este libro es la heterogeneidad de tratamiento de los temas. Estos irán repitiéndose, pero ya ninguna obra posterior mostrará tan claramente todos los «yos ex-futuros» del autor, permitirá percibir tantas posibilidades y tantos caminos que se abrían ante él al principio.

Entre las primeras novelas de Baroja, *Silvestre Paradox* (éste era el título en la primera publicación; «Inventos, aventuras y mixtificaciones» aparecía entre paréntesis, como subtítulo) [12] es probablemente la más polifacética y la que reúne más características permanentes de la obra futura. Aunque el autor mismo hable un tanto despectivamente de ella, indicando que nació en circunstancias poco propicias para la concentración y que le faltan unidad y un «último repaso», en realidad revela a un escritor consciente que se vale de una gran variedad de recursos.

Es interesante esta obra también por mostrar muy claramente aún las huellas que han dejado las copiosas lecturas en el autor incipiente, y por otra parte el sello personal que imprime sobre ellas. Analizándola detenidamente se puede rastrear varios ecos, desde *Lazarillo* y Cervantes has-

[12] La primera entrega salió en el núm. 8.914 de *El Globo*, el 30 de abril de 1900. Es de recordar, sin embargo, que ni siquiera esta versión se puede considerar como la primera redacción, ya que tenía escrito el núcleo años antes y lo abandonó al marcharse de Madrid a Valencia (véase *Familia, infancia y juventud*, *OC* VII, p. 601). Los brevísimos fragmentos de un manuscrito conservados en Itzea no permiten formar ningún juicio sobre esta versión; por consiguiente, en el comentario que sigue no se referirá a ellos. Fue publicado como libro en 1901 (Rodríguez Serra, Madrid). Para todas las citas se usará el texto en *OC* II.

ta Dickens y Haeckel, pasando por los folletinistas. Nada suena a imitación consciente, sin embargo: todo se agrega naturalmente al mundo caótico que se desarrolla a través de la novela como uno de sus temas principales.

Algunos críticos ven la influencia de la novela picaresca en el fragmentarismo de *Silvestre Paradox,* en la semejanza del protagonista—un vagabundo—con el pícaro, en el detalle concreto del primer encuentro con un mendigo. Son innegables estas reminiscencias; lo son también el aprendizaje de Silvestre—para engañar a la gente crédula—con Mr. Macbeth; la descripción de la «casa lóbrega» de los tíos; el hecho de que el niño se queda completamente solo y debe ingeniárselas para sobrevivir a la muerte de su madre; algunas conclusiones moralizantes que saca de sus experiencias. No hay que dejar de considerar, sin embargo, que en el encuentro con el mendigo Silvestre se le asocia como persona independiente y le usa a él para esquivar las sospechas de los guardias, y que a través de toda la novela da muestras continuas de una cualidad que muy escasamente se encuentra en los pícaros: la imaginación idealista, que casi siempre vence la realidad [13]. Un pícaro se aprovecha en cada encuentro y va evolucionando en sus mañas; Silvestre no escarmienta: su potencial para la ilusión es tan fuerte al fin como al principio del libro. Los finales de *Lazarillo* y de *S. P.* son muy diferentes: el uno se asienta y va convirtiéndose en un burgués; el otro sale para un viaje nuevo, sin haber perdido su ingenuidad, hacia un horizonte totalmente abierto y lleno de incertidumbre.

Cervantes ha sido el maestro de todo escritor español. Es imposible leer a Galdós, por ejemplo, sin recordarle a cada paso. También Baroja asimila algunos detalles concre-

---

[13] Lo ha hecho notar Ortega: «Pero aunque se componga de ambos simples, es, primero y más hondamente que pícaro, idealista» («Una primera vista sobre Baroja», *El Espectador,* I, p. 169). Se refiere aquí al vagabundo barojiano en general.

tos, así como algunas técnicas. La prueba dramática del submarino en el estanque, durante la cual Silvestre se niega rotundamente a repetir el experimento, trae recuerdos de Don Quijote retrocediendo ante la segunda prueba de la celada. La quema de los libros emprendida por Avelino y Silvestre por razones intelectuales parece inspirarse en la que organizan el cura y el barbero. A través del libro da Baroja, además, unos resúmenes al fin o incluso en medio de algún capítulo que recuerdan la misma técnica en *Don Quijote* al terminar una u otra de sus aventuras [14].

Bécquer se hace presente por alguna nota sentimental, aunque éstas también son patrimonio de los folletinistas. Más claro parece el eco en una exclamación que sirve de apoyo rítmico: «¡Oh, qué fría debe de estar la tierra!», que hace pensar en el famoso «¡Dios mío, qué solos / se quedan los muertos!», de Bécquer [15].

Tampoco faltan reminiscencias de Larra. El recuerdo más obvio se da en el personaje de Braulio. El parecido con el Braulio de «El castellano viejo» consiste no sólo en el nombre, sino en la caracterización total de la persona: un bruto inculto en los dos casos. Varios comentarios mordaces embebidos de ironía también pueden haber sido inspirados por Larra.

El folletín es una presencia constante en toda obra de Baroja, y más especialmente—o más directamente—en las primeras. El hábil manejo de la intriga, el tira y afloja

---

[14] He aquí uno de ellos, en nada inferior a los cervantinos: «Elvira iba incomodada; en su fuero interno, toda la culpa la tenían su marido y Pérez del Corral, que ya había pasado a la categoría de marido segundo; García Ortí se asustaba de haber tenido alguna autoridad aquella noche; Pérez del Corral no se atrevía a hablar; la niñera estaba enfurruñada porque no había visto la función; el municipal y su mujer iban riñendo; el niño se había dormido, Cristinita también, y Paradox silbaba» (*OC*, II, p. 104).

[15] «Rima LXXIII», G. A Bécquer, *Obras completas*, Madrid, 8.ª edición, 1954, p. 486.

para suscitar y mantener la curiosidad del lector, el aire de misterio establecido al principio de la obra: todo esto son recursos muy corrientes en el folletín. También lo son los traslados de un ambiente a otro, dejando la intriga principal sin resolver y alternando tramas secundarias para aumentar la tensión dramática. Las repetidas referencias al folletín a lo largo de la novela parecen indicar, a su vez, que cuando el autor toma algo prestado, lo hace conscientemente. No se debe olvidar que incluso en Fernández y González admiraba la técnica del *conteur*. Lo curioso es ver cómo en el primer capítulo de *Silvestre Paradox* las técnicas folletinescas se complementan con otras dickensianas, elevando la categoría de la novela a un nivel más alto.

Dickens se preocupaba mucho por «el comienzo bien hecho» de una novela. Se podría sostener que el primer capítulo de *Silvestre Paradox* es uno de los mejor estructurados y de los más compactos del libro. Nada sobra aquí, nada está añadido arbitrariamente. En pocas páginas condensa varios temas y procedimientos. La presentación humorística de los personajes—más humorística que en las novelas posteriores—se debe probablemente también al recuerdo del humorismo de los personajes en Dickens.

Aunque se haya dicho que *Silvestre Paradox* es un libro descosido, en el cual la preocupación por la estructura es casi inexistente, no es imposible encontrar pruebas para una afirmación contraria. Es cierto que el libro consiste en muchas aventuras que podrían cambiar de sitio, eliminarse o aumentarse sin producir cambios fundamentales en la novela, pero también es verdad que posee cierto ritmo y ciertos factores cíclicos. Así, tanto el primer capítulo como el libro entero empiezan por la llegada y terminan por la salida: una confirmación del leit-motif del viaje. Puesto que otro leit-motif se podría llamar «los caprichos del destino y del azar», a él se debería atribuir cierto desarreglo en la estructura. El deseo de unidad es evidente, sin embargo, en más de una ocasión. La estructura circular se puede observar en el fragmento que cuenta la niñez de Silvestre, que empieza y termina con la introducción del autor y de Sampelayo y Castillejo, autor supuesto de esta parte del manuscrito. En el capítulo V se añade el último párrafo en la segunda edición, consiguiendo con ello el mismo efecto circular. El ritmo repetitivo se intensifica en el primer capítulo por medio de breves frases exclamativas que sirven casi como resúmenes de las consideraciones inmediatamente precedentes: «¡Oh terribles misterios de la vida!» (p. 11); «¡Sí, su dignidad estaba por los suelos!» (p. 12); «¡La ciencia no tiene patria; el infinito, tampoco!» (p. 14). Lo mantiene por la reiteración—o variación—de ciertas circunstancias, como la huída por los tejados, que se repite tres veces: Silvestre de niño; Pelayo y sus cómplices después del robo; la fuga dramática de Silvestre y Avelino al final. El motivo contrastante de alegría y de tristeza se ofrece con la muerte de la abuela durante el Carnaval y con las escenas de la miseria en Nochebuena. Ciertos personajes aparecen sólo a intervalos, casi como para subrayar la continuidad: los hermanos Labarta, Pérez del Corral, la niña Cristina. En cuanto a los temas principales, se reiteran regularmente a través de la novela. Están asociados con el título del libro: el apellido de Silvestre, Paradox, sirve para resumir la visión del mundo como un caos lleno de paradojas. Estos leit-motifs dominan la estructura de la novela y, si se quiere, explican su fragmentarismo.

La novela se abre *in medias res:* la aparición de un criado en cierta calle. Todo es indefinición al principio: no se sabe quién ni cómo es el mozo, ni a quién sirve, ni qué lleva, ni por qué ciudad anda. Con él asoma la primera paradoja: un mozo de cuerda que queda sumido en *hondas* meditaciones. El autor no se preocupa por presentarle: con esto sugiere que será un personaje efímero.

Desde el primer capítulo se introduce el leit-motif del caos: tal es la primera impresión del portero cuando entra a escondidas en la buhardilla de Silvestre y percibe el «maremágnum» que reina allí. El efecto se intensifica por la enumeración caótica de objetos dispares no sólo en éste, sino también en los capítulos siguientes. Lo curioso es que luego, en el capítulo II, use la imagen de la buhardilla para definir el mundo, creando así una metáfora de segundo grado.

El tema de la paradoja vuelve en el capítulo II, donde se cuenta cómo la madre de Silvestre se separa de la abuela, con quien se entiende a la perfección y a quien quiere, para ir a vivir con los parientes que habían renegado de ella, y adquiere dimensiones mayores en el capítulo IV, en una generalización sobre la naturaleza humana: «Si Macbeth y su mujer eran ladrones, ¿serían los ladrones las únicas personas buenas y caritativas del mundo? Y al pensar en sus tíos, que gozaban de fama de intachables y de honrados, se preguntaba si no sería ser honrado sinónimo de egoísta, de miserable y de vil» (p. 44). Estas consideraciones incluyen otro tema que volverá regularmente a través de la novela: el de la injusticia y, con ella, de la hipocresía. Los dos se subrayan en la preferencia de Fernando Ossorio por una vida pobre con la prostituta que protege en vez de la abundancia en la casa llena de corrupción de sus tías.

El caos, acompañado de la decadencia, reina también en la segunda casa presentada en la narración actual: la de Avelino. A esta visión se agrega la paradoja: una escalera que lleva a una ventana en vez de la puerta. Todo contribuye para preparar la presentación del amigo no menos estrambótico que Silvestre mismo.

Las paradojas y el caos continúan en cada fase nueva. Así, para realizar una invención, los amigos se dirigen a una prendería que sólo almacena cosas viejas, y se deleitan en inspeccionar el caos de prendas heterogéneas que se ven allí. Las discusiones con el portero, mientras tanto, enteran de lo caótico de la situación política. Por fin, las lecturas de Silvestre producen un caos en su orientación filosófica. Este reina también en el hospital a causa de la despreocupación de los internos. La paradoja se extiende al detalle de que, no teniendo él mismo qué comer, Silvestre adquiere un criado. Un ejemplo del caos y de la ruina en miniatura se ofrece en la escena en que Silvestre escudriña el contenido de la caja en la que iba coleccionando papeles heterogéneos, mientras que el amorío entre Pérez del Corral y Elvira sugiere el caos dominante en las relaciones humanas en general.

El caos y la decadencia se presentan otra vez en el monte de piedad y se trasladan a la orgía navideña en casa de los Labarta. El último contraste paradójico es presentado por el doctor Labarta, quien lee su poema «tenebroso» «con un aspecto jovial de hombre satisfecho». La mayor paradoja de todas, sin embargo—la que justifica el nombre del protagonista—se da en la escena final del libro. En ella, ni el aspecto de la naturaleza muerta, ni los recuerdos de todos los fracasos anteriores logran impedir que surja una ilusión nueva, y que el idealista irredimible emprenda la nueva aventura con espíritu alegre y confiado.

La presentación de los personajes en esta novela varía según su importancia. El más curioso de todos es quizá Avelino, el amigo «en fantasías». Aunque es, después de Silvestre, el personaje más importante, en realidad no aparece mucho y es introducido con una descripción muy breve. Su presencia se prolonga por excursos en el pasado y por la asociación de los dos para el futuro. Sus apariciones ocurren, además, en los puntos más importantes para el desarrollo de la vida de Silvestre.

A ninguno de los personajes presenta Baroja usando la misma técnica. En los menos importantes acumula detalles sueltos, casi siempre creando un efecto cómico, como en el caso del portero, donde percibimos primero un gorro, una bufanda y un chaleco, más tarde completados por una comparación hábil y por fin por un párrafo—añadido en la segunda redacción—que especifica sus gestos característicos. Es notable lo que el autor consigue en esta presentación con el uso de los diminutivos: «un hombrecillo», «andaba a pasitos cortos», que luego contrasta con la manera hinchada de hablar. El lector, después de leer la serie de comparaciones («con un aspecto de cura, profesor de baile o cómico bien alimentado») y teniendo en cuenta los diminutivos, ya no puede tomar en serio tal personaje.

El procedimiento se repite al introducir otro personaje de poquísima importancia, el hijo del administrador, ampliada en la segunda redacción: «chiquitillo, repeinado el pelo lustroso, con las guías del bigote terminadas en dos círculos tan perfectos, que honraran a cualquier peluquero, porque ni un matemático con su compás hace circunferencias tan admirables; la cara de Polín era manchada, algo así como cara de feto puesto en alcohol que empieza a reblandecerse; su nariz tenía forma de picaporte, y además de ser granujienta y encarnada, estaba brillante, como si acabasen de untarla con una sustancia grasa» (p. 14). La predilección por los detalles para crear un efecto cómico trae a la memoria el arte de Cervantes en retratar a Maritornes.

Cuando quiere crear una reacción negativa en el lector, también procede por acumulación de detalles, en este caso más bien repugnantes, y haciendo pensar en Quevedo antes que en Cervantes: «Tenía una nariz de esas de caballete, horizontal en su nacimiento, y que luego se arrojaba por la vertical con fuerza y desesperación tan grandes, que chocaba con el labio; padecía una úlcera crónica en el ojo izquierdo, y sobre él llevaba una cortina verde; pero la fuerza del ojo derecho parecía haberse reconcentrado en el izquierdo: tanto brillaba éste de inteligencia y de malicia en la hundida órbita» (p. 22). Ni el tipo cómico, ni el negativo se darán en las obras posteriores en presentación semejante: tarda muy poco en liberarse de toda reminiscencia literaria, y en sus libros de madurez crea a los personajes con líneas más tajantes, más rectas, con mayor economía de detalles y de comparaciones [16].

El protagonista, al contrario, va emergiendo sólo por entregas: primero se hace una alusión a él como a un «tío raro»; luego se ofrece un retrato que suscita la curiosidad del portero; éste se completa con datos científicos que establecen su tipo antropológico. El misterio se intensifica por la circunstancia de que el portero no entiende ni los términos científicos, ni el nombre latín, de lo cual deduce que el nuevo inquilino debe de ser una persona de cuidado. La curiosidad va en aumento cuando después de estas insinuaciones se intercala el episodio de la inspección del bulto misterioso. Y Silvestre se presenta en persona sólo en el primer momento climáctico de la obra: el de la muerte o la salvación de la culebra. Su primer gesto y sus primeras palabras confirman la impresión sugerida por el portero. Lo recalcan las reflexiones del protagonista al quedarse solo: su reacción a la patente denegada. Desde su primera entrada se afirma también su asociación con los animales: la primera descripción de Silvestre es apenas más larga que la de su perro, y una jerarquía precisa se establece en la subida a su buhardilla. En este momento el narrador parece aceptar el punto de vista de Silvestre: «Comenzaron a subir la escalera el señor, el perro, la culebrilla, la avutarda y el mozo de cuerda» (p. 13).

Son excelentes los párrafos que introducen la imaginación de Silvestre en sus reflexiones acerca de lo injusto de la denegación. A medida que entra en el mundo de inventor, cambia de tono (tanto en el monólogo interior como en la narración, que asume su enfoque) y se va volviendo retó-

---

[16] La diferencia resulta evidente, comparando esta presentación con otra hecha en los años de madurez: «Era todavía felina; sus ojos soñadores habían perdido su brillo y su encanto, pero le quedaba algo del tigre viejo y derrengado que bosteza dentro de la jaula» (*El sabor de la venganza, OC* III, pp. 1.151). Las palabras son pocas aquí, pero cada una implica mucho—ante todo presenta el interior de la persona.

rico. En un solo párrafo sale de su buhardilla, de Madrid, de España y declara su derecho al infinito. Un poco más tarde, ya no en fantasía, sino en la realidad, repite el gesto: ensancha el horizonte abriendo la ventanilla, escudriñando los alrededores e imaginando—otra vez, y con ello extendiendo la dimensión temporal—las escenas y las historias cuyos testigos han podido ser las paredes que abarca su vista. Cuando por fin sale, al terminar el capítulo, aún no hemos logrado conocerle. Habrá que ir descubriéndole poco a poco hasta el final del libro, para enterarse del anhelo de cariño que siente, ilustrado por la escena con la niña y seguramente por lo menos parcialmente autobiográfico; de su generosidad en ocuparse de un hombre a quien no puede justificar moralmente; de sus capacidades inventivas.

El procedimiento cambia radicalmente en el capítulo II: el tiempo de la narración es otro, son otros el punto de vista y la estructura. En este capítulo aparece el autor. Este, a su vez, introduce al segundo autor: un catedrático que luego, en el desarrollo ulterior de la novela, entra como un personaje activo. La presentación en estos capítulos es retrospectiva: en tres capítulos se recorren, casi como en una pantalla cinematográfica, toda la niñez y la juventud de Silvestre, brevemente comentadas. Cada uno de estos tres capítulos es concebido como una unidad y representa una nueva etapa en la vida de Silvestre: el primero termina con la muerte de la madre; el segundo con su independización total; el tercero con su desaparición momentánea.

En el primer capítulo el narrador era completamente objetivo y cambiaba de punto de vista según el personaje a quien presentaba. En la parte que sigue, después de introducirse personalmente, se permite opinar. Aquí, las escenas ya no se conciben siguiendo los preceptos de una novela, sino más bien se suceden como en una biografía, y aun se podría decir autobiografía. En estos capítulos aparecen muchos episodios de la juventud del propio Baroja: la vida de niño en Pamplona; la muerte de la abuela; las lecturas del adolescente; el viaje a París, que produce una visión crítica de los franceses.

En esta parte introduce también el punto de vista de un extranjero que observa España y a los españoles, a la vez que traslada a Silvestre de su ambiente habitual a otro totalmente desconocido. De esta manera, la visión se ensancha por los dos lados. Contiene esta parte también alguna generalización. Estas se hacen más frecuentes a medida que Silvestre va madurando y dándose cuenta de que cada moneda tiene dos caras. También intercala ya aquí anécdotas o cuenta historietas poco esenciales a la trama. Todo el desarrollo sigue el orden cronológico tradicional.

Es de notar que ya en su primera novela crea Baroja un protagonista que es feo, que no sabe desenvolverse en la vida, que se deja explotar. Así manifiesta su predilección por la desheroización. Parece subrayar también que la tensión dramática en la vida y en la novela no es la misma: «Silvestre pasó entonces esos minutos que para los novelistas son siglos, hasta que se le ocurrió una idea, una idea digna de un lector de novelas de aventuras y de viajes maravillosos...» (p. 35). Las continuas referencias al folletín o a otro tipo de novela no permiten que el lector entre de lleno en el ambiente de la acción: se le admonesta regularmente que conviene mantener distancia y pesarlo todo con juicio imparcial.

La descripción de los ambientes se concentra ante todo en los interiores y nunca es excesiva. Nunca falta, tampoco. Es una exigencia imperiosa para Baroja situar al protagonista en el ambiente: «Yo siempre he tendido a hacer descripciones por impresión directa, y sea amaneramiento o costumbre, no podría hablar de un personaje secundario, sin conocerle algo y sin saber dónde vive y en qué ambien-

[17] *La intuición y el estilo, OC* VII, pp. 1.053.

te se mueve»[17]. Este deseo le hace ampliar casi todos los párrafos en que describía la casa, añadiendo detalles nuevos en la segunda redacción. En general, las descripciones se basan en observación realista. En este libro adquieren una nota pintoresca por el frecuente uso de comparaciones, algunas derivadas de su experiencia de médico: «...la luz llegaba a la escalera tan sólo por dos ventanas abiertas a un patio tan estrecho como una chimenea, cruzado de un lado a otro por cuerdas para tender ropa; las paredes de este patio, ennegrecidas y mugrientas en unas partes, desconchadas en otras y con los tubos rojos de los desagües de las casas al descubierto, parecían estar llenas de lacras y de varices, como la piel de un enfermo» (p. 13). Más interesante parece la primera descripción de la buhardilla de Silvestre: llama la atención por el procedimiento negativo. Acumulando negaciones, deja campo abierto a la imaginación y amplía el espacio por medio de la ambigüedad: «porque no era cuarto, ni estudio, aunque participaba de todo esto; tenía un aspecto intermedio entre taller de pintor y guardilla» (p. 13).

El campo, en general motivo de descripciones líricas en Baroja, casi no aparece en esta novela. Por esta misma razón se pone menos énfasis en los elementos y el tiempo, aunque hay algunas excepciones dignas de mención. El dramatismo de la prueba del submarino se intensifica situándolo en un ambiente de viento y lluvia que, por otra parte, permite añadir una nota humorística. A la muerte de Pérez del Corral, el estado de ánimo de Silvestre se extiende a lo contemplado: «Después de enterrado el cadáver, Silvestre paseó por entre aquellas tumbas, pensando en lo horrible de morir en una gran ciudad, en donde a uno lo catalogan como a un documento en un archivo, y contempló con punzante tristeza Madrid a lo lejos, en medio de campos áridos y desolados, bajo un cielo enrojecido...» (p. 117). En otras ocasiones, busca efectos contrastantes: al descubrir que le han robado todo lo que tenía, Silvestre sale al tejado, pero el cielo, en vez de acompañarle en su tristeza, parece formar una mueca irónica: «La noche estaba estrellada; la Osa Mayor avanzaba en su carrera y marchaba por el cielo con el carro desbocado y la lanza torcida» (p. 138).

Lo más curioso en la presentación de Madrid en esta novela es el hecho de que repetidamente se lo ve enmarcado por una ventana, siempre a distancia:

> Por el agujero se veía, como en un cuadro, Madrid sobre sus colinas. En un extremo del cuadro, a la derecha, el puente de Toledo, por encima del cual salían bocanadas de humo procedentes de la fábrica del gas, que se iban quedando inmóviles en el cielo, uniéndose y alargándose en forma de un gigantesco reptil. En el centro se destacaba San Francisco el Grande sobre los terrenos arenosos de las Vistillas; luego se veían torres y más torres; el viaducto, de color gris azulado, y el Palacio Real, tan blanco como si estuviera hecho de pastaflora. A la izquierda aparecían los desmontes de la Moncloa y de la montaña del Príncipe Pío (p. 47).

Esto es lo que ve Silvestre desde la cama en el cuartucho de Avelino a través de un agujero que acaba de hacer. Otras vistas con marco son las que le ofrece su propia buhardilla. Al final, una apercepción casi surrealista de la ciudad se ofrece a los dos amigos mientras gatean por los tejados. Desde las primeras novelas es muy evidente la inclinación del autor a contemplar los paisajes desde un punto alto, que permite una visión panorámica.

Un examen más detenido de la acción en *Silvestre Paradox* ofrece una sorpresa: las páginas que pretenden encerrar toda una vida y todo un mundo contienen en realidad menos acción concreta de lo que parece. El primer capítulo lo ilustra muy bien. Es uno de los más vivos, donde el humorismo del autor se manifiesta con más gracia y desparpajo. Parece agitarse en un ir y venir continuo. Sin embargo, esta impresión es conseguida sobre todo por alusiones, retrocesos en el tiempo, resúmenes. En realidad, no pasa nada extraordinario: viene un mozo con dos bultos, el portero quiere averiguar qué contienen éstos y es mordido por una culebrilla. Al llegar el amo, todos suben a su buhardilla, donde aparece también el administrador. Silvestre vuelve a salir a la hora de comer.

Lo que interesa destacar en este capítulo es la ilusión de movimiento que Baroja sobreimpone a la acción principal: el portero *recuerda* cómo ha subido a la buhardilla de Paradox, cómo ha huroneado en ella, revolviendo todo lo que encontraba; cómo ha imaginado quién podría ser Silvestre, alimentando su fantasía con recuerdos de folletines; cómo ha bajado absorto en meditaciones que le llevaban muy lejos. Lo mismo ocurre cuando ve, en el tiempo de la narración actual, los dos bultos: otra vez su imaginación se pone a viajar. Se describe su vacilación delante de la jaula encubierta, su entrada y salida de la garita para buscar un cortaplumas, su espanto al sentirse mordido. Este desencadena una serie de reacciones—la parte más movida del capítulo—: la huida del portero causa el desplazamiento de la culebra y la risa del mozo; ésta a su vez provoca la cólera del portero e impide al mozo matar el bicho. La aparición de Silvestre en el momento culminante da lugar, entonces, a otra serie de reacciones. Todo parece estar construido aquí a base de causa y efecto.

La impresión de viveza se refuerza por el excelente uso del diálogo, que no es excesivo, pero completa la caracterización de los personajes y establece diferencias entre ellos:

> —¿Y por qué le has dejado hacer su capricho a esa vieja momia?—gritó el señor, irritado y señalando con la punta del paraguas al aludido.
>
> —¡Oh! ¡Vieja momia! ¡Qué de dicterios! ¡Qué de

vituperios!—murmuró el señor Ramón en voz baja, y pasó por su mente el martirologio de todos los santos.

—Mire usted—repuso el mozo de cuerda, rascándose la cabeza—, yo, la verdad, creí que sería alguna *culobra* que se había metido en la jaula a comerse el pájaro. ¡Como las *culobras* suelen comerse a los pájaros! (pp. 12-13).

Los tres participantes de este breve intercambio no podrían ser más diferentes. Las divergencias se subrayan no sólo por lo que dicen, sino también por los gestos de cada uno, que prolongan el tono correspondiente. En realidad, estas diferencias son más cuidadosamente trazadas en los primeros libros de Baroja. En los de la madurez, donde la conversación se intelectualiza, el nivel de cultura y de expresión se vuelve más igual.

Una extensión en el tiempo se consigue a través de los retrocesos; el espacio se ensancha a veces por la acumulación de personajes; los dos crecen gracias a la imaginación o por medio de alguna imagen bien hallada: al abrir la ventanilla de su buhardilla, Silvestre se sume en consideraciones sobre los tiempos pasados; luego empieza a «navegar»: «Luego de hecha esta profunda observación filosófica, Silvestre recorrió el cuarto, lo midió con sus pasos; después tomó orientación con una brújula que a modo de dije llevaba colgada en el cordón del reloj» (p. 16). Se puede rastrear en esta escena la antigua metáfora de la vida humana como una nave en el mar turbulento, que se explota más adelante comparando a Silvestre con un galeote. Parece anunciar con ella también su gran tema de la «nave de los locos». Un poco más tarde ofrece otra imagen que frecuentemente usará para resumir su concepto del mundo: la barraca de feria. La última aparición de ésta, al final del libro, se asocia con un recurso que también será desarrollado en los libros futuros: el uso del sueño para establecer puntos comunes y diferencias entre la fantasía y la realidad y, a veces, para predecir el futuro.

Otros tipos y temas introducidos en *Silvestre Paradox* que se repiten con frecuencia en la obra barojiana son: la prostituta—joven y vieja, y en los dos casos compadecida—; la gente del circo; los estafadores; la irresponsabilidad y la falta de caridad que reinan en los hospitales; la ciencia y el método frente a lo espontáneo de la vida; el interés en la criminología; el café con sus tipos heterogéneos; sátira de la familia burguesa «honrada»; la relatividad; crítica de la literatura y del teatro contemporáneos, exponiendo varios puntos de vista; crítica de la educación de los jóvenes; crítica de la influencia que ejercen los sacerdotes.

El anticlericalismo y hasta el ateísmo de Baroja son bien conocidos. Lo que sorprende al comparar las dos redacciones de *Silvestre Paradox* es ver que en la segunda ha eliminado los ataques más feroces a la religión. En la versión publicada en *El Globo* incluía un párrafo largo que ridiculizaba la extrema unción; otro que se burlaba del culto a la Virgen; un pasaje que satirizaba la confesión y los jesuítas. Citaba en su extensión total el discurso final de Labarta, fuertemente antirreligioso. La eliminación de todos ellos es un acierto: la burla tenía un matiz casi grosero, no demostraba finura intelectual, ni presentaba argumentos persuasivos. Sería curioso averiguar si lo ha hecho bajo el dictado del buen gusto o por exigencias de la censura.

La introducción de los temas secundarios a través de la novela se puede considerar un logro. En este libro generaliza y divaga muy poco aún; frecuentemente éstas son partes añadidas en la segunda redacción. Los temas se presentan de paso, sin insistir en ellos, sin comentarlos: parecen surgir naturalmente de la narración. La reflexión sobre ellos se deja a la discreción del lector. Lo mismo ocurre con los subentendidos sociales: se podría casi decir que el libro entero es ya una gran acusación de la sociedad civilizada; sin embargo, el lado aventurero y el interés por la intriga son bastante fuertes para servir como contrapeso y conferir un matiz ameno a la lectura.

Se pueden encontrar en esta novela también algunas consideraciones estilísticas, ofrecidas asimismo muy de paso, casi inadvertentemente. Se satiriza a Silvestre cuando éste emprende la redacción de una novela: *Los crímenes modernos* [18] por encargo, pero a la vez se muestra el proceso creador a base de una documentación escrupulosa. Cuando habla de los animales disecados, parece exponer sus ideas acerca de la creación de un personaje:

> Porque disecar—decía Paradox—no es rellenar la piel de un animal de paja y ponerle después ojos de cristal. Hay algo más en la disección: la parte del espíritu; y para definir esto—añadía—hay que dar idea de la actitud, marcar la expresión propia del animal, sorprender su gesto, dar idea de su temperamento, de su idiosincrasia, de las condiciones generales de la raza y de las particulares del individuo (p. 51).

A su vez, la visión caótica del mundo, como se ha notado ya, presupone cierto caos en la presentación de éste.

La invención y la realidad se mezclan constantemente en *Silvestre Paradox*. Sitúa la acción en casas y calles concretas; da un breve escorzo de la vida de la gente que se mueve en ellas [19]; incluye observaciones sobre la vida cultu-

---

[18] Allí mismo indica su interés por otra, que también escribiría por entregas: *Los golfos de Madrid;* seguramente realiza este proyecto en *La busca.*

[19] Su interés por reproducir los tipos y los ambientes verídicamente se subraya en la observación siguiente: «La conversación de los panaderos, casi todos gallegos, entreverada con las frases de algún madrileño, mientras trabajaban de noche en la masa, constituía una melopea plagada de alusiones oscuras y ambiguas para el que no estaba en las intimidades de la vida de los trabajadores. Rimaba también un poco con la monotonía de la labor» *(Familia, infancia y juventud, OC* VII, p. 640). El interés por la expresión auténtica es evidente también en lo que sigue: «Entre las palabras de 1885 a 1900 había algunas bastante gráfi-

ral contemporánea; presenta una visión caricaturizada de la redacción de un periódico. Aprovecha algunos escritos anteriores, como «Las dentaduras de Mr. Philf», o el episodio de la campanilla que aparece ya en «Medium»; explota una farsa tramada en la vida real por sus amigos para elaborarla en el desafío melodramático y folletinesco que se inventa para espantar a don Braulio.

La estructura del conjunto no tiene centro. Las partes son casi autónomas, sin subordinarse a una trama principal. Apenas hay desarrollo en los personajes, aunque los infortunios de Silvestre parecen llevarle a un cierto punto hacia el escepticismo y la resignación. El párrafo donde se resume esta evolución es interesante no sólo por expresar la visión barojiana del mundo, sino también porque alude ya aquí a una constatación que formulará más explícitamente en *La sensualidad pervertida:* su evolución desde un sentimentalismo ingenuo hacia la ironía. Es de notar que ya en este texto señala claramente el efecto que se consigue con interponer la distancia:

> Galeote triste de una vida miserable, remaba y remaba, azotado por la necesidad, sin objeto, sin fin, sin percibir a lo lejos la luz del faro, bajo un cielo negro, en un pantano turbio que reventaba en burbujas, producidas por exhalaciones de la porquería humana.
>
> ¿En dónde buscar la calma para el espíritu? ¡Ay! En otra época hubiese tenido fe y hubiera buscado la paz quizá en la celda del trapense...
>
> Y al entrar Silvestre en la guardilla sintió que su cólera iba tomando un matiz de ironía y, cantando alegremente, se acostó y se quedó dormido (pp. 110-111).

---

cas. Se usaban, por ejemplo, en la calle, las palabras pollo, sietemesino, silbante y pirante, dedicadas al jovencito que se distinguía por su elegancia» (*Final del siglo XIX y principios del XX, OC* VII, p. 677).

Todo Baroja está ya en las últimas líneas, que llaman la atención por el cambio repentino de la actitud y del tono.

La comparación de los dos textos publicados a distancia de un solo año no proporciona descubrimientos extraordinarios. El proceso de la elaboración es semejante a los descritos en el capítulo anterior; sólo que aquí, en vez de añadir, elimina los títulos de los capítulos. No ocurre ningún cambio esencial en la trama ni en los personajes. Sustituye algunos nombres y algunas cifras, una de ellas interesante porque sí transforma un tanto al protagonista: en 1900 Silvestre mide 1,70; en 1901 se le reduce a 1,51: estatura que va mejor con su carácter. Se introducen más anécdotas en la segunda versión, más personajes secundarios, llegando a crear el efecto de un desfile. Se eliminan escenas de efectismo sin gracia; se omiten también algunos nombres de calles y de los pueblos que atraviesa Silvestre en su primera escapada. Con esto se aligera la narración. En cambio, en varias ocasiones añade diálogo directo o autodiálogo de Silvestre para producir una impresión más viva. Se completan las descripciones tanto de los personajes como de las casas, consiguiendo a veces gracia pintoresca [20], y se

---

[20] Compárense los textos siguientes:

1900	1901
El prendero de enfrente interrumpió la conversación, y Paradox, dejando la portería incomodado porque le habían interrumpido en sus observaciones, subió a su guardilla *(El Globo*, 10.IX. 1900).	En aquel momento entró en la portería, embozado en la capa, Juan Moncó, el prendero de la vecindad; un hombre feo, afeitado, aspecto de sacristán, con la cabeza enormemente larga, la frente grande, la nariz chata y la boca innoble, que venía a hablar de negocios con el señor Ramón. Silvestre, abandonando la portería, subió a su guardilla» (p. 61).

No sólo completa el cuadro, sino que también elimina la repetición de la misma palabra, eufónicamente inaceptable.

añaden algunas generalizaciones. Cambian también el ritmo y la presentación visual de los párrafos: éstos se dividen, llegando a formar hasta cinco de uno solo. En el primer capítulo incluso después de las transformaciones es muy evidente aún la tendencia al ritmo ternario, que luego va disminuyendo. En la versión final frecuentemente corta las oraciones, elimina algunos adjetivos y sustituye descripciones largas por una serie de frases breves.

Entre la primera edición de *Silvestre Paradox* y *El escuadrón del «Brigante»* median trece años, y algunas diferencias entre estos «representantes» de dos grupos distintos de la obra barojiana saltan a la vista inmediatamente. La trama tiene más unidad en el segundo; el desarrollo de todas las sub-tramas está subordinado a la acción principal que sigue los acontecimientos históricos. Siendo esta novela la segunda de la serie de *Memorias de un hombre de acción,* no hay en ella presentación del personaje principal, Aviraneta, ni de su cronista Pedro Leguía, aunque siempre se añade algún detalle nuevo. Los dos entran desde el primer momento como figuras conocidas. La visión del conjunto se presenta valiéndose de dos fuentes: un cuaderno entregado a Leguía por Aviraneta, y la complementación de los hechos referidos en éste por lo que cuenta un antiguo compañero de la campaña. Con esto se recalca la relatividad de toda visión. Por esta misma razón son más abundantes las referencias a la composición de la obra: en el prólogo Leguía explica cómo la ha ensamblado; de paso hace alguna observación sobre la verosimilitud y la imposibilidad de trasladar el lenguaje pintoresco de su segunda fuente a las hojas que va escribiendo. También en este libro se subraya la necesidad de la documentación: «Yo no me hallaba entonces bien enterado de la política de aquel tiempo, y no podría trazar un cuadro completo del estado de

España en 1808; no conozco bastante la historia para eso, y en el fondo de esta cárcel no puedo proporcionarme libros ni datos» [21].

A través del libro alternan tres puntos de vista que enfocan los mismos acontecimientos: el de Aviraneta, el de Leguía, que se permite algún comentario, y el de Ganisch. Aviraneta mismo se presenta, además, con tres facetas diferentes: como guerrillero en 1808; como cronista de esta guerra en aquel momento; como cronista que la recuerda en 1834. Al final entra incluso una cuarta: Aviraneta conversando con Leguía en 1839. Este recurso permite subrayar la necesidad de la distancia en toda visión. Casi en todos los capítulos vuelve a aludir expresamente a su existencia actual en la cárcel, como si quisiese recordar al lector que lo que se cuenta es historia, no actualidad.

La distancia y la objetividad relativa obtenidas por la compaginación de varios puntos de vista se reafirman por el uso del tiempo. Todo se presenta a tres niveles: el tiempo concreto de la acción, 1808; el tiempo en que Aviraneta la evoca, 1834; el tiempo en que Leguía escribe la versión final, 1839. A lo largo de la narración se salta continuamente del presente al pasado y al futuro—futuro en relación con el tiempo actual de la narración, pero ya pasado para el cronista que la recuerda—, creando con ello efectos de «previsión».

También la ironía es más fuerte en *El escuadrón del «Brigante»* y contribuye a mantener la distancia. El humorismo burbujeante de *Silvestre Paradox* va disminuyendo. Las observaciones frecuentemente tienen un dejo amargo. El sentimentalismo se rechaza desde el principio: «A veces, lo demasiado pintoresco del presente hace que vaya a refugiarme en mis recuerdos, cosa contraria a mi temperamento, poco amigo de lloriquear sobre el pasado. — No me gusta

---

[21] Primera edición: Madrid, Renacimiento, 1913, p. 25. Todas las citas se tomarán de esta edición.

el melodrama del género lacrimoso» (p. 17). La retórica, cuando existe, es debida al deseo de la verosimilitud: la narración se presenta como escrita por Aviraneta, un hombre del siglo XIX que tenía, como se sabe, tendencia a formar oraciones largas, ondulantes. Una buena caracterización de Aviraneta a través de su estilo se consigue incluyendo, al final del capitulito introductorio, una «Invocación» muy parecida en el tono a la que fue eliminada en *Paradox, rey*.

En *Silvestre Paradox* se podía rastrear cierta influencia de la época: el modernismo, en lo altisonante de algunas imágenes. En *Escuadrón* la hechura de las frases, si no es típicamente barojiana, se inspira en una época anterior. Son más abundantes en este libro las reflexiones generalizadoras, pero aún no ocupan el lugar más importante que la intriga. Siempre se deducen de ella, la acompañan paso a paso y no pecan por demasiado extensas. No representan una intrusión obvia del autor y están incorporadas naturalmente a la narración: en un libro escrito en forma autobiográfica parecen permisibles.

La estructura de la novela sigue un esquema muy frecuentemente usado por Baroja en sus años de madurez: prólogo que en general se escribe después de redactar la obra; desarrollo de la trama; epílogo. La brevedad de los párrafos es ya una ley. Explica esta preferencia en *Memorias:*

> Otro de los puntos que tiene importancia en el estilo es la elección del párrafo largo o del párrafo corto.
>
> El párrafo largo, el período de origen latino, formado por varias oraciones unidas, tiende, naturalmente, a la elocuencia. El párrafo largo es, o pretende ser, una síntesis. Nuestro tiempo tiende al análisis. ...
>
> Para mí era la forma más natural de expresión [el párrafo corto], por ser partidario de la visión directa, analítica e impresionista. ...
>
> El párrafo largo es una melopea un tanto monóto-

na. El párrafo corto da la impresión del golpeteo del telégrafo de Morse [22].

Los capítulos son cortos en este libro y se subdividen en unidades más pequeñas que también llevan títulos. Con ello consigue la impresión de rapidez y efemeridad. El leitmotif se introduce desde la primera página, al describir Aviraneta una epidemia del cólera en la cárcel:

> El huésped del Ganges, como decimos los periodistas, da la batalla a la humanidad, si es que es humanidad la que está presa en un estercolero. Los enfermos se mueren al pie de los altares; los sanos se dedican a cantar, a bailar y a tocar la guitarra. Y ande el movimiento... el movimiento hacia el cementerio (páginas 15-16).

Otro leit-motif que se recalca a través del libro es el del hombre de acción, que aparece también ya en el primer capítulo. Aviraneta señala que «lloriquear sobre el pasado» no es su costumbre, y afirma: «Cuando se conserva el ánimo fuerte, estos horrores carcelarios, estas atrocidades le van curtiendo a uno» (p. 17) [23]. Así como en *Silvestre Paradox,* el azar se revela como un factor importante: Aviraneta da a entender que de no haberse perdido una carta en la que pedía pasaje para Méjico, probablemente no hubiera participado en la guerra ni desarrollado su sentimiento «patriótico».

Desde las primeras páginas—y en esto también se parece a *Silvestre Paradox*—se van acumulando paradojas: el encargado de la fonda, que es carlista, reserva la mejor habitación para Aviraneta, liberal; Aviraneta, masón y ateo, sirve como acólito en la cárcel; la «única persona decente» en la misma cárcel es Luis Candelas, que alterna con él en

---

[22] *La intuición y el estilo, OC* VII, p. 1.089.

[23] Esta insistencia se convierte casi en un estribillo: «El movimiento, la acción, la vida intensa, dinámica, era lo que me atraía» (p. 23).

las actividades de acólito; los personajes que adquieren estatura de héroes son verdaderamente unos cobardes mientras los verdaderos héroes no son reconocidos.

Abundan en esta novela anécdotas e «historias» de muchos personajes secundarios, que a veces ilustran un tema principal, otras echan más luz sobre la naturaleza humana. El efecto de desfile es aquí más fuerte que en *Silvestre Paradox* y se explica por la circunstancia: el continuo desplazamiento de los guerrilleros, reformación de los batallones, encuentros nuevos. Al intercalar las historias, se pone de relieve el estilo de contador: «Han de saber ustedes, señores—dijo el cura—que hay en la orilla del Duero, no les diré si muy cerca o muy lejos, un pueblo grande, que, aunque no se llama el Villar, para los efectos de mi historia le nombraremos así» (p. 148). Esto permite introducir regionalismos, palabras mal pronunciadas y caracterizar al contador por su manera de narrar.

Un procedimiento muy característico de toda la serie de *Memorias de un hombre de acción*, muy evidente en *El escuadrón del «Brigante»*, es la desheroización. A lo largo de las páginas de esta novela el autor desinfla todo lo que le cae entre las manos: las sociedades filantrópicas [24], el «sufrimiento injusto [25], los héroes de la guerra de la Independencia, y más aún la familia real y la aristocracia española [26]; allí mismo sugiere que antes de declararse patriota quisiera averiguar qué representa el patriotismo. Muestra el va-

---

[24] «Michelena tenía su sistema político-social, en donde entraban la religión, la música, la teofilantropía y el magnetismo, Jesucristo, Bach y Mesmer. Sus argumentaciones las ilustraba con trozos musicales» (p. 22).

[25] «Condenar a un hombre de acción a no hacer nada es una cosa cruel. Debo tener las entrañas más negras que la tinta ... de rabia» (página 18).

[26] «Los grandes de España que se encontraban en Bayona se mostraron también cobardes y sumisos. Más que los grandes de España, parecían los enanos de España» (p. 35); «El pobre calzonazos de Carlos IV dijo que había que consultar a Godoy, a su querido Manuel, y Godoy, cuando se lo dijeron, no aceptó» (p. 31).

lor de los guerrilleros, que se arrojan a cualquier peligro con entusiasmo, pero pone en duda su idealismo: «Todos aquellos guerrilleros antiguos eran hombres montaraces, sin instrucción; casi ninguno sabía leer y escribir. — Feroces, fanáticos, hubieran formado igualmente una partida de bandidos. ... Su única idea era pelear, robar y matar» (p. 82). La presentación de los caudillos principales es apenas más halagadora que la de los soldados.

La gran diferencia entre la presentación de los personajes en *Silvestre Paradox* y *Escuadrón* es que aquí casi nunca se nos deja conocerles imparcialmente, sino que desde el principio se impone un juicio [27]. Es Aviraneta, no un narrador objetivo, el que cuenta, y presenta tanto las acciones como los personajes desde su propio punto de vista. Esta técnica se justifica parcialmente considerando que escribe el libro a una distancia de veinticinco años, teniendo delante el desarrollo hasta el final y un cuadro del conjunto. Así, incluso en la presentación de los personajes el conocimiento total de ellos se impone ya al escorzo inicial. Aunque cuenta en el presente, el enfoque es retrospectivo y lleva juicio implícito y frecuentemente explícito. Esta circunstancia explica también la rapidez de la presentación: la memoria ya ha hecho la selección y ha eliminado todo lo que parecía poco esencial.

En *Silvestre Paradox* acumulaba detalles y comparaciones pintorescas al describir a un personaje. En *Escuadrón* los detalles implican casi siempre un juicio. Más que una descripción exterior, se ofrece una caracterización moral, y por ello subjetiva, como se puede ver en la primera introducción del cura Merino, que será el jefe de Aviraneta en esta guerra:

---

[27] Lo ha criticado Ortega, señalándolo como un procedimiento corriente en Baroja: «Baroja suplanta la realidad de sus personajes por la opinión que él tiene de ellos» («Ideas sobre Pío Baroja», *El Espectador,* I, (página 129).

> Era Merino hombre de facciones duras, de pelo negro y cerdoso de piel muy atezada y velluda.
>
> Fijándose en él era feo, más que feo, poco simpático; tenía los ojos vivos y brillantes de animal salvaje; la nariz, saliente y porruda; la boca, de campesino, con las comisuras para abajo, una boca de maestro de escuela o de dómine tiránico. Llevaba sotabarba y algo de patillas de tono rojizo.
>
> No miraba cara a cara, sino siempre al suelo o de través.
>
> El que le contemplasen le molestaba.
>
> Al primer golpe de vista me pareció un hombre astuto, pero no fuerte y valiente (p. 69).

Las comparaciones son breves y bien escogidas. La brevedad de los parrafitos transmite el ojeo rápido, que capta impresiones sueltas. A través de la narración va añadiendo otros detalles negativos. Sólo presenta positivamente sus cualidades físicas y su destreza: el mejor jinete y la mejor escopeta entre todos, hombre de una voluntad de hierro. Pero el espíritu no acompaña al cuerpo: «Nuestro jefe no tenía una idea noble de la guerra; a él que no le hablaran de heroísmo, de arrogancias con los contrarios; él peleaba siempre con ventaja» (p. 105). En la presentación del cura no sólo se olvida de la objetividad, sino que incurre en generalizaciones. Caracterizando al caudillo, expone a la vez su propia opinión sobre la guerra en general, que le parece deducirse naturalmente del carácter de éste: «Merino, sin ser muy valiente, ni inteligente, ni generoso, ni noble, tenía grandes condiciones de guerrillero; lo que demuestra que la guerra es una cosa de orden inferior, puramente animal» (página 106).

Se sirve de un punto de vista diferente para quitar importancia incluso a una batalla mayor: el encuentro con las tropas enemigas en Portillo de Hontoria. La actuación de los guerrilleros y de los franceses es presentada dramáticamente por Aviraneta. Al referirse a ella Ganisch, la visión resulta distinta. El procedimiento de desinflar no podría ser más sucinto ni más eficaz:

—Pero la acción de Hontoria del Pinar, ¿no fue importante?—pregunté yo.

—¡Bah!—murmuró Ganisch (p. 359).

Claro, aquí se sugiere también que Ganisch—así como otros «peones»—ni siquiera se había dado cuenta de la importancia del encuentro, pero a la vez se recalca la relatividad.

Aviraneta mismo no se permite casi nunca efusiones líricas. Los recuerdos de la literatura folletinesca o romántica son tan vivos que le permiten juzgar con cierta reserva las emociones del momento. Así, cuando se va enamorando de la marquesa de Monte-Hermoso, al decir que el título parecía casi de folletín, sugiere que el episodio entero podría mirarse así. Además, en esta presentación entra ya el punto de vista del Aviraneta maduro: es un hombre de unos cuarenta y cinco años quien recuerda la pasión de un muchacho de veinte, y la visión irónica del cuarentón decide el enfoque humorístico:

> La noticia me hizo más daño que el sable del francés de Briviesca; pero aún me molestaba más el que se hubiera ido de Burgos aquella mujer admirable sin acordarse de mí.
>
> El pensar en esto reanimó mi actividad y mis sentimientos patrióticos (p. 49).

Sólo el aspecto de la Naturaleza logra producir alguna vez un efecto tan fuerte que el joven guerrillero se olvida casi de sus deberes [28]. A su vez, reproduce escenas de arro-

---

[28] «Esperamos toda la tarde; el anochecer fue espléndido; el sol del crepúsculo doraba el campo, alargando las sombras de los árboles. — Yo, contagiado por la paz de la Naturaleza, estaba deseando que no apareciesen los franceses...» (p. 128).

jo sentimental que son verosímiles y pueden ser explicadas por la psicología de las masas. Así el cambio dramático en el ánimo de los franceses derrotados al entonar la Marsellesa (p. 238), una de las escenas más «épicas» de la novela. Luego, hablando ya no como el joven mezclado en la acción, sino como el hombre maduro que la recuerda, Aviraneta presenta sus reflexiones generales sobre los efectos del patriotismo:

> Me refiero al contagio de los sentimientos patrióticos de los demás. En todas esas grandes convulsiones populares, como la guerra de la Independencia, hay una contaminación evidente; uno cree obrar impulsado por su inteligencia, y lo hace movido por su sangre, por sus instintos, por razones fisiológicas, poco claras y conocidas (p. 127).

Los recuerdos de las lecturas de folletines se atisban menos frecuentemente en este libro que en *Silvestre Paradox.* Raras veces se deja llevar completamente por la imaginación, porque raras veces se presta a ello la circunstancia. La preparación de la escapada del director con el final demasiado afortunado para Aviraneta representa una excepción. Atribuye su salvación a la masonería, factor existente, pero ésta se presenta demasiado como un «deus ex machina». Más folletinesca aún es la huída de Aviraneta de su prisión.

La presentación de personajes secundarios, que son muy numerosos, no se limita a un desfile de figuras y de caracteres humanos. Por medio de ellos ensancha no sólo el horizonte humano y psicológico, sino que prolonga también la extensión temporal. Muchos de estos personajes entran con su «prehistoria» que, además de revelar el carácter del personaje o ilustrar un tema que interesa al autor, con frecuencia suple también el ambiente. Poco a poco, a través de estos hombres heterogéneos y sus historias, se va recreando el ambiente de la España rural, con sus costumbres, sus particularidades de la vida cotidiana, sus supersticiones y sus esperanzas, con sus hábitos lingüísticos arcaicos. Aprovecha estas presentaciones para intercalar anécdotas y frecuentemente añade un comentario generalizador. La abundancia de tipos [29] le permite presentar la relatividad del punto de vista. Aunque todos parecen estar unidos por una causa común, cada uno la interpreta a su manera y tiene ideas divergentes acerca de la estrategia.

El ambiente creado en *El escuadrón del «Brigante»* apenas tiene detalles inventados. Esta es una novela histórica, o una crónica, no una obra de ficción, y la preocupación por la veracidad es constante. Se indican los lugares, se mencionan fechas, se da una descripción exacta de los sitios importantes, como del camino entre Salas de los Infantes y Hontoria del Pinar. Lo demás aparece en una presentación somera, que se explica por la rapidez de la acción: en pocos lugares se detienen los guerrilleros más tiempo. El autor quiere, sin embargo, presentar el ambiente de la guerra como algo concreto, y para ello necesita el campo y la montaña [30]. Recorre él mismo todos los sitios que describe y a veces se encuentra perplejo al encontrar detalles que no corresponden a la descripción hecha en el siglo pasado:

---

[29] Confiesa que no ve una distinción clara entre tipo y personaje; sus libros frecuentemente lo confirman: «Carácter y tipo son conceptos muy semejantes, y es difícil el contornearlos y deslindarlos bien ... Temperamento, tipo, personaje, son palabras muy próximas y no muy bien deslindadas» *(La intuición y el estilo, OC* VII, p. 1.007). Allí mismo señala las fuentes de varios personajes suyos: «En la serie de novelas históricas titulada *Memorias de un hombre de acción,* por ejemplo en *El escuadrón del «Brigante»,* los guerrilleros son tipos vistos en los pueblos de la provincia de Burgos el año 1914. Yo suponía que entre el hombre del campo de una tierra áspera y arcaica como de Castilla la Vieja, poco poblada, y el del hombre de 1809, de esa misma tierra, no habría apenas diferencia» (p. 1.075).

[30] Según él, fue el arte de Tolstoi el que le reveló la necesidad de una presentación completa del ambiente *(La intuición y el estilo, OC* VII, (página 1.079).

> Lo que no pude identificar en la relación de Aviraneta, escrita descuidadamente y mal, fue la acción del desfiladero de Hontoria del Pinar, porque cuando yo vi ese desfiladero no había apenas árboles, y Aviraneta lo pinta lleno de árboles. Entre un barranco frondoso con bosques y otro sin una mata, no hay parecido ninguno. Supuse que allí habrían desaparecido los bosques y hasta los matorrales para utilizar la leña y el carbón [31].

Se mencionan también con frecuencia nombres de personas reales. Con ello la invención queda reducida al punto de vista de Aviraneta en presentar los acontecimientos, y a las historietas contadas por personajes secundarios. A veces se permite la elaboración de un suceso histórico, como en el caso del acecho del convoy mandado por los franceses. Aquí despliega toda su imaginación y crea una escena de acción rápida, con mucha tensión dramática. Las referencias a la literatura son menos frecuentes en este libro: las sustituyen consideraciones políticas. De vez en cuando, para dejar descansar al lector, intercala también alguna aventura amorosa.

El contraste se usa a través del libro no sólo como tema (luego lo resume en el título de una novela posterior de esta serie: *Los contrastes de la vida)*, sino también como un recurso para conseguir rapidez. Frecuentemente presenta dos reacciones u opiniones diametralmente opuestas. Las situaciones se prestan con facilidad a tal presentación: opone los guerrilleros y su estrategia a los soldados franceses; muestra cómo incluso entre los guerrilleros los puntos de vista a menudo son contrastantes. Recurre al contraste también en la caracterización de los personajes: al describir al cura Merino, contrapone su apariencia verdadera a una caricatura francesa vista años más tarde en los puestos del muelle del

---

[31] *Id.*, p. 1.075.

Sena, y opone constantemente al cura y al «Brigante», subrayando las diferencias físicas, morales y temperamentales.

En la estructuración de *Escuadrón* se puede hablar de un punto central: el encuentro entre los franceses y los guerrilleros. Esta escena se transmite con todo detalle: la colocación estratégica de los guerrilleros; los preparativos para la emboscada; el tiempo y el lugar exactos. La rapidez de la narración se consigue por la brevedad de los párrafos y el desarrollo a saltos: logra crear una sucesión casi cinematográfica de las imágenes, alternando el enfoque desde los dos lados. Con gran acierto incluye las reacciones emocionales de los combatientes de ambos bandos: la Marsellesa entre los franceses, y una determinación casi desesperada por parte de los españoles, retratada con detalles verosímiles:

> Creo que todos nosotros, yo, al menos, sí, experimentamos un momento de ansiedad y emoción. La mayoría de los guerrilleros se persignaron devotamente. El más templado creyó que allí dejaba el pellejo.
>
> Picamos espuelas a los caballos, y los pusimos primero al paso, luego al trote, después al galope, cada vez más acelerado y más fuerte, doblando el cuerpo sobre la silla para favorecer la carrera y evitar las balas.
>
> Ibamos hacia abajo por un talud; después teníamos que subir por una ligera eminencia.
>
> El «Brigante», con el sable desenvainado, gritaba como un loco. Nuestros caballos volaban saltando por encima de los matorrales (p. 235).

Al interrumpir la narración para intercalar comentarios hechos desde la cárcel por un Aviraneta más maduro, junta en el mismo fragmento a Aviraneta-guerrillero, Aviraneta-cronista inmediato de esta guerra, y Aviraneta-memorialista. Con este procedimiento abre también el horizonte temporal. Al referirse a estampas que representan a los dragones franceses, vistas más tarde, añade aún otro nivel comparativo: el punto de vista francés desde una distancia.

El efecto de «visión y comentario a distancia» es producido por la mención del anteojo a través del cual Aviraneta contempla el acercamiento de las tropas francesas, y por el empleo de una comparación visual: «De lejos, y a simple vista, parecía la columna de la caballería francesa una gran serpiente de plata escamosa y brillante reptando por entre el verde de los pinares, deslizándose y desenvolviendo sus anillos» (p. 225). Más tarde, cuando pasa a referir la acción no ya vista desde el cerro, sino experimentada de cerca, la comparación que busca cambia adecuadamente: la imagen se vuelve audio-visual: «Los sables de los dos combatientes al chocar metían un ruido como las hoces en las cañas de maíz» (p. 237). Aun sin aludir directamente a la muerte, la implica por la metáfora de la segadora.

La ferocidad de los hombres sumidos en la guerra es presentada sin embellecimiento, en toda su fuerza cruda: la muerte brutal que Fermina inflige al francés herido; el suplicio del sargento afrancesado. Algunas escenas no evitan cierto sabor teatral: «Como la luz del alba no alumbraba bastante y no querían perder tiempo, habían puesto dos hachones de tea encendidos, y a la luz de sus llamas iban a fusilar a los tres hombres» (p. 255). En este capítulo crea el ambiente general de muerte y ruina por una repetición regular de las palabras «triste», «cuervo», «crepúsculo». Más adelante recalca y extiende a nivel más general esta impresión, valiéndose de un resumen brevísimo:

> Los pueblos del trayecto se encontraban en un estado lamentable. Por todas partes no se veían más que ruinas, casas incendiadas y abandonadas. Nadie trabajaba en el campo, y por las callejuelas de las aldeas únicamente había viejos, mujeres y chicos astrosos. (página 282).

Resumiendo la comparación entre los dos libros que representan dos épocas diferentes del autor, se puede afirmar que ni la actitud general, ni el procedimiento básico cambian esencialmente. En el segundo añade más generalizaciones, manteniendo por medio de ellas distancia entre el narrador y lo contado; con este mismo fin intercala historias secundarias; expone sus ideas políticas y su visión de la historia de España [32]; presenta tiempo, lugar, tipos distintos. La diferencia en la presentación de los personajes estriba en hacerlo más objetivamente en *Silvestre Paradox* y en predisponer al lector con sus propios juicios antes de introducir físicamente al personaje en *Escuadrón.* Pero el desarrollo de la trama—más subordinada a la acción principal aquí que en *Silvestre Paradox,* donde no la hay—es lineal en los dos. En los dos prevalece la rapidez conseguida por la brevedad de los párrafos, por los saltos al pasado y al futuro. Hay más vertiginosidad en los sucesos mismos, más acción exterior, más movimiento en *Escuadrón.* Aquí aún menos que en *Silvestre Paradox* se puede hablar del desarrollo de los personajes: lo que revela Aviraneta es casi siempre una visión retrospectiva, acumulada. Como *Silvestre Paradox, Escuadrón* termina con un nuevo viaje que se abre hacia el futuro. Sólo el humorismo ya no es tan ligero y tan lleno de gracia: se va inclinando cada vez más hacia la ironía. Y la maestría en estructurar ha aumentado: la unidad interior del libro está presente a lo largo de todas sus páginas.

El gran torbellino del mundo, publicado en 1926, reúne varias características de una etapa nueva en la creación barojiana. Da pruebas evidentes de la preocupación del autor por la estructura: no ya una unidad interior, sino sobre

---

[32] Según *Azorín,* es una visión totalmente n u e v a, «libre y audaz» *(op. cit.,* p. 126).

todo una estructura que sea perceptible también visualmente. Todos los capítulos se introducen por una estampa, un «croquis», una «fantasía», cuyo tono es muy diferente del de la narración, pero que siempre tiene relación íntima con ella. Con este recurso no sólo logra establecer un ritmo alternante—las estampas son estáticas; la narración, dinámica—, sino que continuamente varía de nivel e impone distancia. Varias novelas escritas en este período siguen un esquema parecido: los otros tomos de la trilogía; *El laberinto de las sirenas; El sabor de la venganza.*

Como se ha señalado en el capítulo precedente, la primera versión manuscrita de *El gran torbellino* no contenía las estampas: empezaba directamente por la narración. Tampoco existía el prólogo, en el que el autor explica la función de éstas, así como el proceso creador. En realidad, el procedimiento recuerda el que se ha visto en *Escuadrón:* un autor en potencia encuentra dos textos diferentes y decide componer con ellos un solo libro, completando el uno con el otro. El matiz diferente proviene de la circunstancia: Leguía lo hace bien despierto, usando dos fuentes muy diferentes, mientras que Joe sueña con su libro futuro, compuesto de fragmentos escritos por la misma persona. Esto permite añadir dimensiones nuevas: los límites entre el sueño y la realidad se vuelven menos claros; los saltos de un lugar o de un tiempo a otro, más fáciles. Luego, en el desarrollo, la unidad se rompe por el retroceso en el pasado en varios grados y por la intercalación de un punto de vista distinto: el diario de Nelly. La técnica de la composición se ha vuelto más compleja.

El tema fundamental no ha cambiado mucho. En *El gran torbellino* se explota más detalladamente la imagen que había asomado en *Silvestre Paradox,* convirtiéndola en un símbolo de las vidas que serán presentadas:

> Luego, lo que había leído se convirtió en algo visual. Tenía delante una feria que se llamaba las *Ago-*

> *nías de nuestro tiempo,* y en la feria, *El gran torbellino del Mundo.*
>
> *El gran torbellino del Mundo* era una barraca pintarrajeada y dorada, con carteles, espejos y tiros al blanco.
>
> *El gran torbellino del Mundo* era una barraca repleta [33].

Completa esta definición más persuasivamente aún en el capítulo III, situando las consideraciones sobre el mundo como torbellino en el ambiente de un *dancing,* después de bailar un vals. A la comparación se añade también la reacción: «todo junto me produce, como digo, terror, y a veces algo de asco también» (p. 57).

Un aspecto que llama la atención en este libro ya al hojearlo es el uso aumentado del diálogo. En *Silvestre Paradox* lo más importante era la narración. En *Escuadrón* el diálogo se imponía ya con más fuerza: un diálogo vivo, rápido, frecuentemente coloquial. Pero las breves generalizaciones de Aviraneta eran aun más frecuentes. Varias páginas de *El gran torbellino* consisten sólo en diálogo, a veces «modernizado» por una brevedad más que lacónica que representa una conversación por teléfono. Se podría distinguir incluso, aquí como en otros libros de este período, entre el diálogo que representa una conversación verdadera y otro que sólo sirve como pretexto para exponer opiniones.

Los libros de esta época se destacan por el énfasis en las ideas, por el deseo de discusión. A través de las páginas de *El gran torbellino* se comentan el arte, la literatura, la historia; se exponen doctrinas filosóficas y teológicas; se presentan consideraciones acerca de la vida humana en general. La acción en el tiempo actual es casi inexistente: consiste

---

[33] Ed. de Rafael Caro Raggio, Madrid, 1926, p. 10. Todas las citas se tomarán de esta edición. Su estructura fue estudiada por D. L. Shaw, «Two Novels of Baroja: An illustration of his technique», *Bulletin of Hispanic Studies,* XL (1963), 151-9.

en desplazamientos de un sitio a otro para continuar las divagaciones. Estas se interrumpen de vez en cuando para observar y caracterizar a algún personaje que pasa, aunque incluso esto frecuentemente lleva a generalizaciones.

El diálogo es más uniforme en estas novelas, puesto que en la mayor parte ocurre entre personajes que tienen un nivel intelectual parecido. En *El gran torbellino* se puede observar, además, una característica señalada por Leo Barrow: el autor comenta la manera de hablar de algunos tipos en vez de reproducirla: «Soledad y Pepita, sobre todo Pepita, empleaban con gracia algunas frases y palabras provinciales de Bilbao, como *chirene, coitao,* que a José le recordaban su infancia» (p. 24) [34].

El humorismo va en disminución en este período. Las conclusiones que se pueden sacar de la vida y de las situaciones que se despliegan ante el lector orientan más bien hacia la ironía y el sarcasmo. Tampoco existen en ellos ya los fines completamente abiertos, con promesas para el futuro.

Una conversación en el capítulo I revela que en estos años Baroja ya no es un partidario tan empedernido del presente como antes. En *Escuadrón* Aviraneta subrayaba que él normalmente prefería vivir en el presente y dedicarse a la acción. Las consideraciones de José son diferentes y anuncian el tono nostálgico que se afirma luego en *Las noches del Buen Retiro:*

> Sí; pero hay que tener en cuenta que si el hecho más agradable del presente no se puede recordar, se reduce casi a nada. Nuestra vida es historia, no sólo nuestros hechos exteriores, sino nuestra personalidad interior. Todos nos imitamos a nosotros mismos. Somos unos plagiarios de nuestro Yo. Si se nos borrara de

[34] Barrow, *op. cit.,* p. 52. También es aplicable a este libro el comentario hecho por Marañón: que el diálogo en Baroja, en contraste con el de Galdós, es siempre anti-teatral. («El academicismo de don Pío Baroja», *Baroja en el banquillo,* I, p. 55).

nuestra mente la historia de nuestra personalidad, no sabríamos en cada caso ni qué hacer ni qué decir. En cambio, tal como somos, tenemos preparadas nuestras respuestas, en palabras o en acción, a todo lo que nos solicita desde fuera (p. 29).

Esta exposición explica hasta cierto punto por qué los personajes de Baroja se desarrollan tan poco, por qué frecuentemente dan la impresión de llegar a la novela ya hechos. Se puede considerar también como una justificación de la inclinación del autor a revelarse a sí mismo a través de sus protagonistas: en ellos sigue elaborando su propio Yo, porque es el único que conoce de veras.

La presentación de los personajes es muy escueta en la primera parte de *El gran torbellino*. Se dan unos pocos rasgos característicos que el lector luego va completando a medida que se le van revelando el carácter interior y las ideas de los protagonistas. El énfasis se traslada de una descripción exterior, a veces caricaturizante, como en *Silvestre Paradox,* a una revelación por la ideología y por algún retroceso en el pasado. Las conversaciones frecuentemente adquieren tono expositivo. En los libros de los primeros dos grupos los personajes se movían, entraban en contacto continuo con tipos heterogéneos. En éste se puede hablar con derecho de desfiles frente a un público sentado: en los capítulos de la primera parte, Pepita, Soledad y José apenas se desplazan para cambiar de observatorio. El autor refuerza esta impresión introduciendo el tema del desfile de modas en la estampa número IV, y recalcando su significación por una alusión a *Sartor Resartus*. El movimiento en estos capítulos se produce más bien por cambio de tema y por diferencias de punto de vista. El gusto por la generalización se hace tan fuerte que incluso cuando José cuenta su vida en el capítulo V, los comentarios sobre los datos que ofrece son más largos que la narración de éstos.

Como contraste a la primera parte, la segunda y la tercera presentan un sucederse continuo de lugares, personajes, acontecimientos. En ellas se asume el ritmo de torbellino y se vuelve al leit-motif del caos. Pero incluso aquí las escenas de acción y de movimiento alternan fielmente con largos párrafos de conversaciones filosóficas. La transformación es muy evidente en la segunda parte: toda ella transcurre como un reportaje de una larga expedición de caza. Normalmente, una caza implica acción. Aquí sirve sólo de pretexto, sin embargo: a través de todos estos capítulos no sale ni una sola vez el cazador. Las referencias a la caza justifican los desplazamientos de los dos amigos; a lo más, pueden sugerir también un fondo alegórico para la guerra.

Las estampas se orientan siempre hacia la literatura o el arte. Incluso cuando se trata de la presentación sintética de una ciudad, se realza su aspecto arquitectónico, sobre todo en la primera parte. En las que siguen, las estampas anuncian el tema o resumen el carácter de lo que se va a presentar. Son visiones descriptivas, estáticas, sin cambio de tiempos; a veces parecen sugerir un significado simbólico, como la que presenta a la gaviota con las alas cortadas y que aparece en el centro exacto del libro.

El deseo de estructura exterior se nota incluso en detalles menores: en la redacción final del capítulo I, el autor añade la reiteración de la frase inicial: «Era el mes de mayo», para crear un efecto rítmico así como para sugerir el fenómeno de la vuelta: en este capítulo José vuelve a encontrar un antiguo amor, y esto a su vez trae memorias de los tiempos pasados.

El leit-motif del viaje es constante en *El gran torbellino:* la primera parte empieza y termina con el viaje de José; la segunda consiste en gran parte en su viaje a través de Dinamarca; en la tercera se recorre Alemania. El prólogo se abre con la visión del autor, Joe, en el vagón de un tren lento; el breve fragmento que puede considerarse como epílogo termina con el chirriar de un tranvía que, a pesar de la nota desolada que lo precede, parece significar que el movimiento continúa. El desengaño y la resignación que prevalecen no son totales aún: la narración de este libro termina con una apertura: «Comenzaba el buen tiempo con la primavera, el sol brillaba en las casas y sentía de nuevo un brote de amor por la vida» (p. 356). Esta nota confiada se borra un tanto por el párrafo final, pero habrá que llegar hasta el último volumen de la trilogía para ver la confirmación irremediable del fracaso.

Se puede afirmar que en esta novela el fondo y la forma se compenetran totalmente. El tema del gran torbellino motiva la fragmentación, los retrocesos en el tiempo, los resúmenes parciales de la vida de José y de Nelly, desarrollándolas sobre un fondo de guerra y de personajes desplazados [35]. Los saltos de una profesión a otra, de un país a otro, de un amor al siguiente ilustran eficazmente la tesis de que todo es igual y todo perece tragado por el torbellino. Incluso la variedad de temas en las discusiones filosóficas o ideológicas se puede explicar por el mismo motivo: presenta el torbellino que reina también en el mundo espiritual.

La fragmentación temporal es característica de los escritos de este período, aunque se ha visto que ya en *Silvestre Paradox* usó la visión restrospectiva. En *El gran torbellino* ésta empieza en la segunda parte, y ya no se vuelve al tiempo actual. Esta parte contiene más movimiento exterior que la primera, pero pierde en vivacidad de diálogo. En la primera, Pepita y José eran tipos muy diferentes, con reacciones casi opuestas en todo, y las conversaciones resultaban más animadas a causa de estas diferencias y de la impaciencia de Pepita. Tenían aún sabor de conversaciones verdaderas. Olsen es un interlocutor muy diferente. En las discusiones entre él y José se profundiza más sobre cualquier tema; también la variedad de temas es más considerable; pero frecuentemente ni siquiera parecen conversaciones: representan

---

[35] Sobre el desplazamiento de los personajes véase el capítulo sobre la revelación del personaje en Barrow, *op. cit.*

un desdoblamiento del autor para exponer sus ideas a través de dos puntos de vista, pero en tono muy parecido.

La estructura de la tercera parte no representa gran variación; sencillamente sirve para subrayar los temas ya expuestos, sin emplear técnicas nuevas. Más interesante es la cuarta, donde, a través de las páginas del diario de Nelly, se presenta una mentalidad diferente y se ofrece también una visión distinta de José. Con gran acierto el autor le hace añadir un «don» en sus referencias a José. Menos verosímil parece que una niña hable en términos tan elogiosos de sí misma como Nelly. Toda esta parte, brevísima, funciona como contrapeso casi estático después de las dos partes movidas que presentaban la guerra.

El tono sentimental del diario se traslada al ambiente mismo de la última parte, en la que se da expresión a las ilusiones más íntimas de José: el deseo de un hogar. Las constantes alusiones al mundo exterior no permiten olvidar, sin embargo, que esta impresión de la paz doméstica es sólo una ilusión. Para interrumpirla intercala algunas escenas casi de folletín con la aparición del padre de Nelly. El carácter de ensueño se confirma por el hecho de que la casa presentada en esta parte es la misma que ha entrevisto Joe en su sueño introductorio. Con esto cierra el círculo. Los signos simbólicos que se veían en el prólogo: un barco de juguete, un retrato al óleo, dos estanterías con libros, dos fotografías, varios cuadernos de impresiones literarias, han sido explicados a lo largo de los capítulos intermedios. La habitación vacía se había animado con figuras. Estas vuelven a desaparecer poco a poco, y la impresión inevitable que queda al terminar la lectura es la del fracaso, simbólicamente resumida en la descripción del Rhin páginas antes:

> Este río feudal, este Rhin maravilloso, la arteria más grande de la Europa culta, que en Basilea amenaza y en Wessel parece un brazo de mar, aquí se divide y se subdivide en tantos brazos y canales, que pierde su

unidad y llega en su miseria hasta perder su nombre. Este gran río, con sus castillos teatrales, es un río que fracasa al final, cosa que sucede a muchos hombres (página 322).

La pequeñez esencial de todo, incluso de lo que en algún momento pudo parecer grande—el fracaso de ilusiones que prometían un porvenir sonrosado—se confirma en el epiloguillo que reanuda con los últimos párrafos del prólogo. Aquí, el gusto por desinflar, por rechazar toda visión de grandeza llega a su colmo:

> Su *Gran torbellino del Mundo* se le había achicado en la imaginación y le parecía un diminuto torbellino.
>
> La barraca de feria, que antes se le antojaba amplia, llena de figuras, de espejos y de paisajes, la veía ahora pequeña, vacía y desierta. En la noche silenciosa se oía un sollozo (p. 356).

El gran torbellino marca una etapa diferente en comparación con *Escuadrón* por un viraje decidido: la invención de la intriga cede en importancia a exposiciones ideológicas. Aunque ésta es una característica general de las novelas de este período, algunas conservan mayor interés por la trama, como *El laberinto de las sirenas*. En todas es evidente la preocupación por la estructura, bien ilustrada por *Los pilotos de altura* o *Humano enigma*. En la mayor parte de estas novelas apenas es necesario hablar de la presentación de los personajes o de la creación de ambientes: son naturales, tomados directamente de la vida [36]. Los libros de este período

---

[36] También en este libro elabora los detalles, como se puede observar comparando el manuscrito con el texto impreso:

MANUSCRITO	EDICION DE 1926
José pasó el día como pudo + un poco aburrido, mirando los libros del muelle y después de +	José Larrañaga fue matando la mañana y la tarde como pudo, aburriéndose a ratos, distrayéndo-

se leen menos por el argumento o por conocer las aventuras de algún tipo curioso que por inquirir en los problemas de la existencia humana y de Baroja. Las conversaciones no buscan matices característicos: cautivan por la idea. Las partes que parecen dispares están subordinadas al leit-motif y lo ponen más de relieve, así como los contrastes. Aun cuando el libro se escribe espontáneamente, creciendo por acumulación de fragmentos, al final el autor trata de imponerle unidad por procedimientos exteriores. Describe esta preocupación en *El sabor de la venganza:* «Como los chicos cuando terminan un castillo de arena le adornan con unas banderolas vistosas para que tenga más apariencia, así he hecho yo poniendo después de acabada mi obra frases literarias de escrituras célebres al frente de los capítulos» [37].

Son libros en los que el autor está mucho más presente, sin intentar disfrazarse, y que valen no tanto por la novedad de la trama como por la exposición de varias facetas de Baroja mismo. Para revelarse busca modos de narración más estructurados y a la vez más naturales. El margen entre la ficción y la realidad va disminuyendo. Con razón se ha dicho que son obras que demuestran gran maestría en su composición, pero donde la invención ya no ocupa el primer lugar ni tiene la frescura de los primeros años.

La última fase de la producción novelística de Baroja ha sido designada por Eugenio de Nora como el período de decadencia. El lector que estudie uno tras otro los libros pu-

cenar de sentó a la entrada del hotel para hacer tiempo (f. 3).

se en otros. Pasó revista a los libros de los muelles; compró un tomo titulado *Vasconiana,* con anécdotas de los gascones; cenó en un restaurante próximo y se sentó en el vestíbulo del hotel para hacer tiempo (p. 15).

[37] *OC,* III, p. 1.116.

blicados después de 1937 se ve inclinado a darle razón. Hay poco nuevo en ellos: se repiten temas y situaciones, se repiten incluso detalles pequeños, como la lesión cardíaca en la protagonista de *Susana,* ya vista en Nelly en *El gran torbellino*[38]. El autor va evolucionando aún más en la dirección observada en el tercer grupo: le interesa menos contar inventando y divirtiendo que contarse a sí mismo. Las conversaciones entre los personajes asumen cada vez más un tono de autodiálogo; la diferencia entre sus modos de expresión se vuelve cada vez más tenue.

Susana, la primera novela de esta serie, publicada en 1937, ofrece un buen ejemplo de los procedimientos en este período. No se puede negar que al concebirla, el autor piensa en la técnica de la presentación. En el primer capítulo que sirve como prólogo presenta varios niveles: el supuesto autor visto por la amiga desconocida; la imagen que de él ha creado y transmitido a esta amiga su hermana; él como se ve él mismo; el cuarto sería él visto objetivamente. En el desarrollo no explota los puntos de vista iniciales, sin embargo. Desde el principio advierte que el libro será en realidad un ejercicio de autoanálisis. Ya en las primeras páginas hace resaltar la dualidad básica que conocemos en Baroja: hombre fantaseante y sentimental que intenta ser realista y objetivo. La novela entera representa un intento de compaginar las dos facetas.

La homogeneidad de tono a través de la novela—si novela se la puede llamar—se explica por su forma autobiográfica. Incluso las conversaciones vienen transmitidas después de pasar por el tamiz del protagonista, que en este libro muy claramente representa una faceta del Baroja fracasado en la vida sentimental.

La relación empieza casi en estilo documental, con un

---

[38] Una buena ilustración de cómo una idea e incluso su expresión se anida en la memoria del autor es el borrador de una carta a Mirella Rosgang, conservado en el archivo, donde habla de su biblioteca de Itzea: usa exactamente los mismos términos que en *Memorias* al describirla.

resumen rápido de la vida del autor. En éste se manifiesta, sin embargo, también su gusto por el comentario: expone no sólo los datos, sino también su opinión sobre ellos. (Ya José Larrañaga lo hacía en *El gran torbellino.)* Si se compara el tono y el procedimiento de este volumen con los de *Memorias,* resulta difícil indicar una diferencia bien delineada. La frontera entre la ficción y la realidad ha desaparecido. La exposición es totalmente egocéntrica. La trama apenas existe. Las descripciones de calles, de parques, de varios ambientes de París abundan, pero no están subordinados a la trama. Hay páginas que hacen pensar en una guía de París sin otras pretensiones. El autor es bastante perspicaz para darse cuenta de esta desproporción. Para justificarla, desde el principio indica que la protagonista es la mejor conocedora de París y de su historia. Tanta divagación sobre los sitios que atraviesan no sirve, sin embargo, ni para revelar los personajes, ni para crear el ambiente, ni para apoyar la intriga. Ni de lejos puede compararse con lo conseguido en *Los últimos románticos* o en *Las tragedias grotescas.* donde las descripciones completaban la trama. Aquí no tienen ninguna vinculación orgánica y parecen superfluas.

La novela no tiene interés sostenido. Los episodios secundarios son autónomos y se pueden incluir o dejar aparte. Algunos parecen ser añadidos con el deseo de lograr una nota pintoresca, como la visita a la pintora polaca. Los capítulos no presentan unidades bien delimitadas: varios podrían dividirse de otra manera. Todos sirven para ilustrar la misantropía del autor. La intriga amorosa tampoco logra despertar verdadero interés: desde el principio se la ve destinada al fracaso. Las conversaciones «amorosas» entre los dos protagonistas revelan que en este aspecto el autor no ha progresado ni ha aprendido nada: son tan sosas como las de sus primeros libros, sólo que en éstos había siempre más variedad y más dinamismo rodeándolas. También el recurso que inventa para asegurarse la benevolencia del padre de la chica, que proporciona el subtítulo del libro, suena a algo muy anticuado e ingenuo a pesar de su intención humorística. Así como en los libros de los períodos anteriores era imposible prever el fin y se mantenía la curiosidad, en éste el lector no protestaría si se quitaran partes y el fracaso sobreviniera más pronto.

El libro demuestra cierto interés por la unidad en la recurrencia de varios temas o encuentros, como el de la patrona que abre el libro y que luego aparece ya casi al final. En los últimos capítulos se acentúa la nota nostálgica que va de acuerdo con la autodefinición ofrecida en el primero. El último capítulo vuelve de modo circular al primero, confirmando la intención de autoanálisis. El desenlace tradicional: la muerte de la protagonista adquiere una variación nueva, subrayando el tema del azar: no cae víctima de la lesión cardíaca, sino de un accidente de automóvil. Con esto también el leit-motif del absurdo se realza con más fuerza.

Como todos los libros de la madurez, *Susana* contiene muchas generalizaciones. Presenta los mismos grandes temas del caos, de la paradoja, de la feria y del circo, de la vida frente al arte. No faltan referencias a las lecturas preferidas del autor, interesantes aquí por la comparación entre las impresiones dejadas en un chico y en un hombre maduro. Tampoco olvida incluir varias historietas—aquí son hilvanadas por los paseos. Así, el tema del movimiento continuo, del viaje, es muy evidente también en esta novela. Trata de dar a la obra una nota de actualidad a través de las referencias a la guerra civil en España. Aunque presenta varios tipos de exilados, siempre se impone su opinión personal, y la realidad de la guerra se queda muy al fondo.

Laura, o la soledad sin remedio es superior a *Susana* en cuanto a la invención de la trama y la delineación de los personajes. Aquí, por lo menos al principio, cuenta, no sólo recuerda, opina o se analiza. La narración es más fluida, pero tampoco alcanza el interés o la viveza de los libros de los años precedentes. Las divagaciones son muy frecuentes, y la nota sentimental va en aumento.

Incluso en el último período Baroja trataba de evolucionar, buscaba caminos nuevos, aunque casi siempre volvía a caer en el tono de *Memorias*. Es curioso, por otra parte, que en *Memorias* haya trozos que tienen mayor intriga o presentan algún tipo con mayor maestría y más vida que las últimas novelas. Las descripciones del paisaje son también en ellas frecuentes, de lirismo más intenso que en *Susana*. Incluso el humorismo aparece con más gracia y más fuerza de expresión.

Una muestra del interés por técnicas nuevas es *El hotel del Cisne*, donde el autor parece proponerse una novela a dos niveles. En realidad vuelve a los viejos temas y a las mismas divagaciones. El mundo onírico no se afirma por sí mismo, y quita unidad a la trama. Aunque construye la novela con un esquema cíclico: primavera, verano, invierno, le falta unidad interior. Resulta difícil sacar de la lectura una impresión diferente de la ofrecida por Nora: «un amontonamiento de prosas aisladas» [39].

La comparación entre las diferentes fases en la actividad creadora de Baroja revela que el fondo temático y el concepto básico de la novela no cambian esencialmente a través de los años. La evolución se nota principalmente en lo tocante a la técnica. Las primeras novelas tienen no sólo la estructura, sino también el final abierto: en varias, al terminar se abre un camino delante, se insinúa una nota esperanzada. Las de los años maduros trasladan la actitud pesimista del autor también al desenlace: el tema del fracaso, de la inevitabilidad del destino se hace más dominante.

En los detalles, se pasa de la acción a la divagación; de una presentación de personajes variada y cuidada, frecuentemente incluyendo notas pintorescas de la apariencia exte-

[39] *Op. cit.*, p. 226.

rior, a una revelación basada ante todo en la ideología. El movimiento y la acción se vuelven cada vez más intelectuales, aunque nunca desaparecen totalmente. Los personajes dinámicos ceden su lugar a aquellos que despliegan una abulia nostálgica, subrayando el tema del fracaso.

Los primeros libros atestiguan la preocupación constante del autor por la verosimilitud en lo inventado. En los últimos ésta desaparece casi totalmente, puesto que va trasladando al texto sucesos y personas reales casi sin transformarlos [40]. La narración cambia de enfoque: en vez de concentrar el interés en el desarrollo de la intriga, se desliza cada vez más hacia la divagación. Así, desde cierta época le parece interesar al autor más *contarse* que contar, lo cual causa repeticiones más frecuentes de temas, situaciones e incluso de tipos. A través de los años disminuyen los ecos de las lecturas de folletín y de los libros de aventura, que se substituyen por la filosofía. El diálogo, que en los primeros grupos revelaba y distinguía a los personajes por sus hábitos y sus modales lingüísticos, se iguala al final, porque lo que representa en realidad son opiniones del Baroja desdoblado.

Las novelas de los dos períodos intermedios muestran más preocupación por la estructura, por la unidad interior, aunque las técnicas básicas se pueden encontrar ya desde el principio: el cambio del punto de vista en *Camino de perfección;* resúmenes sintéticos o simbólicos que encabezan cada capítulo en *El mayorazgo de Labraz;* la alternancia de lo dinámico y lo humorístico con trozos líricos en *Vidas sombrías* y en *La feria de los discretos*. La técnica de apuntes rápidos, así como el fragmentarismo, se hallan en todos. El desarrollo es casi siempre lineal; nunca presenta esquemas complicados. La permanencia de la temática se puede

[40] «En algunas novelas mías, como *Susana y los cazadores de moscas* y en *Laura,* casi todas las figuras que aparecen allí son reales, más o menos disfrazadas» *(La intuición y el estilo, OC* VII, p. 1.075).

observar en tres escritos autobiográficos de épocas diferentes: «Mari-Belcha», de 1900; «Elizabide el vagabundo», de 1918; *El cantor vagabundo,* de 1950. El fondo sentimental y el tono nostálgico son casi iguales en ellos a pesar de la distancia de cincuenta años que separa el último del primero. Baroja no ha cambiado esencialmente como hombre durante su vida. Al profundizar y orientarse más hacia las ideas, se ha intensificado en él el dejo amargo. Puesto que la novela representa para él ante todo una expresión fiel del hombre, sigue la misma evolución, sin mostrar transformaciones radicales aparte de mayor maestría en la estructura.

CAPITULO VI

DISTANCIA Y HUMORISMO: DOS CONSTANTES BAROJIANAS

> *Marco Aurelio dijo que hay que vivir sobre una montaña. Indudablemente, el humorista vive sobre una montaña. Es lógico que en el fondo del valle se luche a favor o en contra de una idea o de una persona; pero desde lo alto del monte se es un poco espectador* [1].

Esta cita de *La caverna del humorismo*—uno de los libros-clave para entender el arte de Pío Baroja—señala muy sucintamente las peculiaridades estilísticas más salientes de Baroja: mirar y presentar el mundo a distancia. La distancia en este caso debe ser entendida no sólo física, sino ante todo emocionalmente: la capacidad de despegarse de lo observado gracias al humorismo. En el capítulo precedente se ha visto cómo, sobre todo en la serie de *Memorias de un hombre de acción,* Baroja busca la visión objetiva inventando a varios narradores y cambiando constantemente de punto de vista. La importancia de este procedimiento es resumida en las líneas que continúan la cita de arriba: «El humorismo no puede resultar del que mira el mundo de abajo arriba. Quizá mejor pueda producirse en el que mira el mundo de arriba abajo, pero la posición verdadera del hu-

[1] *OC* V, pp. 421-2.

morista será estar a nivel de los demás... ni más arriba ni más abajo: a la altura de su corazón. En esta altura se puede cambiar constantemente de punto de vista».

En estos breves párrafos se ponen de relieve dos constantes del estilo de Baroja, que de vez en cuando convergen: el mirar el mundo como espectador, interponiendo distancia; y tratarlo, cuando puede, con humor, lo cual a su vez implica distancia. El humorismo en Baroja ha inspirado varios estudios [2]. Muchos críticos lo señalan como lo mejor y lo más característico de la obra barojiana. Y en verdad más de una vez se salva un cuento (e. g. «La vida de los átomos») o un capítulo (baste pensar en *La feria de los discretos* o en *Silvestre Paradox)* que corrían el riesgo de caer en el sentimentalismo por un final inesperado, entre humorístico e irónico. No en vano, al juzgar a los novelistas del siglo pasado, todas las simpatías de Baroja van hacia aquellos que han sabido juntar la risa y el lloro: Dickens, Stendhal, Gogol [3]. Incluso inventa una denominación específica, que sería aplicable a él mismo a veces: «humorismo sentimental». Son gustos y preferencias que se repiten en sus protagonistas: en más de una novela las inclinaciones del personaje principal van hacia muchachas o mujeres que son «graciosas» y un tanto burlonas o irónicas, sin que esto ex-

---

[2] Entre otros: L.-P. Thomas, «Un grand romancier espagnol, Esthéticien de l'humour Pío Baroja» *(Terres Latines*, Paris, feb. 1933); un capítulo importante en el libro de E. Matus; referencias acertadas por S. Reyes y L. Delpecho *(op. cit.)*, quienes señalan su parecido con el humor británico, seco y sin efectos superficiales de risa.

[3] Pone de relieve esta preferencia en *Memorias:* «Para nosotros, los continentales, lo grande de la literatura inglesa está en lo desmesurado, en el humorismo» *(La intuición y el estilo, OC* VII, p. 1.054). Muchas ideas de Baroja concuerdan con las que expone Vladimir Jankélévitch en su interesante libro *L'Ironie* (París, 1936), al que se hará referencia más de una vez. Así, subraya que el mayor logro del humorismo consiste en saber presentar las situaciones a dos niveles: como farsa y como algo seriamente inquietante. Baroja parece tenerlo en cuenta desde sus primeras novelas.

cluya un fondo de seriedad. (Recuérdense la condesa y Remedios en *Feria,* Dolorcitas en *Shanti Andía,* Dolly en *Pilotos,* Amparito en *César*[4].)

De la misma manera, transmite su actitud de espectador a los personajes que crea. Corrales Egea afirma que Baroja interpone entre sí mismo y el mundo un lente de observador, creando distancia[5]. Esto explicaría la imputada actitud de periodista o de cronista: tampoco ellos entran plenamente en lo que van refiriendo. Larrañaga, Quintín, Andrés Hurtado son espectadores también, y sirven como medios de objetivación. El reproche antes mencionado de que Baroja sólo sabe presentar ambientes de mucha gente encuentra aquí su respuesta: los observa como en un desfile continuo, siempre a distancia. Esto no quiere decir, sin embargo, que no se preocupe de su carácter interior. Al criticar la figura del *Empecinado* creada por Galdós, que le parece «caracterizado como un tipo de teatro», afirma: «Para mí al menos, lo más interesante en un hombre como *el Empecinado* sería lo interno, lo psicológico, el saber la evolución de su espíritu, no saber su manera de hablar»[6].

Al explicar los recursos dictados por la ironía, Jankélévitch subraya el uso de la perspectiva, perspectiva que trasmuta y ordena el espacio, los personajes, la importancia del asunto. En cuanto al espacio, la perspectiva permite ver una extensión mayor y con ello situar más acertadamente la acción o el personaje. Une exactitud y cierta vaguedad. Pedro Salinas y Julián Marías[7] recalcan este don de crear ambien-

---

[4] «Esta Amparo es chatilla, menudita, con los ojos negros y una vivacidad y una malicia extraordinarias» (*César o nada, OC* II, p. 687).

[5] «De *La sensualidad pervertida* a *La estrella del capitán Chimista*», *Baroja y su mundo,* I, p. 189. Hace notar, además, que esta actitud es parecida a la del *Espectador* de Ortega.

[6] *La intuición y el estilo, OC* VII, p. 1.044.

[7] «'La juventud perdida', de Pío Baroja», *Literatura española siglo XX,* segunda edic., Madrid, 1970, pp. 121-5; «El mundo es ansí», *Baroja y su mundo,* II, p. 322.

tes un tanto vagos, siempre presente en Baroja; la vida actual es precisamente esto, dicen: inexacta, y al presentarla así, se logra mayor veracidad. Lo mismo consigue con no atribuir importancia a un solo protagonista o a una sola acción: creando una perspectiva panorámica, obtiene una visión total más verídica. Baroja mismo lo explica en *Memorias*: «Nosotros no buscamos el delinear la figura, grande y destacada, con una línea fuerte que la separe del medio en que vive, sino que queremos hacerla vivir en su ambiente» [8].

Todos éstos son puntos que elabora Jankélévitch en relación con la ironía y que se encuentran confirmados en *La caverna del humorismo* [9]. Jankélévitch destaca el hecho de que la visión irónica invita siempre a la «disminución» de objetos separados, encontrándoles la dimensión justa. Muchas descripciones del paisaje ofrecidas por Baroja revelan una interpretación semejante. Apenas hay novela suya donde no se contemple el paisaje desde un punto alto, abarcando extensiones inmensas que a vista de pájaro parecen diminutas: «Desde el Miradero se divisa abajo, como desde un globo, el puente por donde pasan los hombres, las caballerías y los carros, achicados por la distancia» [10].

Tal visión se vuelve casi simbólica: permite al protagonista no sólo mirar las cosas objetivamente, sino también percibir su significación última. Enfocándolas desde lejos, se pierde la exageración de un solo aspecto en la que se podría incurrir considerándolas de cerca. El detalle se incorpora a

[8] *El escritor según él y según los críticos, OC* VII, p. 438.

[9] Otro libro que investiga lo cómico, lo irónico y lo humorístico, *La risa,* de Henri Bergson, cuyo ejemplar en traducción española conservado en Itzea lleva muchos subrayados y anotaciones, ha provocado ante todo protestas por parte de Baroja, como se verá más adelante.

[10] *César o nada, OC* II, p. 682. No intenta quitar grandeza a la naturaleza, sin embargo, y continúa así: «Por la tarde, desde el Miradero, desde la altura en que se encuentra Castro, se siente uno aplanado ante ese mar de tierra, ante el vasto horizonte y ante el profundo silencio». Aquí disminuye más bien la importancia del espectador, enfrentándole con el cosmos y haciéndole ver la insignificancia última del hombre.

la visión del conjunto. Con una alusión a *Guzmán de Alfarache* sugiere que el conjunto siempre es para él más que paisaje, que en realidad quisiera abarcar la existencia humana en su totalidad: «Al asomarme al balcón recordaba la novela *Guzmán de Alfarache,* cuyo subtítulo es: *Atalaya de la vida humana.* Yo me veía también como un atalayero de la vida humana» [11].

Quizá sea este deseo de observación objetiva, de una visión imparcial lo que hace que Baroja sitúe la casa de varios protagonistas suyos fuera de los límites del pueblo al que de veras pertenecen. Presentando a la familia de Juana Mari, dice que ésta «se encontraba a gusto en Errotacho, separada de los vecinos, aislada y al mismo tiempo cerca del pueblo» [12]. Los Zalacaín viven también «a unos pasos» de Urbía, lo cual les permite distinguirse del montón por no ser sus ciudadanos. Tanto su casa como la de Shanti Andía están situadas en un sitio alto y se prestan para abarcar un vasto panorama: «La casa tenía balcones a tres fachadas. Desde allí dominábamos toda la ciudad, el puerto hasta la punta de la atalaya, y el mar» [13]. Este es un recuerdo de la casa de tía Cesárea en San Sebastián; las otras parecen casi un retrato de la casona en Vera, también un tanto apartada del pueblo, pero permitiendo percibir, por sus balcones, no sólo la vida de los pueblerinos, sino también la circulación por la carretera que lleva a Francia.

La amplitud del panorama no sólo produce una sensación de libertad. A los jóvenes les habla también de las aventuras y de las posibilidades ilimitadas. En los viejos, al contrario, invita a una excursión nostálgica al pasado. Entonces, a la distancia espacial se añade también la temporal. En vez de soñar con las aventuras futuras, meditan acerca

---

[11] *La sensualidad pervertida, OC* II, p. 901.

[12] *La familia de Errotacho, OC* VI, p. 263.

[13] *Las inquietudes de Shanti Andía* (Renacimiento, Madrid, 1911), página 23.

de las oportunidades perdidas: «A don Eugenio le gustaba contemplar el paisaje; le producía, momentáneamente, un olvido de todo; le recordaba los días de su infancia, cuando iba a la peña de Aya y al monte Larún a ver el mar a lo lejos. Este germen ahogado que tenemos todos de otro hombre o de otros hombres despertaba en él con la contemplación» [14].

La contemplación de la naturaleza desde un sitio remoto, además de permitir ver realísticamente y en dimensiones adecuadas la situación, o de sobreponer impresiones recordadas, casi siempre se presta en las novelas barojianas a descripciones líricas. La fantasía emotiva del autor se abre paso en tales ocasiones más que al describir encuentros entre los personajes, incluso cuando éstos pretenden ser amorosos. Lo percibido desde una ventana o desde un mirador adquiere colores mágicos; las dotes líricas se vierten en una expresión menos escueta que la usual, más poética que en los poemas que se publicarán más tarde:

> Me levanté de la cama, descorrí las cortinas, abrí la ventana y las persianas. Hacía una noche soberbia, fresca. La luna resplandecía en el cielo y llenaba los boscajes de sombras misteriosas. A lo lejos, el río serpenteaba luminoso y fantástico. En el parque del castillo brillaba la luna sobre las copas plateadas de los tilos y de los robles; delante de la casa, en el jardín, se veía subir el surtidor de la fuente como una varita mágica de cristal y romper en su caída la superficie tranquila del estanque [15].

El deseo de crear perspectiva, de disponer de distancia cuando se mira el mundo se ha cristalizado en un pequeño

---

[14] *Los recursos de la astucia, OC* III, p. 620.

[15] *El amor, el dandismo y la intriga, OC* IV, p. 61. Recuérdese que éstas son impresiones de un hombre del siglo XIX que tiene sus rachas de romanticismo.

detalle muy característico que falta en pocas obras de Baroja: la subida de algún personaje por el tejado. El núcleo de todas estas escenas proviene de experiencias concretas: «También hicimos fantásticas excursiones por el tejado de nuestra casa y por el de las casas de los alrededores, registrando los desvanes y asomándonos a los patios» [16]. He aquí la base para episodios semejantes en *Silvestre Paradox, Feria, La dama errante, La Isabelina,* todos llenos de gracia humorística y de espíritu juvenil. Es una variación de la misma constante. Cumple, además, otra función, también ésta tal vez relacionada con hábitos cogidos en la niñez: mirando desde un punto elevado, desde lejos, la distancia permite elaborar la realidad percibida. Se mezclan observación objetiva e imaginación. Muchos paisajes de Baroja aparecen como a través de una ligera neblina; los contornos no son nunca claramente delineados. Es lo que Juan de la Encina llama «el don estético de la lejanía» [17] y lo que el autor mismo comenta en *La sensualidad pervertida:* «No es para mí la luz violenta ... a la claridad fuerte prefiero el gris, no porque sea más fino ni más basto—esto me tiene sin cuidado—, sino porque me parece más agradable» [18]. Este gris se incorpora perfectamente a su ideología total de la distancia y de lo indefinido: no destacar nada, unir por un ámbito común. La presentación un tanto difusa corresponde a lo que Beda Allemann denomina «ironía poética»: no destructora, sino creadora [19].

---

[16] *Juventud, egolatría, OC* V, p. 194. Lo repite palabra por palabra en *Familia, infancia y juventud, OC* VII, p. 550.

[17] «El laberinto de las sirenas», *Baroja y su mundo,* II, p. 120.

[18] *La sensualidad pervertida, OC* II, p. 895. Lo confirma en *Las horas solitarias:* «Yo estoy convencido de que es la luz fuerte lo que afea todo. Cuando la luz fuerte desaparece, los colores son más vivos, más puros. ... Yo prefiero, con mucho, los días grises, frescos, aunque sean lluviosos» *(OC* V, p. 323).

[19] *Ironie und Dichtung,* Pfullingen, 1956. Recordemos el «escepticismo poético» predicado por Juan de Mairena.

El paisaje no sólo se presenta frecuentemente visto a distancia, sino que a la vez sirve como factor distanciador. Se ha comentado que Baroja es probablemente el mejor paisajista de este siglo, pero se le ha reprochado el no saber incorporar las descripciones del paisaje a la narración. Reproche justo, sobre todo pensando en sus primeros libros, si no se considera este recurso como otro intento consciente por parte del autor para distanciar la acción. Las frecuentes intercalaciones de las descripciones del paisaje consiguen interrumpir la tensión dramática y devolver la objetividad al lector. Sirven, según Baroja, dos propósitos principales: crear ambiente (y éste sí podría contar como un componente que da unidad a la novela, por lo menos unidad espacial) y distanciar: «Hay, además, una razón técnica en el empleo de la descripción en la literatura novelesca, y es que sirve para alejar unas partes de otras, hacer como de marco de un incidente» [20]. Una hábil descripción del mismo paisaje permite poner de relieve la distancia en el tiempo, así como introducir el tema de la relatividad: cambia en cada estación, a toda hora. El relativismo se subraya más aún si el mismo paisaje se presenta contemplado por dos personas: nunca se ve igual.

Según Jankélévitch, la ironía ayuda al espíritu a despegarse de la vida, actúa como un catalizador. Por medio de ella se hace posible percibir el mundo a un nivel distinto en vez de sumergirse en él. Así, actúa no sólo como un instrumento para medir más exactamente, sino también para protegerse, por lo menos emocionalmente. Las palabras dichas por Jankélévitch a este respecto recuerdan muy de cerca lo que formula Baroja, aunque su referencia a la distancia es más general y no se limita a la ironía: «El escritor tiene derecho a zafarse de este ruido monótono de los cañones y de los sables; podemos impunemente tejer telas de

---

[20] *La intuición y el estilo, OC* VII, p. 1.053.

araña con las ideas y los sueños en nuestras buhardillas y en nuestros mechinales, porque estas telas de araña son a veces algo, y el ruido de los cañones no es nunca nada. Sólo lo que pasa a ser intelectual tiene valor para la conciencia» [21].

Examinando la presentación de los personajes en la mayoría de las novelas de Baroja, se puede observar que siempre existe una distancia entre el autor y sus protagonistas. Se le ha reprochado el que introduzca millares de transeúntes sin profundizar, que no lleguemos a conocer de veras ni siquiera a los principales. Acaso haya que poner el acento en un lugar distinto: lo que resulta es que él no *vive* con sus personajes: les observa, y lo mismo hace el lector. Por consiguiente, incluso cuando expresan ideas suyas, nunca llegan a ser tan parte de sus entrañas como los de Unamuno. Tampoco va hacia el otro extremo: crear estampas, tipos casi atemporales, como *Azorín*. Los personajes de Baroja viven (aunque no con él), se mueven, entran y desaparecen como en la vida. Recordemos su filosofía de «transeúnte y paseante en corte»: así no se llega a conocer totalmente a ninguna persona. Muy conocida es la declaración que hace respecto a la creación de los personajes, pero tal vez valga la pena repetirla: «Hay personajes que no tienen más que silueta, y no hay manera de llenarla. De algunos, a veces, no se pueden escribir, aunque se quiera, más que muy po-

[21] *Juventud, egolatría, OC* V, p. 155. Dice Jankélévitch: «L'esprit, grâce à elle, prend ses distances, c'est-à-dire, l'esprit se décolle de la vie, éloigne l'imminence du danger, repousse peu à peu les choses jusqu'à l'horizon de son champ intellectuel» (p. 12). También la definición del escepticismo al que se llega gracias a la ironía es aplicable a Baroja: «L'ironie développe d'abord en nous une sorte de prudence égoïste qui nous immunise contre toute exaltation. ... D'autre part, l'ironie nous donne le moyen de n'être jamais désenchantés, pour la bonne raison qu'elle se refuse à l'enchantement» (p. 25).

cas líneas, y lo que se añade parece vano y superfluo. El detalle inventado y mostrenco salta a la vista como cosa muerta»[22]. Es una limitación que sirve, entre otras cosas, para no permitir una compenetración total con el personaje: también el lector, no pudiendo entrar totalmente en él, adquirir intimidad completa, mantiene la distancia y recuerda que está en el mundo de la ficción, por más que éste se parezca al real.

Es curioso que en más de una novela, aunque no nos permita «entrar» de veras en el personaje mientras se desenvuelve la acción, el autor cuente su «prehistoria», consolidándole como tipo a través de sus antepasados. Otras veces confiere más realidad introduciéndole en su propia vida *(César o nada)*. Mirándolo bien, también este recurso sirve para mantener cierta distancia. Si no lo consideramos como un medio para confundir eficazmente historia y ficción (procedimiento usado muy diestramente por Galdós y más dramáticamente por Unamuno), debemos pensar que tal presentación pone al lector en guardia y le induce a examinar el desarrollo subsiguiente con ojo crítico. Tal vez no sea equivocado sugerir que es técnica que aprendiera leyendo a Stendhal, quien siempre mantenía una actitud irónica frente a sus personajes y no se encariñaba de veras con ellos. Actitud que Baroja trasplanta a sus personajes: tampoco ellos se entusiasman plenamente por nada, entran en contacto con otros a través de un distanciamiento crítico. Es una característica estilística que se hace mucho más notable en algunos escritores posteriores, como Cela.

Cuando se encuentran solos, los personajes intentan examinar sus propios sentimientos y reacciones a distancia. Nin-

[22] *La intuición y el estilo, OC* VII, pp. 1.046-7. Lo reitera más adelante: «En la vida se da con frecuencia el caso de comenzar a preocuparse y a sentir curiosidad por algo cuando desaparece de nuestro campo visual» *(Reportajes, OC* VII, p. 1.143). Aquí entra en función la memoria, cuya importancia ha recalcado repetidamente, y que implica visión a distancia.

gún medio más eficaz para esto que establecer un autodiálogo: desdoblándose, hacen que una mitad escrute críticamente la otra y comente sus acciones. El procedimiento no es moderno: su mejor ejemplo sea quizá el inolvidable monólogo de Sancho sentado debajo del árbol en su misión a Toboso. Baroja reconoce su valor y se vale de este recurso con frecuencia y con gracia:

> —Aviraneta—me dije a mí mismo—, has hecho una tontería en visitar a Castelo. Has llamado la atención sobre ti. No tienes un rincón donde poner tus huesos en seguridad, y estás en peligro de que te rompan uno, como decía Paca Dávalos hace un momento [23].

La distancia en la emoción es lo que contribuye a la tan anhelada amenidad de las mejores obras de Pío Baroja. Cuando cuenta por contar, olvidando las reflexiones político-socio-económicas o ideológicas, nos persuade de veras. En las novelas donde se deja llevar por la idea incurre más fácilmente en el error que criticó Ortega: no crea un mundo, sino que presenta el suyo, por fuera y por dentro. Algunas novelas, sobre todo las últimas, se acercan peligrosamente al punto-límite señalado por Edward Bullough en su interesante artículo sobre la distancia como un presupuesto del arte: en vez de ser creación artística, la obra corre peligro de convertirse en un comentario ético, filosófico o político [24]. Según Bullough, la distancia confiere más universalidad a la obra y determina incluso el grado de logro artístico. Una creación artística, concluye, nunca debería ser una experiencia directa del artista mismo, sino una «formulación del contenido mental distanciado». Si no, pierde no

[23] *El sabor de la venganza, OC* III, p. 1.153.

[24] Edward Bullough, «'Physical distance' as a factor in art and an aesthetic principle», *British Journal of Psychology,* V, II, June 1912, páginas 87-118.

sólo en arte, sino también en verosimilitud [25]. Lo reconoce Baroja: «Yo creo que, como dice Saint-Réal, la novela es un espejo que se pasea por un camino, y el autor debe mostrarse un tanto separado de la moral de la cuestión y mirar con cierta serenidad las fuerzas que deben encontrarse una contra otra, y ver la posibilidad de éxito de una de éstas» [26].

Hablando del proceso creador, indica más de una vez que lo que ofrece son «impresiones recordadas», o sea, vistas a distancia, con calma y en su dimensión justa [27]. Sería equivocado, pues, sostener que sus novelas nacen bajo el impulso del momento o de la obsesión de una idea o de una figura, y que por esto están «mal hechas». Lo que busca es desasimiento y reflexión, y lo consigue cuando aplica lo que él mismo llama «la moral de juego»: acercarse a la literatura desinteresadamente, sin propósitos de defender alguna tesis.

En el tratamiento del tiempo en las novelas barojianas se puede asimismo hablar de una técnica de distanciamiento. El tiempo ya por sí crea distancia. Mucho más si es usado como protagonista, lo que ocurre en *Las inquietudes de Shanti Andía*. Allí, desde el principio se presenta a un personaje que lee sus recuerdos y que se pregunta en aquel momento si, mirándolo todo retrospectivamente, vale la pena seguir escribiendo. Los saltos cronológicos en la narración

---

[25] Roger Caillois *(Puissance du roman)* expresa una opinión semejante: el propósito de una novela debería ser transformar en espectáculo aquello que se presenta como la experiencia de un 'engagement'».

[26] *La intuición y el estilo, OC* VII, p. 1.070.

[27] Lo explica como sigue: «En general, el suceso, cuando se recuerda, se ve más completo y más pequeño que en el momento en que ocurre, pero se comprende que es necesario, que es imprescindible ver las cosas muy simplificadas y deformadas para intervenir en ellas con energía» *(Las horas solitarias, OC* V, p. 232).

no consiguen crear la impresión de sincronismo: más bien recalcan la distancia. Los excursos en el pasado—ya no sólo de Shanti, sino también del tío—amplían el horizonte temporal. El sostenido tono nostálgico contribuye a mantener vivo el pasado como tal. A la luz de estos dos tiempos, el protagonista tiene mejor oportunidad de mirar y juzgarse objetivamente. En cuanto al lector, el ya mencionado recurso de la «prehistoria» y la presentación en varios tiempos le mantiene alerta frente a las peripecias de un personaje que se contempla él mismo como tal.

Los finales abiertos de varias novelas subrayan aun más la función del tiempo. En ello Baroja es totalmente diferente de los compañeros de su generación: Unamuno lucha contra el tiempo y contra la muerte; *Azorín* trata de inmovilizar el instante; Valle-Inclán, al estilizarlo, lo hace atemporal. El intento de Baroja es otro. Es como su descripción de la fuente con la que se compara: «Hay en mi alma, entre zarzales y malezas, una pequeña fuente de Juvencio. Diréis que el agua es amarga y salitrosa, que no es limpia y cristalina. Cierto. Pero corre, salta, tiene rumores y espumas. Eso me basta. No la quiero conservar; que corra, que se pierda. Siempre he tenido entusiasmo por lo que huye» [28]. Con ello consigue su ideal de permeabilidad y el de «dejar siempre una ventana abierta». Y a través de la ventana, lo visto adquiere calidad panorámica.

Se podría comentar también la distancia conseguida en el tratamiento de un tema, pero ello implicaría consideraciones más extensas y comparativas. Sería muy interesante trazar los cambios de actitud frente a un tema capital, como

[28] *Juventud, egolatría, OC* V, p. 164. Lo reitera en el prologuillo a *La dama errante:* «Este carácter efímero de mi obra no me disgusta. Somos los hombres del día gentes enamorados del momento que pasa, de lo fugaz, de lo transitorio» *(Páginas escogidas,* p. 261).

el de la justicia, entre los autores que Baroja leía más: Dumas, Hugo, Gogol, Dostoyevski, y él mismo. Esto llevaría a la contraposición de siglos y de ideologías de varios movimientos literarios y no cabe dentro de los límites de este capítulo. Se ha aludido brevemente a estas diferencias en el capítulo I, llegando a la conclusión de que en esto, Baroja guarda mayor distancia y se revela más moderno.

El tema de la justicia está permanentemente presente en casi todo lo que escribe. Como se ha visto, en los primeros artículos encuentra expresión como ataque y diatriba, en un tono casi moralizante que hace pensar en Dickens o en Gogol. Raras veces, aun en estos artículos, se une con el melodramatismo, como en Sue, Dumas, Montepin, o incluso en Hugo. Baroja no tarda en darse cuenta de que las palabras fuertes y las moralizaciones obvias consiguen menos que la exposición escueta de los hechos o que una ironía solapada [29]. La aplica en todas las ocasiones donde ve la necesidad de criticar. Un buen ejemplo de este tipo de presentación es la descripción de Coria, donde no emite opiniones, pero por medio de la acumulación de algunos datos da a entender más que con una crítica abierta:

> Coria, más que un pueblo con una catedral, es una catedral con un pueblo. Es una ciudad levítica por excelencia. Para unos quinientos vecinos, que representan unos dos mil o tres mil habitantes, Coria cuenta con la catedral, el seminario, la parroquia de Santiago, el convento de monjas de Santa Isabel, el de San Benito y varias ermitas y capillas [30].

---

[29] Jankélévitch hace notar que la ironía siempre hace optar por la justicia en vez de la intimidad, imponiendo un juicio imparcial.

[30] *Los recursos de la astucia, OC* III, p. 616. Muy curioso resulta encontrar un articulillo de Antonio Machado, de 1904, que emplea el mismo tono con un propósito semejante: «El otro día quedé maravillado al ver el magnífico seminario que se está construyendo en el Paseo del Cisne, y por aquellos contornos conté casi tantos conventos e iglesias como hoteles particulares y casas de vecinos. Dentro de un siglo, a más tar-

Las diferentes manifestaciones de la distancia convergen en el aspecto técnico esencial de la novela: la estructura. Repetidamente se ha afirmado que Baroja aprendió mucho de la técnica de los folletinistas, de la que se valían también Dickens y Balzac. De ellos toma no sólo la habilidad narrativa, el interés sostenido, sino también cierta disgregación que permite mirar a distancia una obra que se va escribiendo y se lee por entregas. Logra mantener la curiosidad, cortando los capítulos en el punto de más alta tensión, pero a la vez interrumpe la vivencia del mundo de ficción. Tanto el autor como el lector vuelven al mundo real entre los capítulos. Así, habiéndose apartado temporalmente del núcleo de la obra, se acepta más fácilmente la introducción de nuevos episodios, de nuevos personajes, de nuevos modos de narración. La introducción de las anécdotas, muy frecuente en las novelas de Baroja, también se puede interpretar como un recurso para crear distancia. Hay quien afirma que a través de las anécdotas se completa la presentación de los personajes, lo cual es cierto; por medio de ellas completa también la ambientación; pero muy a menudo do se intercalan como unidades casi independientes. Así, el hilo de la narración principal interrumpido, el lector puede recapitular, reflexionar. Aunque de índole muy diferente en cuanto a la estructura, forma y fondo, sirven un propósito semejante las «estampas» o los poemas en prosa intercalados en varias obras de los años de madurez. El cambio de nivel siempre permite crear distancia y lograr una visión más objetiva.

Es frecuente que Baroja empiece una novela con una introducción o un prólogo, y luego, en el primer capítulo, exponga ideas generales, sea sobre España, sea sobre la mujer, sea sobre la imaginación o la educación. Con ello parece

---

dar, Madrid entero estará dedicado a Dios. Y supongo que en toda España ocurrirá lo mismo» («Trabajando para el porvenir», *Alma Española*, 20.III.1904).

advertir al lector que lo que seguirá va a ser una ilustración de los principios expuestos. Y el lector, casi inconscientemente, compara las generalizaciones introductorias, así como las que están dispersas a través del libro, con lo que va surgiendo en la narración. La misma técnica se emplea, en escala menor, dentro de los capítulos individuales: son frecuentes las escenas en las que algún personaje secundario cuenta una historia ajena a la trama que hace surgir reacciones reflexivas entre los que le escuchan.

Hay, por fin, infinitos detalles minúsculos que ayudan a mantener la distancia entre el autor o el lector y la obra. Así, los títulos de los capítulos, no pocas veces irónicos, y casi siempre añadidos en la redacción final, que sirven para recordar que es el autor quien, ya totalmente desasido del mundo ficticio, lo presenta al lector *cum grano salis*. El uso de la ironía dentro de las obras mismas abre las puertas a un procedimiento favorecido por los autores modernos: la ambigüedad. Lo sobreentendido invita a interpretaciones más personales, ofrece más posibilidades. La disasociación, el fragmentarismo conseguidos por el movimiento rápido y los saltos de un párrafo corto a otro, de un personaje a otro también parecen indicar búsqueda de variedad. El entusiasmo y la compenetración total con el mundo de un solo protagonista resultan imposibles, y esto lo achaca Baroja a la vida moderna, al hecho de que ya se ha vuelto imposible el misterio. El lector moderno también es diferente: está más inclinado a una lectura crítica, y ésta pide distancia.

En su libro sobre la ironía, Jankélévitch enumera varios rasgos estilísticos que la distinguen. Muchos de ellos concuerdan con las observaciones de Baroja en *La caverna del humorismo* y—lo que es más interesante para el caso—con los procedimientos que emplea en sus novelas. Un resumen de ellos casi se puede considerar como un repaso de las constantes del estilo barojiano.

La ironía, dice Jankélévitch, busca una visión sintética, y puesto que para ello necesita abarcar lo más posible, no procede siguiendo una rutina establecida ni un plan metódico, sino por saltos, destacándose por su laconismo y su inclinación a la elipsis [31]. Siempre abrevia, fragmenta, nunca enuncia completamente. Es evasiva y tiene preferencia por lo indefinido. Baroja subraya a su vez que el humorismo tiende a la promiscuidad y no reconoce límites definidos entre los géneros literarios. En práctica, da repetidas pruebas de que la novela es para él tanto una crónica documentada como un tratado de filosofía o de sociología; un lugar para efusiones líricas y episodios fantásticos como para cuadros costumbristas objetivos [32].

Insiste Jankélévitch también en la animosidad de la ironía hacia lo patético y lo retórico. Baroja se suscribe de todo corazón a esta negación y se sirve de la desheroización y de la desmitificación a través de toda su obra. Los personajes que tienen características comunes con el autor saben mirarse a la luz de la ironía y no pretenden saltar por encima de su propia estatura. Al revés, frecuentemente se quitan toda importancia, no pocas veces con una gracia ejemplar:

> A mí, la verdad, la gloria no me entusiasma. La gloria no es para los países lluviosos; tener una estatua a orillas del Mediterráneo, en una ciudad de Andalucía, de Valencia o de Italia, está bien; pero ¿qué voy a hacer yo si en premio de este libro me levantan

---

[31] Compárese esto con lo que dice Baroja: «El humor es una síntesis»; «La obra del humorista es informe, incompleta y porosa» *(La caverna del humorismo, OC* V, pp. 408 y 418).

[32] «Yo no soy de los hombres que saben especializarse y permanecen tranquilos en la casilla que les corresponde» *(Las horas solitarias, OC* V, p. 229)

una estatua en Lúzaro? ¿Estar recibiendo constantemente la lluvia en la espalda?

No, no; soy muy reumático, y ni aun en efigie me gustaría estar así a la intemperie [33].

La visión irónica o humorística no le impide en general emocionarse delante de la belleza ofrecida por la naturaleza. En tales casos es capaz de dejarse llevar por su entusiasmo y de reconocer la grandeza del espectáculo. Pero nunca se permite prolongar esta nota. En *César o nada* el protagonista ve un día un crepúsculo impresionante sobre el Foro Romano. La significación de las ruinas parece subrayarse por la coincidencia de un entierro que pasa delante en el mismo momento. Al volver a este sitio más tarde, se siente obligado a hacer un comentario acerca de aquel arrobamiento y elimina todo patetismo con una nota humorística: «Hemos vuelto pasando por el Foro; pero hoy no hemos encontrado ningún entierro. Exigir que todos los días muriera uno y sacaran su cadáver durante el crepúsculo para la emoción del turista, creo que sería exigir demasiado» [34].

También lo imprevisto y lo paradójico son características de la ironía según Jankélévitch. Como se ha visto, son constantes sobre las cuales se erige una de las primeras novelas auténticamente barojianas: *Silvestre Paradox*. Corresponden al frescor y a la innovación que se recomiendan en *La caverna del humorismo* y que son rasgos permanentes de las mejores obras de Baroja, así como el énfasis en lo espontáneo y en la improvisación [35].

A este punto conviene tal vez tratar de distinguir entre

[33] *Las inquietudes de Shanti Andía, OC* II, p. 998.

[34] *César o nada, OC* II, pp. 674-5.

[35] Improvisación que no impide elaboración: se ha mostrado en el capítulo IV que incluso corrigiendo añade espontáneamente. El hecho mismo de que vuelva a corregir la obra varias veces confirma su deseo de mirarla a distancia.

la ironía y el humorismo. Según Jankélévitch, la vida es para el ironista «pura negación y relatividad», mientras que el humorismo admite simpatía, compasión y cierta credulidad. Tampoco elimina totalmente el sentimiento y la intimidad. Gómez de la Serna, a su vez, después de declarar que la distancia creada por el humorismo permite «ver por dónde cojea todo» y «abajar las alcurnias», sostiene que «la creación humorística admite entusiasmo y credulidad» y «hace que la emoción no se disuelva en lo cómico» [36]. En este aspecto son muy interesantes las anotaciones de Baroja a *La risa,* de Bergson: más de una vez expresa una opinión contraria a la del filósofo francés, insistiendo sobre todo en la intimidad y la presencia del sentimiento. He aquí algunas de ellas: «Creo que se puede reír de una persona, por ejemplo de un niño, con simpatía y hasta con ternura». Cuando Bergson aserta: «Lo cómico, para producir todo su efecto, exige como una anestesia momentánea del corazón. Se dirige a la inteligencia pura», Baroja comenta: «dudoso». Del mismo modo, a la observación de Bergson que «lo cómico habrá de producirse... imponiendo silencio a la sentimentalidad y ejercitando únicamente la inteligencia», contesta Baroja: «no se acepta». Y en una de las páginas finales añade: «El humor es una risa que conmueve».

Tanto Jankélévitch como Gómez de la Serna sostienen que uno de los procedimientos esenciales del humorismo es el contraste. En los capítulos precedentes se ha visto que éste es también uno de los recursos estructurales preferidos por Baroja. La función del humorismo, dice, es acercar los polos opuestos, dando nacimiento a una nueva visión sintética. Recalca también el hecho de que el humorista no se rige por un punto de vista moral, que procede lógica y

---

[36] *Ismos, Obras Completas,* II, Barcelona, 1952, pp. 1.066 y 1.073. Baroja lo confirma en *La caverna del humorismo:* «El humorista es más bien un sentimental» *(OC* V, p. 420).

metódicamente, sino que tiende a la interpretación basada en la filosofía, que abarca más y surge espontánea y fragmentariamente.

El humorista, afirma Baroja—y lo expuesto por Jankélévitch y por Gómez de la Serna parece confirmarlo—es siempre individualista y no sigue regla ninguna. Este individualismo se transparenta en su concepto general del estilo: debe estar hecho a la medida del escritor. La originalidad no reside en el sentido gramatical y retórico, sino surge como consecuencia del hecho que cada hombre tiene su propia manera de representarse el mundo y de intervenir en él. El estilo de la vida de un hombre se vuelve inseparable de estilo de la obra [37].

Al volver a considerar el estilo y sus constantes más salientes como la expresión del hombre, surge una faceta más, señalada en los capítulos anteriores. La actitud irónica, una actitud que crea distancia, es frecuentemente característica de hombres tímidos: les sirve como autodefensa. Ya se ha comentado que en el fondo Baroja tenía una tendencia hacia lo sentimental, hacia lo íntimo, como lo demuestran sus primeras obras y su admiración por Bécquer y Verlaine. En sus años maduros, hace mención de esta «enfermedad» y trata de comprender el cambio gradual ocurrido: «¿Cómo y cuándo mi sensiblería y mi sentimentalismo se convirtieron en burla y en tendencia irónica? No lo sé a punto fijo» [38]. La actitud irónica en Baroja se puede considerar, pues, como una máscara que nunca se convirtió en figura verdadera (recordemos que elogia el humorismo sentimental),

---

[37] Su visión del mundo no es precisamente halagadora. Buscando una definición apropiada para el tono de su obra, dice: «Un amigo inteligente me dijo una vez: «No sé qué le falta a su idioma; lo encuentro agrio». Es lo que me ha parecido más exacto de lo que me han dicho» (*Juventud, egolatría, OC* V, p. 174).

[38] *La sensualidad pervertida, OC* II, p. 847. También Jankélévitch hace notar que siempre queda «cierto pudor» detrás del frente irónico.

pero que le ayudó a forjarse un estilo muy personal e inconfundible.

Hablando del humorismo, afirma Baroja que es el comienzo de un desdoblamiento. Este podría considerarse también como una constante de su obra. Se ha comentado ya que sobre todo en los últimos años su permanente inclinación al autoanálisis convierte sus novelas en una especie de confesión. En un libro temprano expone sus ideas sobre este procedimiento, que se presenta casi como una justificación de la ocupación que dominó toda su vida: «El ver mis recuerdos fijados en el papel me daba la impresión de hallarse escritos por otro, y este desdoblamiento de mi persona en narrador y lector me indujo a continuar» [39]. Con esto confirma que una de las motivaciones principales de su profesión de novelista ha sido el deseo de estudiarse a sí mismo, de encarnar todas sus posibilidades—y también sus sueños—en personajes ficticios.

La técnica que emplea Baroja en sus novelas hace pensar en un autor considerado como mucho más moderno: Bertolt Brecht y su «Verfremdungseffekt». A menudo se tiene la impresión de que Baroja tampoco quiere que el lector entre de lleno en el ambiente hermético recomendado por Ortega. Parece sugerir que hay que tener presente que sólo está ofreciendo un espectáculo, una ilustración, a veces una farsa con fondo trágico. Así, el juicio final, sobre todo en las mejores novelas, queda abierto para el lector. Todos los aspectos de la distancia empleados como recurso estilístico convergen en la distancia moral, y a través de ésta se consigue un enfoque decididamente moderno y de dimensión universal.

---

[39] *Las inquietudes de Shanti Andía, OC* II, p. 997.

INDICE

Página

Advertencia preliminar ... 11

I. Baroja y la novela ... 17

II. El estilo es el hombre ... 49

III. La formación del escritor ... 83

Familia ... 83
Lecturas ... 91
El folletín ... 92
Autores ingleses ... 97
Autores rusos ... 102
Autores franceses ... 106
Poesía ... 111
Filosofía ... 114
Varios ... 116

IV. La elaboración de la obra ... 123

Lista de manuscritos ... 136
Paradox, rey ... 142
Cuentos ... 148
El Mayorazgo de Labraz ... 151
La busca ... 156
Las mascaradas sangrientas ... 160
El gran torbellino del mundo y *Las veleidades de la fortuna* ... 178
El laberinto de las sirenas ... 179
Aviraneta, o la vida de un conspirador ... 180

Página

V. ¿Evolución o repetición? 187

Publicaciones periodísticas 189
Vidas sombrías 197
Silvestre Paradox 200
El escuadrón del «Brigante» 219
El gran torbellino del mundo 232
Susana y los cazadores de moscas 241

VI. Distancia y humorismo: dos constantes barojianas ... 249

UNIVERSITY LIBRARY NOTTINGHAM

6 00 208577 X
TELEPEN

l Readers | Staff & Res- Studen-